I co.

Pubblicato in accordo con Grandi & Associati, Milano

www.einaudi.it

ISBN 978-88-06-24847-5

Laura Imai Messina

Le vite nascoste dei colori

Einaudi

A Emilio, che cresce

Le vite nascoste dei colori

Prologo

In un tempo impreciso di questa storia, in due luoghi diversi del Kantō, due bambini di quattro e sei anni stanno facendo un disegno.

Mio, la bambina, è pancia a terra e sforbicia le gambe per aria. Ha trecce ordinate, occhi neri viscosi, un vestitino ceruleo. Disegna una foglia, una singola foglia, picchiettando con i polpastrelli decine di verdi; mescola verdi presi dalle matite, dai pastelli, tempere e colori a olio. Dove non arriva la capacità dei colori, cambia i materiali. Appiccica pezzetti di carta, gratta come un gattino le superfici; ha scrostato una vecchia borsa di pelle sintetica della madre, per ricavare altro verde che ora incolla alla sua unica foglia. Pare un disastro, ma l'effetto finale – ne è convinta – sarà stupendo.

Aoi, il bambino, è invece seduto composto al tavolo del soggiorno. Ha occhi neri, grandi e tranquilli, la bocca che pare una linea e la fronte distesa. Lui disegna un albero, non una foglia. La madre passa accanto al tavolo e getta uno sguardo al disegno del figlio: la corteccia è verde, la chioma rosa. Mette le mani sulle spalle di Aoi, gli bacia la testa ed esclama intenerita: «Ma che meraviglia!»

Prima parte

灰桜 *Grigio cenere e rosa ciliegio*

E in certi istanti, questa sensazione straordinaria
che niente è andato perduto; – niente si perde.

GHIANNIS RITSOS

Di colori diversi ugualmente perfetti che appari-
ranno eccellenti se veduti appaiati al proprio contrario diretto… azzurro appaiato a giallo, verde appaiato
a rosso: poiché ogni colore è veduto piú distintamente
quando è opposto al suo contrario anziché a qualsiasi
altro a lui simile.

LEONARDO DA VINCI

Uno

La rivelazione su chi fosse sua figlia, Kaneko Yoshida la ebbe una mattina di maggio, quando la piccola aveva poche settimane di vita. In una viuzza del quartiere Kagurazaka a Tōkyō il verde era un abbaglio, e le foglioline di tè erano tutte riassunte nel *kanji* di *shinryoku* 新緑: il nuovo, il verde piú acceso dell'anno.

La madre la osservava incantata giocare sul letto quando sentí una voce all'ingresso: la vicina portava in dono piccoli *mochi* appena pestati. Anche se di là c'era il marito, e altrove nella casa c'erano i genitori di lei, sarebbe sembrato scortese non affacciarsi per ringraziare. Kaneko si allontanò dalla stanza, lasciando Mio a gorgogliare di quella gioia piccina, di muovere al sole i piedini e le mani.

Quando, pochi istanti dopo, la donna tornò, al centro del letto però non c'era piú nulla. Tutto taceva.

Il corpo di Kaneko subí un'accelerazione clamorosa. Un'esperienza che, negli anni a venire, avrebbe descritto come la cosa piú vicina a un viaggio nel tempo.

Nei successivi trenta minuti compatti di corse e di urla, furono tutti convinti che la bambina fosse stata rapita: la finestra era aperta, il vento gonfiava la tenda come una vela. Nonna Yōko uscí di corsa, i passi accorciati dal *kimono*; nonno Mamoru restò a guardarla dalla porta mentre, trafelata, si dirigeva verso il *kōban*. Il padre di Mio, invece, impazzí di paura. Senza dire una parola si mise a rivoltare la casa. Sollevò in aria le stoffe ammucchiate sul letto, aprí cassetti e armadi, guardò sotto il tavolino della cucina. Pareva avesse smarrito un polmone, la milza.

Tutto il quartiere fu travolto dalla concitazione della ricerca: le donne tirarono fuori i mariti dai negozi, dalle officine, si invocò il poliziotto di zona, che intervenisse: una neonata era stata strappata alla madre! Che s'inseguisse quella donna di cui qualcuno aveva scorto di sfuggita l'ombra dietro una porta! Che s'indagasse sull'uomo scivolato giú di corsa alla fine della via principale di Kagurazaka! Lo aveva visto Shimizu-san, sí, e anche Abe-san aveva visto una figura sospetta dietro il platano, no, dietro la quercia! Nella concitazione generale che animava le case del vicinato, i ragazzini presero a correre per strada. Incapaci di distinguere l'eccitazione dalla paura. Pareva loro una festa.

La madre di Mio non si rassegnava, però, all'idea di non ritrovare la figlia lí dove l'aveva lasciata.

Come quando si continuano a cercare le chiavi di casa nella medesima borsa già rovesciata innumerevoli volte, Kaneko tornò ripetutamente nel punto in cui fino a poco prima era adagiata la bambina. La rivedeva giocare al centro del letto, lo stendino di metallo che oscillava alla finestra, lanciando lampi d'ottone nella stanza.

In lacrime, Kaneko si gettò a terra, schiacciata dal peso di un dolore cosí gigantesco da risultarle osceno.

Fu proprio allora che, tra le stoffe che aveva smosso cosí tante volte, percepí un movimento. Non sembrava il vento, ma qualcosa di vivo che si agitava. Forse la gatta? No, la gatta era al sole, sulla veranda.

La madre si sporse.

Ai piedi del letto, a terra, c'era come un fiore fittissimo di petali fatti di lino, canapa e seta, che nel centro mostrava la presenza di una cosa del tutto nuova.

Kaneko, rallentando in quella maniera inspiegabile con cui si ritarda la soluzione di un dilemma, allungò infine le dita. Frugò con delicatezza tra i lembi del bocciolo di rosa.

Ed ecco sua figlia.

Dormiva. Gli occhi chiusi, animati da impercettibili scosse: Mio si esercitava a guardare nel sogno, come fanno i cani che mimano con le zampe la corsa. Quel che soprattutto osservava erano i colori, le macchie distinte che si trovavano ancora parecchio oltre la capacità fisica delle sue pupille.

La donna rimase immobile, muta. Com'era possibile che la bambina non si fosse svegliata nell'affanno della ricerca? Come aveva fatto lei ad alzare e agitare le lenzuola e le stoffe e a non trovarla? Possibile che nessuno l'avesse calpestata? Che non avesse pianto quand'era caduta? Un rapimento interrotto alla buona? Perché?

Prese tra le braccia la figlia, la rimise al suo posto. Uscí silenziosa ad avvertire chi ancora per strada gridava; il poliziotto scortato da una piccola folla capeggiata da nonna Yōko che stava per rientrare in casa; il marito, che aveva il volto stravolto dalla paura; nonno Mamoru, ancora immobile sulla soglia.

Da allora, dopo quello che avrebbero ricordato come il Grande Spavento, posarono Mio sempre in una culla, circondata di pareti di leggerissimo legno e di paglia. E la madre prese a guardare la bambina con quel misto di ammirazione e sospetto che non si sarebbe mai piú levata di dosso.

Chi era sua figlia?

Mio era nata tra i *kimono*, nel trambusto di una mattina di novembre.

Quel giorno c'era stato un grande viavai di bambini per la festa di *shichi-go-san*, tutti erano avvolti nei tessuti decorati con falchi, elmi, sonagli, peonie. Un matrimonio si svolgeva al santuario di Akagi, e le stoffe tinte da suo nonno esplodevano di colore sull'incarnato della sposa. La famiglia di Mio aveva annodato completamente la propria esistenza ai tessuti, alla tintura, ai motivi tradizionali tracciati sugli *shiromuku*, i *kimono* nuziali.

Fu una grande festa, e insieme una sofferenza tremenda.

La madre di Mio stringeva da ventiquattro ore, a intervalli sempre piú ravvicinati, un fazzoletto tra i pugni.

9

Un asciugamano largo un quadrato serrato tra i denti, dal quale si liberava solo per ingoiare grossi bocconi di *onigiri* tra le contrazioni.

Poco alla volta il sangue si rovesciò sulle stoffe senza che nessuno pronunciasse una parola. Fu assorbito dal tronco del ciliegio in fiore dipinto su un *kimono* dismesso da anni. La nonna di Mio ricordava di averlo abitato ogni primavera, quand'era ragazza. Lo aveva scelto apposta: la stoffa di quel *kimono* conosceva l'amore, la fretta.

Era una tradizione di famiglia che chiunque altro avrebbe ritenuto bizzarra (se non addirittura ripugnante), ma che fra le donne Yoshida veniva tramandata da almeno tre generazioni. Che il parto, cioè, avvenisse su abiti smessi, e che quegli abiti li si conservasse macchiati fino alla morte; il rito voleva che le vesti imbrattate, dopo il funerale, venissero arse con lei.

Alle quattro scoccate da un solo minuto ci fu l'urlo. Entrò in scena, veloce, l'avorio dell'asciugamano e s'alzò quell'annuncio ridicolo («la bambina sta nascendo»), che era un'evidenza e insieme una predizione.

Quando fu estratta dal ventre teso della madre, la piccola venne posata su una pezza di cotone, di una sfumatura appena accennata di *hai-zakura* 灰桜, grigio cenere e rosa ciliegio.

C'era in quel colore – sussurrarono le tre donne presenti al parto: la madre, la nonna e la levatrice – la vita e anche la morte. C'erano l'inizio e la fine.

Mio, che non aveva ancora modo di udire il gorgoglio di voci sommesse, assimilò tuttavia ogni cosa. Cenere e ciliegio, avrebbe pensato un giorno, e da quel giorno lo avrebbe creduto fermamente per sempre: ecco cosa significava venire al mondo.

Quando Mio nacque, la lanugine che le copriva la vista la rese calma.

«È una bambina molto tranquilla, – si vantava la madre. – La notte dorme anche dieci ore consecutive, di giorno almeno altre sei».

Kaneko la teneva accanto a sé nella culla, mentre lavorava la stoffa o stringeva intorno ai corpi delle giovani spose lo *shiromuku*. Se la legava alla schiena quando usciva per le commissioni, quando rassettava o cucinava, oppure quando riceveva ospiti in casa. Mio, appiccicata alla madre, restava assorta a non guardare nulla. Vivere le pareva un impegno già grande.

In genere la bambina poppava e dormiva; piangeva con moderazione, solo per segnalare ancora la fame o una bollicina d'aria incastrata in gola.

Tuttavia la trasformazione avvenne quando la bambina prese a vedere. Non distingueva certamente ancora le forme, solo le ombre multicolori che si agitavano nel suo ridotto orizzonte. Ma bastavano a far sí che Mio d'improvviso, e solo in quei momenti, alzasse la voce. Non erano ancora parole compiute, ma suoni. *Entrava* nel colore, reagiva fisicamente a quelle cose cui solo un giorno, parecchio piú avanti, avrebbe saputo dare un nome.

E c'era da essere certi che, quando fosse arrivato quel giorno particolare, Mio avrebbe saputo dire il nome di tutti i colori del mondo.

Se le avessero domandato a bruciapelo – magari in un'intervista delle tante fatte a Tōkyō per strada – di elencare una manciata di suoni che le ricordava l'infanzia, Mio avrebbe parlato del fruscio dei *kimono* ricavati da una sola, lunghissima striscia di stoffa, di sua nonna che li accarezzava, considerandoli cosa viva e lodandoli alla stregua di bimbi («che bello che sei!», «tu poi sei stupendo!», «farai un figurone al matrimonio»); e poi dello stropiccio degli *obi* che stringevano i fianchi e tenevano in piedi una figura, o dei rotoli che venivano sfilati e infilati uno sull'altro, come bastoncini di zucchero, negli *oshiire* al primo piano. Quei buchi circolari, come occhi, partivano dal basso e continuavano fino al soffitto.

«Ah, dimenticavo, – avrebbe detto Mio all'uomo che le tendeva adesso il microfono davanti alla bocca. La telecamera era dietro, in braccio a una ragazza. – C'era anche la carta velina che proteggeva i *kimono* nella cassettiera. Quel suono mi faceva impazzire. E poi... mi faccia pensare, ah, lo sciacquare della tintura nelle enormi bacinelle piene di colore. Si passava dal blu di ferro al verde acqua, dal color albicocca al violetto».

L'intervistatore l'avrebbe fissata ammirato, per tutti quei dettagli che la donna via via aggiungeva. E, tuttavia, avrebbe lanciato un'occhiata all'operatrice: iniziava a preoccuparsi della durata dell'intervista.

Intorno alla stazione di Yurakuchō, dove Mio era scesa quella mattina per una consulenza, si sarebbe intanto raggrumata una folla. Turisti dai cappellini gialli, le spillette al petto, la bandierina che la guida brandiva come una frusta.

«E poi c'era il chiacchiericcio delle donne traslocate nella casa vicina, intorno a uno *shiromuku*, ha presente? Quel bianco abbacinante, gli aironi, i pruni, la silhouette dei pini... Lo trovo il *kimono* piú bello del mondo. Le persone vedono solo il bianco, eppure di bianchi ce ne sono a decine lí dentro. È come una scala cromatica semi-completa di un'unica tinta, una meraviglia... Riesce a immaginarla?»

L'uomo, senza replicare, si sarebbe affrettato a ringraziarla del tempo che aveva loro concesso. Bastava cosí. Sarebbe stato quasi brusco nel salutarla.

Mentre l'intervistatore e l'operatrice si sarebbero domandati se fosse il caso di fermare altre persone o di mangiare prima un boccone nel ristorantino di *rāmen* sotto gli archi della stazione, Mio avrebbe continuato a camminare verso Ginza. Tagliando in lunghe falcate l'avorio di Ginzadōri, i megastore di Dior, Chanel, Gucci e Prada – gli uomini della sicurezza bellissimi, ritti come statue agli ingressi –, e intanto pensando che per spiegare il basso continuo della sua casa d'infanzia, in fondo sarebbe bastato semplicemente fare una lista veloce di verbi: setacciare di piante, sminuzzare di foglie, immersione delicata per non schizzare. E poi lento filtrare, energico sciacquare, strizzare, pigiare, premere, l'urlo del vento o dei ventilatori per asciugare. Stendere al sole. E insieme cucire, stirare, annodare la veste.

Infine «oh!»: ammirare.

Nonostante le grandi premesse, a quattro anni Mio non pronunciava ancora una parola.

Nel mistero che era sua figlia, quando una vicina o un lontano parente domandava come fosse la piccola, la madre aveva preso a definirla a voce alta «caparbia», «inconsueta», «eccezionale». A voce bassa invece, in famiglia, Kaneko diceva «diversa», «un po' strana». E tuttavia in quel *un po'* limitava per quanto possibile la paura che la divorava: che venisse fuori bizzarra, originale. Una che non si sposa.

Accrescendo la preoccupazione e il senso di colpa dei genitori (che avevano effettivamente pochissimo tempo da dedicare alla figlia), Mio per indicare le cose cacciava fuori solo le dita.

Nonostante le rassicurazioni dei medici, convinti si trattasse di una prolungata pigrizia, la famiglia si era ormai arresa all'idea di una bambina che sarebbe rimasta zitta tutta la vita. Una bellissima bambola rotta.

Nonna Yōko coccolava segretamente Mio. La portava nella sua stanza, apriva la cassettiera, le lasciava accarezzare i *kimono*, la guardava inseguire i ricami con le piccole dita. Le spiegava allora cosa significava il carapace, *akikusa* l'erba autunnale, perché il viola *murasaki* 紫 un tempo fosse concesso solo all'aristocrazia.

Mio ascoltava la nonna, si sdraiava delicatamente sulle enormi T di stoffa dei *kimono*, allargava al massimo le gambe e le braccia. Considerava cosí quanto ancora le mancasse a diventare adulta.

Fu intorno ai quattro anni e mezzo che prese a parlare.

Esitava però a usare la stessa parola per indicare due cose diverse, come se potesse dire *giallo* solo quando incontrava un oggetto dell'esatto giallo con cui lo aveva memorizzato la prima volta.

Mio era sbigottita dal fatto che intorno a lei si creassero continuamente corrispondenze sbagliate. Ogni volta, ascoltando gli adulti, sentiva di dover riformulare quanto fino a quel momento aveva afferrato. Come quando, con grande stupore, si scopre che due persone, che nulla hanno in comune, condividono il nome.

A Mio succedeva in generale con tutte le cose (una tazza, un cane, delle bacchette), tuttavia era indubbio che accadesse soprattutto con i colori. Dove qualcuno vedeva

14

un semplice rosso, Mio ne notava almeno dieci gradazioni diverse. E riassumerle tutte in una sola parola le pareva un errore.

A un certo punto, però, dovette intuire che per comunicare serve rinunciare alla precisione. E allora: «voglio mangiare», «ho caldo», «non voglio uscire», «mi aiuti a mettere a posto la stanza?»

La gioia in famiglia fu tanta, cosí tanta che Kaneko prese a consegnarle una caramella ogni volta che Mio diceva qualcosa. Era un piccolo premio per averla sollevata da un'enorme preoccupazione, la seconda dal giorno del Grande Spavento – quando la bambina era scomparsa chissà come, per poi ricomparire avvolta in un fiore di stoffa.

Fu cosí che dai quattro ai cinque anni Mio ebbe le guance gonfie di caramelle.

Il dentista rimproverava lei e la madre: «Tutto questo zucchero i denti te li rovina, le caramelle sono un attentato alla bella dentatura della bambina, si pagano le cattive abitudini signora Yoshida!»

Ma Mio le carie non le aveva, anzi, i dentini le stavano dentro la bocca belli diritti, senza fessure o accavallamenti, di quel bianco smaltato di cui un giorno avrebbe recitato con gusto anche il nome: «*enpaku* 鉛白 – un bianco antichissimo, di piombo, usato sui corpi finché non ne venne scoperto il veleno».

Certo, la piccola continuava a esitare, convinta com'era di non riuscire mai a dire esattamente quello che intendeva. Ma poi rilasciava tutte insieme le parole, come una resa. E sua madre era talmente felice che renderla allegra divenne per Mio una dipendenza.

Kaneko gioiva, andava a comprare nuovi sacchetti di caramelle.

«Yoshida-san, buongiorno! Ma Mio-chan è proprio golosa di questi zuccherini!»

«Sí, Sano-san, li adora… e sapesse che cosa mi ha detto stamattina».

15

«Che cosa?»

«Che vuole invitare la zebra e la giraffa, e tutti gli animali dello zoo per la sua festa. L'abbiamo portata al parco di Ueno, la settimana scorsa…»

«Ah ah, che buffa! Quanti anni ha ora?»

«Cinque, ne compirà cinque a novembre».

La madre aveva smesso finalmente di definirla «caparbia» o «eccezionale». Adesso pensava davvero che Mio lo fosse, beandosi con gioia inaudita di ogni banalità che la bambina diceva: sua figlia era salva, solo questo contava.

Quel secondo rapimento che aveva subíto – quello della parola – era anch'esso concluso.

Solo una cosa restava, una minuscola macchia che andò tuttavia allargandosi durante quell'anno di trasformazione: Mio non chiamava i colori, su quelli proprio si rifiutava.

La presero per una faccenda passeggera (perlomeno all'inizio), una casualità.

Solo la madre s'insospettí.

Iniziò a tenere da parte i *bonbon* piú golosi e, come con un cagnolino che non porga la zampa, ripeteva costante a Mio la domanda: «Di che colore è?» Di fronte alla titubanza della figlia, Kaneko insisteva: «Che colore è questo?»

La bambina però divagava, chiamava l'oggetto, descriveva a suo modo la forma e l'utilizzo, inventava persino una piccola storia. Ma la madre pretendeva il colore, quell'aspetto tanto centrale nella vita quotidiana della loro famiglia: filtrare, sciacquare, strizzare, stendere al sole, cucire, stirare, «oh!» ammirare.

Il sacchetto multicolore colmo di caramelle restava appeso come monito in bella vista in cucina.

La preoccupazione di Kaneko tornò a riaffacciarsi: chi era sua figlia?

Se Mio non diceva di che colore fosse una cosa, per la madre quella cosa non esisteva.

«Mamma, mi aiuti a chiudere il vestito?»

16

«Di che colore è il vestito?»

«Mamma, il pongo!»

«Di che colore è il pongo che vuoi?»

Solo col cibo si tratteneva, spaventata all'idea che, testarda com'era, la bambina finisse per morire di fame.

«Ce ne sono cosí tanti di colori qui in casa, magari è confusa», cercava di giustificarla nonna Yōko che, fin dall'inizio, tutta quell'urgenza di sentir parlare la nipote non ce l'aveva avuta. Anzi, fosse stato per lei, avrebbe lasciato ancora un po' addosso alla bambina l'infanzia.

«Ma è assurdo, – replicava Kaneko. – Perché mai sa il nome di ogni tipo di verdura e non dice che la mela è rossa? È *grande*, *liscia*, persino *succosa*, ieri ha detto proprio cosí: succosa!, ma non riesce a dire *rossa*. È un insulto, lo fa apposta!»

«A quest'età non hanno cattiveria, Kaneko. Lasciala tranquilla, vedrai che dirà tutto prima o poi», suggeriva la nonna.

Su una cosa tuttavia Kaneko aveva ragione: Mio lo faceva apposta. Non era però per scontentarla; l'ultima cosa che voleva, era proprio rendere triste sua mamma.

Capita spesso, verso le cose che amiamo maggiormente, di sviluppare un senso di protezione. E insieme maturiamo anche una specie di resistenza nei confronti del modo in cui le intendono tutti.

Fu in questa maniera nervosa che Mio apprese i colori. Imparò anche le parole, ma le parole non furono quelle degli altri bambini. Parevano già indirizzate verso qualcosa di molto piú grande.

Al mucchio di sostantivi e aggettivi comuni, Mio aggiungeva strani vocaboli. Insoddisfatta dall'effetto di un «di piú» o un «di meno», di un «chiaro» o di uno «scuro», sommava espressioni che per gli altri non significavano nulla – *un verde giovane, un azzurro vecchio sei anni, un giallo che fa il girotondo, il blu del cielo delle sette di sera*. Erano parole che andavano crescendo con lei, e che gli adulti attribuivano a quel disordine allegro di chi sta imparando una lingua diversa da quella materna.

«È sbalorditivo, – mormoravano taluni rivolgendosi a Kaneko e a sua madre, – che a quest'età abbia una tale padronanza del giapponese!»

Da muta, era diventata la bambina piú eloquente di tutti i piccoli del quartiere.

Il sollievo in Kaneko durò giusto qualche giorno. Aveva ripreso a porgerle le caramelle, ma Mio adesso le raccoglieva nel palmo, ringraziava chinando la testa, e le infilava subito in tasca senza portarle alla bocca. Non pareva affatto felice del dono, ne percepiva il ricatto.

Nessuno lo sospettava, ma quello fu per Mio il secondo immenso compromesso della sua minuscola vita. A quel punto aveva già scoperto che se una parola poteva abbracciare fastidiosamente tantissime cose diverse, c'era anche un modo di liberarla: bastava aggiungerne intorno altre, creare come una folla.

Cosí, se anche una frase partiva storta, mescolando un po', riusciva ad aggiustare il tiro in corsa.

In fondo capitava anche con le tinture: si potevano addensare o diluire nell'acqua e farle diverse.

«Di che colore è Mio?»

«È color uva matura, con la buccia sottile».

«E questo?»

«È nero mezzanotte, con un pochino di luna».

Quelle espressioni appiccicate al *giallo*, al *grigio*, divertivano tutti ma rendevano pazza la madre.

Era iniziata una guerra.

Il momento preferito della giornata, per Mio, coincideva con quello in cui la casa si preparava al riposo. L'atelier chiudeva, l'odore delle tinte con cui la famiglia Yoshida colorava i piccoli accessori da abbinare agli *shiromuku* rimaneva fuori dalla veranda, gli aghi da ricamo restavano conficcati nella pallina di stoffa, la paglia sgombra del *tatami* avvolgeva la stanza. Si dispiegavano i *futon* rimasti stesi tutta la mattinata ad assorbire il profumo e l'umore del sole: si apparecchiava la sera.

La piccola Mio allora si sdraiava per terra. Avvertiva la frescura dei pannelli di legno foderati di paglia, con i polpastrelli ne accarezzava i bordi, seguendo strade immaginarie sulle fettucce multicolori. Cosí le aveva volute nonno Mamoru, alla maniera degli antichi *daimyō*: un vezzo che una famiglia di artigiani del tessuto si poteva concedere facilmente.

Ricordava le discussioni tra i nonni. La vecchia Yōko che alzava la voce, come se il marito non fosse lí accanto: riteneva volgari quelle fettucce, le avrebbe preferite monocrome, al massimo con una fantasia indaco o zabaione. Il nonno ribatteva che lei non aveva gusto, che bisognava superare le classificazioni imposte dalla gente.

Del resto, il colore era sempre stato un privilegio, segnalava la casta.

Un giorno, sui banchi di scuola, Mio avrebbe studiato i dodici strati dei *kimono* delle donne appartenenti all'alta corte imperiale: si chiamavano *jūnihitoe*. Avrebbe imparato il sistema *kan'i jūnikai* che, all'alba del 600 dopo Cristo, aveva stabilito una precisa ripartizione sociale, a seconda della tonalità dei copricapi lunghi e sottili che s'indossavano a corte. In entrambi i casi esistevano dodici tonalità per capire il potere, per sapere a chi rivolgerti e come.

Crescendo, Mio avrebbe immaginato con ammirazione quel tempo in cui il diritto era fatto di tinte e mezze tinte. Avrebbe sognato che un giorno il mondo potesse tornare cosí. Con i colori a dirle come comportarsi, come interpretare i rapporti tra le persone.

C'era un solo momento della giornata in cui il padre si dedicava esclusivamente alla figlia e in cui la figlia imparava chi fosse suo padre.

Era la sera, appena prima di dormire, quando aprivano un librone di fiabe, sempre lo stesso: Yōsuke si bagnava l'indice con la saliva e le leggeva una nuova storia, cui seguiva una seconda, di solito una delle due favole piú amate da Mio, *Urihime e Amanojaku*, oppure *I vestiti nuovi dell'imperatore*.

La bambina si accoccolava addosso al corpo del padre, la testa rovesciata nell'attaccatura tra il ventre e le cosce. Col tempo, Mio prese a sedergli accanto, cercando di non sfiorare le braccia irsute del genitore.

Non c'erano illustrazioni in quel libro, ma a lei non pesava. Anzi, nella sua mente tutto si sviluppava con una montagna di dettagli che nessun disegno sarebbe mai stato capace di restituire. Vedere le cose, per Mio, era di frequente una delusione.

Preferiva, piuttosto, interrompere il padre per domandargli di che colore fosse il bavaglino di Momotarō e quello del pelo del cane che si uní al suo viaggio verso la terra degli orchi (era *kogecha* 焦茶, il marrone delle foglie bruciate di tè, oppure *tobi-iro* 鳶色, quello dalle sfumature rossastre del nibbio?), o il *kimono* della principessa Kaguya nata da una canna di bambú (se era rosso, per caso si trattava dell'*akabeni-iro* 赤紅色, il rosso geranio delle dame altolocate di Kyōto?)

Il padre rideva, lo divertivano le domande della figlia.

La madre, invece, si rifiutava persino di rimanere nella stessa stanza. Tanto che Mio, quando era lei (rarissime volte, va detto) a leggerle una fiaba, non faceva domande. Zitta, si abbandonava alla voce, come se Kaneko stesse recitando un lunghissimo *sutra*.

Nonna Yōko guardava da lontano la scena: era lieta che il genero fosse piú accomodante della figlia. Del resto anche suo marito era stato cosí con Kaneko quand'era bambina: nonno Mamoru apparteneva alla generazione che i figli li vede appena.

Quando avesse imparato a leggere, Mio avrebbe amato appassionatamente i romanzi fitti di descrizioni: la giungla sensuale e annodata di Salgari, le misteriose Terre del Sud di Stevenson, i paesaggi innevati di Kawabata. Su quanto di solito la gente saltava, lei invece indugiava.

Non era mai *cosa*. Era *come* per lei.

Finché arrivò quel mattino che la fece precipitare nel bianco. Mio doveva avere circa cinque anni.

Entravano dal cortile le grida da neonato dei gatti, il vento strusciava languido i rami sui vetri.

Erano venuti in visita da Gunma una coppia di amici agricoltori. Da decenni rifornivano delle preziose foglie di indigofera la scorta annuale degli Yoshida. Sul *tatami*, straziati dal caldo d'agosto, marito e moglie sorseggiavano allegri un bicchiere di *soba-cha* pieno di ghiaccio.

Avevano portato in dono a Mio una bambola dal Festival di Primavera e la bimba, incoraggiata dal dono, era rimasta a ciondolare tra le gambe degli adulti. Mentre loro parlavano dell'anno corrente – com'era stata la produzione, il nuovo sistema d'irrigazione capillare, pratico ma meno efficace – lei si rotolava sul *tatami*, giocava a sgranare i *sora-mame*, dando schicchere alle briciole di *senbei*.

Poi d'un tratto, forse perché l'ora di fare ritorno a casa si avvicinava, i discorsi si fecero radi e la luce di scena investí la bambina.

«Qual è il tuo colore preferito Mio-chan?»

La domanda, piuttosto scontata, causò una tensione che si stese come un filo da un lato all'altro della stanza.

Mio era abituata, l'età le faceva dare per ovvie anche cose che non lo erano affatto. Cose come la rabbia della madre, le caramelle sfilate e subito rinfilate nel sacchetto quando diceva (o non diceva) le parole giuste, la dentiera che il nonno lasciava sul tavolo prima di bere l'*umeshu*.

«Mi piacciono tanti colori, non solo uno».

«E ti piace l'indaco, Mio-chan? Il nostro indaco lo trovi bello?»

«Moltissimo».

Seguí un sorriso generale di soddisfazione, come se fosse la casa stessa a respirare.

«Piú di tutti, però, – proseguí lei, – quello che sa di mirtillo, ed è un pochino bagnato».

«Mirtillo?» chiese incuriosita la donna. Si voltò verso la nonna di Mio per una conferma: aveva sentito bene?

«E poi mi piace l'arancio… quello del tramonto. Quello delle sei del pomeriggio».

«L'arancio del tramonto delle sei di pomeriggio, – ripeté divertita l'ospite. – È un'immagine molto bella».

«E il giallo?» chiese ridendo il marito. Doveva essere un gioco, sicuro.

Nessuno aveva notato l'espressione che si andava allargando sul viso di Kaneko. Neppure Mio, di solito attenta alla volubilità della madre, se ne accorse. Era distratta dalla gioia d'essere stata tirata in mezzo, dopo ore in cui si era sentita superflua.

«Il giallo deve ess…»

D'improvviso una mano tagliò l'aria dall'alto verso il basso, come un'ascia: «Ora basta, – la interruppe la madre. – Ora basta!»

Nessuno reagí, per la sorpresa.

Kaneko afferrò le spalle della figlia. «Basta Mio! – gridò. – Basta con tutte queste parole idiote!»

La nonna si alzò per fermarla. In Kaneko vedeva da sempre se stessa: lo smarrimento di qualcosa che nasce dal proprio corpo, ma che si sviluppa in maniera imprevista.

«Il giallo è giallo! – gridava ancora Kaneko, continuando a strattonare la bambina. – È chiaro o scuro, nient'altro! Hai capito?!»

Tutti si alzarono in piedi e fu allora, nell'allarme lanciato da quelle figure entrate nel suo campo visivo, che Kaneko lasciò la presa. Forse fu anche per l'imbarazzo di aver perso il controllo, che la donna crollò in ginocchio.

La guerra era persa.

Quella sera, Mio cadde a picco nel bianco.

Fu il primo di una lunga serie di svenimenti che le sarebbero accaduti negli anni, come pause lattiginose in cui la vita si azzerava.

Qualche ora piú tardi, quando gli ospiti si erano ormai congedati, la bambina si risvegliò nel *futon* che aveva dimenticato ogni cosa: la stanza in cui si trovava, chi c'era, la madre che le si avventava contro, il volto in piena e i colori nella bocca, la nonna che veniva in suo soccorso, gli adulti seduti sul *tatami* e poi d'un tratto in piedi, come una foresta spuntata dalla mattina alla sera.

Dimenticò tutto. Tutto, tranne l'urgenza di trovare le parole per dire il giallo com'era. E insieme una nuova ostinata cautela: la decisione di non mettere mai piú nessuno a parte della sua ricerca.

Nel laboratorio di famiglia le si svelava il lato pratico della faccenda, come se la poesia la richiamasse all'ordine la prosa.

Nella normalità della sua giornata, Mio si affacciava spesso nella bottega, portando il vassoio con le tazze del tè per il padre e il nonno. Attraversava cauta, con la sua piccola voce, il magazzino stipato di materiali; e mentre il padre si asciugava il sudore con le dita tutte macchiate, lei sfogliava come albi illustrati i volumi pesanti in cui si susseguivano i pattern tradizionali stampati su carta *washi*. Talvolta ascoltava suo padre ragionare a voce alta, sulla tentazione (subito trattenuta) di produrne di nuovi. Nonno Mamoru invece taceva, limitandosi a bere il tè a piccoli sorsi: invecchiando, pareva eliminare ogni giorno una parola.

La bambina apprese i pigmenti, cosí come le tradizioni di lavorazione dei tessuti, le erbe dai nomi speciali. Prima di imparare a scrivere il proprio nome, sapeva già riconoscere il momento preciso dell'ebollizione dei fagioli *azuki*, le mani scavate dal vento invernale, l'indaco battezzato *Japan Blue* dai primi stranieri giunti nel Paese.

«Devi conoscere tutta la filiera, devi sapere ogni passaggio per capire il valore del risultato finale, – le diceva il padre. – È un po' come ricordare a memoria i passi di una strada per ritrovarla quando fa buio».

Amava le metafore Yōsuke Yoshida, ma c'era effettivamente da farsi venire un giramento di testa a scoprire per quante mani passasse un *kimono* da sposa. Quel che giungeva avvolto nella carta velina e nella stoffa, pronto per essere indossato, era il risultato di un incredibile viaggio da un punto a un altro del Giappone.

Era però entrando nell'atelier che Mio avvertiva chiaramente di accedere a un altro mondo.

Per ritrovarsi dove il viaggio dello *shiromuku* si avvicinava alla meta, le bastava attraversare il cortile, risalire sul ballatoio di legno, far scorrere di lato le porte, controllare di essere perfettamente pulita, scostare l'ennesimo *shōji*, sussurrare «*sumimasen*» chinando la testa alla maniera che le aveva insegnato sua nonna.

Di quel luogo la bambina amava il candore, il garbo innanzitutto morale. Emanava ricchezza, e in quella ricchezza sembrava annidarsi l'illusione che si potesse portare a casa la felicità grazie a un *kimono* da sposa.

L'atelier era conosciuto e apprezzato in tutta la zona,

e buona parte delle ragazze del vicinato aveva finito per attraversare le due porte di legno di cedro e affidarsi alle sapienti mani delle donne Yoshida. Di generazione in generazione conservavano tutte lo stesso lessico svelto, la stessa efficacia nel vestire e consigliare, nel parlare di cose praticissime e insieme nel convincere le future spose della poesia intrinseca nell'unione matrimoniale.

Mio aveva sentito infinite volte la storia dello *shiromuku*, di come le stoffe piú pregiate e insieme il talento dei piú brillanti artigiani del Paese confluissero nella sua creazione. Quel racconto affascinava le ragazze, che uscivano dall'atelier con la testa tempestata di gru dalle ali spiegate, di tartarughe, di foschia e di simboli come il *goshoguruma*, il carro trainato dai buoi. Mentre fissavano un *obi*, o disegnavano con la stoffa la curva sensuale che mostra l'attaccatura del collo, le donne Yoshida non mancavano mai di dare consigli sul giorno delle nozze: l'andatura da mantenere perché la parrucca restasse diritta, i piedi inarcati verso l'interno, lo sguardo che non fosse mai di una portata inferiore né superiore ai tre metri, il punto preciso in cui impugnare la veste con l'indice e il medio della mano destra perché non strusciasse sul sentiero di pietra che conduceva al santuario.

Piú ancora dei discorsi, però, Mio s'incantava sulla scala estesa dei bianchi del tessuto, ciascuno con il proprio nome: dall'avorio (*zōge-iro* 象牙色) al bianco grezzo (*kinari-iro* 生成色), dal bianco impasto (*neri-iro* 練色) passando per la polvere di valve d'ostrica (*gofun-iro* 胡粉色) fino al bianco deutzia (*unohana-iro* 卯の花色). Si stupiva ogni volta di come un magnifico *kimono* potesse guastarsi nell'incontro con un certo incarnato, cosí come una stoffa senza pretese riuscisse a nascondere completamente la stortura di un corpo.

Osservava rapita le dita divorate dagli aghi, il ricamo che durava dei mesi, la vestizione che prendeva le ore. Ecco, pensava Mio, la bellezza a ognuno rubava qualcosa. Rubava la vista a sua madre e sua nonna, rubava la pelle a suo padre e a suo nonno. Non c'era niente di facile, nella bellezza.

Le era permesso entrare nell'atelier a condizione che nessuno se ne accorgesse: «Se vuoi guardare non devi essere vista, se vuoi ascoltare nessuno deve sapere che sei là». Le era categoricamente proibito toccare i *kimono*, cosí come avvicinarsi alla clientela e rivolgere a chiunque la parola.

In silenzio, appiattita alla parete per rendersi invisibile, fissava le future spose studiandone i volti. Sembravano tutte cosí belle, eppure non ne capiva i sentimenti. Erano spaventate oppure felici? E se erano contente, perché avevano negli occhi quel desiderio di fuga? Possibile che dentro la felicità ci fosse anche tutta quella paura?

«Ma è normale, Mio, – le disse un giorno la nonna. – Vengono a scegliere lo *shiromuku*, ma si preparano anche un poco a morire».

«A morire?» replicò lei sbalordita.

«Lo sai cosa significa il bianco nella nostra storia? Il bianco è il colore piú puro, il colore sacro per eccellenza. Si lega però, fin dall'antichità, al lutto piú che alla vita. Il bianco è sempre stato il colore della fine, mentre il rosso è quello dell'inizio».

Mio non aveva mai assistito a un funerale. Solo, una mattina, aveva visto un nugolo nero procedere lento e compatto lungo la strada. Le avevano spiegato che un uomo era morto, il vecchio Abe-san della pasticceria di *wagashi*.

«Un tempo l'abito funerario non era nero ma bianco, – spiegò pazientemente nonna Yōko. – Bianco come il *kimono* da sposa».

La bambina era perplessa.

«Se ci pensi, in entrambi i casi il passato si ferma, sia che si passi dalla vita alla morte, che dall'essere nubile all'essere sposata. Si esce dalla casa del padre e si smette di essere parte di quella famiglia. Si muore cioè come figlie, e si rinasce come mogli nella nuova casa».

«E il rosso, invece?» chiese Mio.

Il rosso giungeva per tradizione subito dopo la cerimonia al santuario, quando la sposa si spogliava dello *shiromuku*, si cambiava d'abito e con un *kimono* sui toni del cremisi e oro accoglieva gli ospiti al banchetto di nozze. Era in quell'onda di sangue che si palesava la nuova esistenza.

Precipitare nel bianco, tuffarsi nel rosso: Mio quel pomeriggio dei suoi sei anni si domandò – o meglio intuí, senza che il pensiero prendesse una forma – se valesse davvero la pena morire per un uomo.

A Mio le mani del padre facevano orrore.

Abituata al bianco splendente degli *shiromuku*, all'imperativo di lavare via ogni traccia di sporco prima di allungare anche solo il naso nell'atelier, quelle dita tozze e macchiate di tintura piú che l'amore evocavano una minaccia.

Eppure avevano uno straordinario potere: sapevano riparare le cose.

Spesso alla porta suonavano improbabili vicini di casa cui era stato raccomandato il tocco di Yoshida-san per rimettere in sesto una stufa o una lavatrice, una radiolina o una cornice. «Ci hanno detto che lei è bravissimo», esordivano dopo il saluto di rito. Certo, si offrivano pure di pagarlo, ma dato che «No, non è necessario, per me non è un lavoro», a fine anno giungevano piccoli doni: *mochi* pestati, una cassa di birra, sacchi di patate o di pomodori. La casa si riempiva di fiori.

Col tempo, in orari completamente diversi, iniziarono a presentarsi anche i bambini del quartiere per chiedergli se potesse aggiustare giocattoli che i genitori liquidavano ormai come rotti.

Yōsuke Yoshida si faceva consegnare i pezzi, diceva stringatamente «va bene» oppure «torna domani» e poi la sera, quando dormivano tutti, sul tavolo della cucina predisponeva cacciaviti, lime, chiavi inglesi, stecchini, strumenti dalle forme piú singolari. Il giorno successivo, di nascosto dai bimbi che dimenticavano spesso di ringraziarlo – tale era la gioia di vedersi restituire tesori che avevano creduto persi per sempre –, l'uomo sorrideva in quel modo dolcissimo che si concedeva quando non c'era nessuno a guardarlo.

Soltanto col tempo, la figlia lo avrebbe scoperto. La prima volta sarebbe stata una mattina che lei era in camera e si vestiva davanti allo specchio – un *kimono* rosa arancio per la festa dei suoi otto anni – e avrebbe intercettato quel sorriso dal corridoio. La seconda Mio lo avrebbe rivisto mentre attraversava la strada di ritorno da scuola, e Yōsuke rideva ritto sulla porta intanto che un ragazzino spiegava in aria lo stesso drago di plastica che la sera prima giaceva sul tavolo della loro cucina senza un'ala.

Se le avessero chiesto di disegnare i suoi genitori – quei compiti che spesso, nei bambini, rivelano molto dell'assetto gerarchico di una famiglia – Mio avrebbe ritratto la madre come l'enorme *ginkgo* che cresceva in cortile, e il padre come un piccolo fiore spontaneo.

Lo avrebbe voluto piú deciso, piú dalla sua parte. Durante le tempestose discussioni tra Mio e la madre, sebbene si capisse che l'uomo era d'accordo con la figlia, Yōsuke sembrava rinunciare alla sua porzione di ragione. Zitto, pareva certo che qualunque cosa avesse detto non avrebbe comunque cambiato le cose. Se solo lo avessero guardato negli occhi! Mio si stupiva che nessuno in casa si soffermasse su quei globi lucenti che avevano il colore della corteccia e che raccontavano in modo quasi infantile cosa provava. La frustrazione di Mio, quando la madre la attaccava, era immensa. Perché lui non diceva nulla in sua difesa?

Ma poi ecco che il padre tirava fuori dalla tasca una minuscola trottola e Mio, anziché guardare le strisce concentriche di colore, restava ipnotizzata dal volto del genitore. La bellezza di quei giochi tutti pratici da fare insieme, senza parlare, la ripagava di ogni dispiacere. Come nonno Mamoru, anche suo padre pareva dare poco credito alla parola. La usava, ma con parsimonia, come non si fidasse.

La sera, chiuso l'atelier e la cena già addosso, Mio rimaneva a lungo a mollo nella vasca. Immersa nel grande *ofuro* con la madre e la nonna, le ascoltava parlare finché l'acqua non si intiepidiva.

Quando Mio era molto piccola era solita fare il bagno con il padre e il nonno. Si spogliavano nell'anticamera e poi, nella saletta tappezzata di mattonelle smaltate di azzurro, gli uomini si strigliavano con vigore per liberarsi – dai capelli, da sotto le unghie – delle tinture. Poi il padre le versava sulla testa una bacinella stracolma e finalmente, ridendo, si accedeva alla vasca. Visto dal basso, l'*ofuro* pareva a Mio il pentolone fumante di una gigantesca minestra.

Appoggiati alla vasca, Mio guardava papà Yōsuke e nonno Mamoru chiudere gli occhi, l'asciugamano poggiato sul capo. Le pareva un mistero quel loro silenzio compresso, come stessero tendendo faticosamente le dita verso il centro di sé: si liberavano non solo dalla sporcizia, ma da tutta la giornata. Da tutte le giornate del mondo. A mollo nell'acqua bollente, diventavano ai suoi occhi dei senza-memoria.

Le donne, al contrario degli uomini, nell'*ofuro* chiacchieravano molto. Il giorno non se lo lasciavano indietro, ci rimettevano le mani sopra piuttosto.

Scopriva cosí che, pur abitando insieme, le vite dei suoi familiari coincidevano solo in parte.

Tutto sembrava vederli riuniti ma poi c'erano quei momenti in cui uno di loro lasciava una stanza e passava a un'altra lavorazione, in cui qualcuno faceva una pausa per il bagno o per andare alla porta. Kaneko si separava dalla madre per trafficare in cucina, il nonno si ritagliava il tempo di un *senbei* e di una birra con gli aiutanti, il padre quello di una sigaretta.

E soprattutto c'era quell'altra vita, tutta interiore e segreta, presente in ognuno dei membri della sua famiglia. La stessa che faceva sí che la nonna e la madre di Mio esordissero spesso con «Oggi tagliando la cipolla ho pensato che...», «Mentre stendevo la stoffa, ho riflettuto su...», «Finendo il ricamo dell'abito di Yoshiko-san, mi sono ricordata di...»

A mollo nel brodo della vasca, il volto delle donne si rilassava, e Mio ne studiava la metamorfosi in atto. Pian piano che si dilatavano i pori, la bambina indagava quella che nell'arco di qualche anno sarebbe diventata la sua ossessione.

Da quel giorno e fino all'ultimo della sua vita, in cui anche lei sarebbe arsa – avvolta nei *kimono* macchiati del sangue in cui era nata –, Mio avrebbe sempre cercato il colore intimo di ogni persona.

Quella sfumatura unica, precisa, che la riassumeva.

Forse fu il volto indescrivibile della ragazza, le cicale d'estate che gridavano forte. Forse, piú semplicemente, fu perché Mio cresceva, e tutte le piccole spinte di anni, quel giorno la resero d'improvviso piú adulta.

Convinta nell'atelier ci fosse la figlia, nonna Yōko era immobile davanti al tavolo della cucina, le mani sul volto. Piangeva per un'amica cara che era morta. Intanto Kaneko, certa a sua volta che nel negozio ci fosse la madre, si era trattenuta in bagno, torturata da una delle sue frequenti emicranie.

La cliente, che conosceva bene gli spazi, si era introdotta nel silenzio dell'atelier. Si era diretta sicura verso la stanza separata da una tenda che fungeva da camerino e, in attesa arrivasse qualcuno, si era spogliata. Le spose che si facevano confezionare *shiromuku* venivano piú e piú volte a controllare i dettagli, i materiali, la resa.

Quando Mio entrò, notò subito il ventilatore acceso. Il getto d'aria era puntato verso la tenda che, frustata dal vento, copriva e svelava il corpo seminudo di una giovane donna. Ne rimase talmente impressionata che non si domandò neppure dove fossero finite la madre e la nonna.

Era la prima volta che vedeva una pelle tanto segnata: pareva un foglio di carta su cui qualcuno avesse dipinto a lungo, con cura, e su cui poi fossero state tracciate linee caotiche e contraddittorie con una matita spuntata.

La bambina rimase sbalordita dall'ordito di cicatrici e pitture, dagli stupefacenti colori.

Lo sguardo fu cosí intenso che la chiamò: la donna si era voltata di scatto, allarmata. Valutò poi le proporzioni della figura, tornò calma.

«Vieni, – le disse, facendole cenno con le dita. – Avvicinati pure».

Mio alzò le sopracciglia, confusa.

«Non hai mai visto un tatuaggio? – vedendola golosa della sua pelle, la donna le si avvicinò perché la potesse toccare. – Vuoi sentire?» sussurrò porgendole il palmo.

Mio allora allungò la manina e quella con dolcezza la prese. Fu un'operazione rapida, naturale.

Accompagnò i polpastrelli della bambina sul fianco nudo, dove una cascata di peonie seguiva la linea ossuta del torace. Chiuse le piccole dita in un pugno e lasciò libero l'indice perché lui soltanto scorresse lungo le spire di un serpente che le si avvinghiava intorno alla coscia sinistra; scese lungo il corpo che la avviluppava fino alla caviglia. Risalirono insieme dal piede destro, ripercorrendo all'inverso il viaggio dei petali di ciliegio che scivolavano giú a partire da un ramo nodoso, steso in diagonale sul ventre.

Benché a Mio apparisse già vecchia, la sconosciuta non doveva avere piú di vent'anni.

S'inginocchiò davanti alla bambina e si voltò, scoprendosi il dorso. «Questo invece è il tatuaggio piú prezioso, – disse. – Lo stemma della mia famiglia».

Sul lato sinistro della schiena si sviluppava un ampio disegno sulla scala dei neri. Al centro, due foglie di quercia si affrontavano in tondo.

«Ma… non si cancellano?» chiese stupita Mio. Le dita erano ormai libere di vagare da sole sulla pelle della sposa.

«Se lo vorrò, forse, un giorno».

Delle cicatrici invece non disse nulla e non vi portò sopra, se non incidentalmente, le dita della piccola.

Mio all'epoca non poteva ancora saperlo, ma un'impressione cosí forte l'avrebbe ricavata solo molti anni piú tardi, imbattendosi per caso in una fotografia di Andy Warhol.

Su una rivista francese, l'artista esibiva le cicatrici al torace, i proiettili usciti dalla pistola di Valerie Solanas, il taglia e cuci dei chirurghi per rimetterlo al mondo. L'amore, la rabbia – avrebbe pensato allora Mio – lasciano segni.

Quel pomeriggio d'estate dei suoi sette anni, Mio non lo avrebbe dimenticato mai piú. Non soltanto perché i tatuaggi le parvero sbalorditivi, cosí come l'idea che la tintura potesse correre non solo *sopra* le cose ma anche *sotto* la pelle. A colpirla piú di tutto, fu invece un'ombra che colse sul corpo della donna.

Si trattava di un colore indistinto tra il viola melanzana, il nero liquirizia e la lisciva. Un colore mai visto, custodito tra l'attaccatura della schiena e il sedere.

Per Mio fu un'epifania: ogni parte del corpo aveva dunque una sfumatura diversa! Esisteva un punto piú vero di altri, capace di raccontare l'intimità di un uomo e di una donna.

Fu allora, nel momento in cui stava per allungare il dito per toccare quell'ombra, che sentí qualcuno avvicinarsi a piccoli passi di corsa.

Kaneko arrivò trafelata. «Mi perdoni dal profondo del cuore, la bambina la sta disturbando», disse tirando bruscamente indietro la figlia.

Mio si ritirò rapida con un inchino: «*Sumimasen, gomennasai, mōshiwakearimasen deshita*».

«Non mi disturbava affatto, – rispose con tono calmo ma fermo la ragazza. – Dovreste esserle grata, invece. Mi ha fatto compagnia mentre attendevo qui, sola».

«Sono mortificata», scandí Kaneko. Abbassò il capo profondamente, fino a celare la faccia.

Prima di oltrepassare la porta che collegava l'atelier alla casa, Mio vide la madre chiudere gli occhi, quasi avesse paura. Sembrava la bambola di plastica ricevuta per il compleanno, quella che serrava automaticamente le palpebre quando le piegavi indietro la testa e che le spalancava quando la rimettevi in posizione eretta.

«Le porto immediatamente il *kimono*, – proseguí Kaneko. – Il ricamo che ci ha richiesto la scorsa settimana è venuto molto bene».

«Valuterò io personalmente la resa».

Il tono d'un tratto gelido della donna colpí Mio. Si voltò un'ultima volta per assicurarsi che si trattasse della stessa persona, quella che poco prima le spiegava con tenerezza la geografia della schiena.

Sua madre però, abituata probabilmente a essere sempre trattata a quella maniera dalla cliente, non si scompose. Rispose che certamente era cosí come diceva, ed era ansiosa di conoscere la sua opinione. Andò a recuperare il *kimono* e prese ad affaccendarsi intorno alla sposa.

La curiosità di sapere esattamente di che colore fosse ogni parte del corpo, Mio non se la sarebbe mai tolta dalla testa.

Piú grande, intorno ai quattordici anni, si sarebbe lungamente studiata.

Completamente nuda, con la testa rovesciata verso terra, si sarebbe affacciata oltre le ginocchia per osservare, sul lungo specchio a parete del bagno, l'attaccatura tra le gambe e il sedere, la curva nascosta dalla carne, il colore bruno e gonfio del sesso, la peluria che aumentava di anno in anno, il rosso cupo dell'ano.

Un giorno, impegnata in quell'esercizio, nel bagno sarebbe entrata la madre. Ne sarebbe rimasta sconvolta. Non dalla visione della figlia tutta incastrata in quella posa da circo (intenta a osservare senza pudore le natiche, divaricate come una pesca), bensí dalla naturalezza con cui Mio le avrebbe spiegato che era il colore ciò che cercava.

Non lo sviluppo del proprio corpo – quella curiosità chi non ce l'ha mai avuta –, ma il colore.

Solo quello cercava. *Solo* il colore.

Chi era sua figlia?

Un'altra volta, a quindici anni, venne sgridata aspramente per essersi fatta vedere in giro con un ragazzo di cui la madre non sapeva il nome. Mio si ribellò, alzò talmente la voce che come ulteriore punizione Kaneko le vietò di partecipare al *matsuri* di quartiere, per cui si preparava dall'inizio dell'estate.

Mio ebbe una reazione isterica. Piú singhiozzava, piú la madre si irrigidiva. Nonna Yōko tentò come sempre di ammorbidire il tono, ma Kaneko fu brusca: «Tu non ti intromettere! È figlia mia, non tua! So io come educarla!»

Nonno Mamoru, infastidito dal chiasso, si era ritirato in camera sua mentre Yōsuke assisteva inerme alla lotta. La tensione dell'uomo era tutta nelle mani che teneva tra le ginocchia, negli occhi affogati nella zuppa di *miso* già fredda.

Fu allora che Mio si rivolse al padre: «Ma tu perché non dici mai nulla?»

Tutti si voltarono ora verso Mio, ora verso Yōsuke, che alzò lo sguardo, stupito.

«Non mi difendi mai, – disse Mio con voce bassa e feroce. – Ma tu sei mio padre o il suo cameriere, il suo servo? – sibilò, indicando la madre. – Fai sempre e soltanto quello che dice lei!»

Non fu l'uomo a reagire, ma Kaneko. Che con una mano strinse il polso della figlia e con l'altra le depositò uno schiaffo sulla guancia.

Cosa fosse accaduto dopo non lo avrebbe ricordato nessuno. Mio cadde ancora nel bianco, dimenticò tutto.

Col tempo, quando imparò a proteggersi da sola, la figlia riuscí tuttavia a perdonare il padre. Non prendeva mai le sue difese, ma Mio iniziò a considerare già molto che l'avesse sempre accettata com'era – lí dove, invece, sua madre le misurava la gonna ogni volta che usciva, le prendeva il viso tra le dita per controllare quanto e come fosse truccata, le faceva sfilare il cibo dalla forchetta se le capitava di portarlo sbagliato alla bocca. L'oasi di nulla in cui il padre la accoglieva finí per risultarle preziosa. Non c'era una strada giusta. E se anche c'era, in buona fede lui non la sapeva.

Nonostante le differenze, i suoi genitori si amavano molto. Certe mattine capitava che Yōsuke si svegliasse con lo sguardo sognante. Kaneko sussurrava a Mio: «Tuo padre è andato al cinema, ieri sera». La moglie non lo derideva, certo non lo capiva, ma in fondo le piaceva che il marito si allontanasse da quella casa e poi da quella vita. Le pareva possedesse qualcosa che lei non aveva.

Talvolta Yōsuke allungava il passo verso Ginza, prendeva un paio di treni e tornava con i *wagashi* della pasticceria Akebono di cui, solo a parlarne, a entrambi i genitori si illanguidivano gli occhi. Erano i dolci preferiti della madre e della nonna, e lui amava portare piccoli doni per farle felici.

«In fondo è esattamente ciò che *non* sai di una persona a farti innamorare di lei, – le diceva ridendo la madre. – Mio, cerca di trovare anche tu qualcuno di cui non sai quasi nulla. Ne rimarrai innamorata tutta la vita».

Non sarebbe piombata in casa Yoshida che una dozzina di anni piú tardi una teoria che circolava tra i neurologi già da decenni, e che ipotizzava che tra la popolazione mondiale vi fosse una ristrettissima percentuale di individui di sesso femminile che, per una misteriosa quanto affascinante mutazione genetica, aveva nella retina un numero superiore di recettori.

Solo allora chiunque avrebbe saputo, o perlomeno intuito, che gli occhi di Mio individuavano milioni di colori in piú degli altri. Perché ognuno di quei recettori, chiamati «coni» (di regola in numero di tre), era capace di distinguere circa cento sfumature di colore. E se una persona normo-dotata riusciva a individuare un centinaio di migliaia di colori, una persona con quattro coni – che possedeva una vista «tetracromatica», quindi – aveva uno spettro di percezione elevata al quadrato.

Solo quando fosse giunta a loro la definizione di visione tetracromatica, gli Yoshida avrebbero ricordato come Mio, fin da bambina, sembrasse costantemente eccitata. Anche per strada o al mercato pareva si trovasse nella platea di un teatro, e che sul palco le si allestissero davanti le sette meraviglie del mondo.

Ad averlo saputo prima si sarebbero risparmiati un mucchio di ansie.

Al tempo di questa storia, però, e in quella famiglia, si credeva che i bambini non sapessero nulla. Che fossero recipienti da liberare dal ciarpame e da riempire di quanto era *importante*.

E sarebbe andata probabilmente in quella maniera se Mio non fosse stata convinta di avere ragione. La bambina non si fece svuotare. Lasciò istintivamente una piccola cavità bene in vista, affinché gli adulti potessero posarci dentro ciò che ritenevano indispensabile.

Nondimeno, lei era altrove. Di volta in volta in un armadio a muro, dentro una crepa, in uno spazio qualunque in cui immaginava di mettere al sicuro se stessa e la sua percezione straordinaria.

Fu lí che ebbe principio la sua vita nascosta.

Due

Da bambino, quando gli chiedevano che lavoro facesse il padre, Aoi rispondeva che era un mago.

Non avrebbe saputo spiegare altrimenti quel senso di meraviglia che lo assaliva quando osservava i movimenti rapidi delle sue dita che sbucciavano una mela in una sola lunghissima striscia, o quando dalla scorza di un mandarino ricreava la forma di un elefante o di una rana. Altre volte riuniva la famiglia al tavolo della cucina e, dal nulla, illustrava nei dettagli il piano per il fine settimana. Sbalordito, Aoi si domandava quando avesse prenotato i biglietti, in che modo avesse trovato il tempo di organizzare ogni cosa.

Erano però i sentimenti, soprattutto, a lasciarlo incantato. Come oggetti che fuoriuscivano sempre diversi dal cilindro, suo padre era capace di sostituirli con tale facilità che poteva apparire tranquillo un momento e devastato il successivo. Era gioia, e in un istante già euforia; poi ecco che bussava il dolore, e la disperazione buttava giú anche la porta. Certo, erano comportamenti che destabilizzavano la famiglia, ma Aoi presto intuí che nella vita non fingersi normali richiedeva coraggio. E suo padre lo aveva.

Chissà, si sarebbe detto Aoi crescendo, che non fosse stato per reazione a quel genitore – i cui sbalzi d'umore gli erano sempre parsi una cosa tremenda e tuttavia indistinguibili dall'affetto che provava per lui – che era diventato cosí cauto nei sentimenti.

Fu quando Aoi aveva cinque anni che il padre piantò dentro di lui il primo dei tre semi che avrebbero segnato la sua infanzia.

Era sabato, l'agenzia avrebbe aperto nel pomeriggio.

«Usciamo?» lo invitò a sorpresa il genitore.

Il piccolo montò felice sul seggiolino della bicicletta, facendosi guidare fino al parco. Avevano frequentato spesso quel luogo, ma fino ad allora lo sguardo di Aoi non si era mai spinto oltre lo spazio vuoto tra le corde dell'altalena, lungo le scale di pietra che conducevano al tempio.

Quel giorno l'estate esplodeva, pompava aria umidiccia. Le montagne di Kamakura erano lisce alla vista.

Entrando nel recinto del parco, l'uomo tenne ferma la manina del figlio. Lo frenò nello slancio verso le giostre. Lo condusse verso un'aiuola: «Vieni a vedere».

Accucciandosi indicò un filo d'erba arricciata, un piccolissimo fiore.

«Guarda», disse ancora al bambino.

Nonostante la minuscola età, Aoi dovette intuire la solennità dell'invito perché, per la prima volta, trattenne la voglia di scapicollarsi a giocare. Appoggiò la schiena al petto del padre mentre quello gli spiegava il fiore di colza, il giacinto, la polvere che si ricava dal seme della bella di notte.

Seguí l'indice del genitore, rise, fece «oh» innumerevoli volte.

Aoi scoprí cosí il giardino, l'orto e la giungla, le foreste spuntate in un vaso di viole. Rimase sbalordito dalla moltitudine di cose che poteva contenere un metro di terra. Attraverso la passione del padre – quell'ansia fortissima di consegnargli qualcosa – venivano a lui decine di vegetali cui serviva dare frettolosamente un nome, memorizzarne il frutto e la foglia.

Dai sei anni, complice la scuola e la sua ansia di classificare ogni cosa, Aoi avrebbe iniziato a censire le piante.

Le avrebbe ordinate nell'unico modo che conosceva, disegnandole sull'album che portava sempre con sé.

Quando il padre si accorse del grado di precisione raggiunto dal figlio, gli mostrò uno scaffale nella stanza da letto, pochi libri in cui era compreso tutto il suo già ridottissimo mondo. Gli album fitti di disegni dell'enciclopedia botanica dello Honzōzuhu, le tavole di Ernst Haeckel.

Non ebbe bisogno di raccontargli che il primo innamoramento l'aveva avuto anche lui da bambino, a Ōdawara, per il giardino di casa. Aoi, del resto, già conosceva la gioia di ripartire il mondo. Ciò che adesso apprendeva però era una felicità persino piú grande: scopriva una delle pochissime cose al mondo che erano in grado di rilassare il volto nervoso del genitore.

Aoi capí che lavoro faceva veramente suo padre – e perché a scuola lo prendessero tanto di mira – il giorno che compí sette anni e che, per puro caso, si celebrò il funerale della mamma di un suo compagno di classe.

Fino ad allora, escluse le ore trascorse a scuola, Aoi aveva passato ogni giorno nelle stanze dell'agenzia funebre. Giocava con le sue macchinine e gironzolava tra le gambe dei genitori e dei collaboratori che arrivavano puntuali la mattina e la sera puntuali tornavano a casa.

Soprattutto, guardava entrare quelli che chiamavano «i Rimasti». Erano vestiti di nero e di bianco, stretti, ordinati nei movimenti. Ad Aoi piaceva quel loro particolare modo di disporsi, come seguendo l'etichetta a tavola: arrivavano alla spicciolata o in piccoli gruppi, in taxi oppure a piedi, spesso da casa, talvolta dalla stazione; appoggiavano le giacche alle sedie, prendevano posto. Quasi sempre, però, si rialzavano subito in piedi; smarriti, si guardavano intorno alla ricerca di qualcuno che spiegasse loro come comportarsi.

«Che stanno facendo?» aveva chiesto una volta Aoi.

«Aspettano d'essere pronti», aveva replicato la madre, e

di lí in poi quella fu l'unica frase con cui rispondeva alle domande che il bambino le rivolgeva. *Aspettano d'essere pronti.*

Ma ecco che nella sala entrava suo padre, con la bacchetta magica e il cappello a cilindro, e improvvisamente ognuno dei Rimasti sapeva dove andare, cosa prendere in mano – se un bastoncino di incenso oppure un fiore –, in che momento sedersi o camminare, quando piangere oppure sospirare perché, a un certo punto, «mio piccolo Aoi, non resta che salutare».

Di quel tempo che si ripresentava ogni giorno, Aoi amava piú di ogni altra cosa il momento in cui, alla fine della cerimonia, gli era concesso segretamente di affacciarsi nella bara e guardare. Il padre diceva che ci si poteva trovare dentro di tutto: in fondo non era molto diversa da una valigia.

«Ma dove vanno?»

«Ah, chi lo sa. Ognuno ha una sua idea».

E la valigia – gli aveva spiegato – si sarebbe scaldata, in parte liquefatta e poi seccata cosí tanto da polverizzarsi. Non sarebbe rimasto nulla dei dolci e dei libri, delle bustine di tè e del caffè, dello spartito, delle matite colorate, dell'abito preferito, del fazzoletto che aveva asciugato mani e bocche per anni.

Sí, ribadiva il padre di fronte allo sguardo attonito del bambino, serviva che le cose andassero esattamente in quella maniera: «Tranne poche ossa, nulla deve restare».

Fino ad allora, tutto era stato un gioco per Aoi: le macchinine lanciate dal gradino d'ingresso dell'agenzia, la conta infinita dei fiori, la caramella che gli porgeva l'autista del carro funebre ogni volta che lo vedeva.

Ma poi, nel giorno del suo settimo compleanno, vide entrare nella camera ardente quel compagno di classe. Matsuda Takeru, ne ricordava ancora il nome. Era vestito di nero, circondato da un'aureola di adulti.

Tutti si erano avvicinati all'altare inghiottito dai fiori. Molti piangevano, come sempre accadeva quando chi moriva lo faceva prima del tempo.

Aoi aveva riconosciuto il compagno, gli aveva fatto anche un cenno di saluto ma quello non si era accorto di lui.

Tutti avevano preso posto. Il bambino, dopo un momento in cui si era lasciato trascinare davanti alla bara, aveva tirato il braccio del padre. Era nell'ultima fila che voleva stare, il piú lontano possibile dal corpo della madre.

Fu in quel momento che Aoi si era avvicinato a Takeru. Gli aveva bussato piano sulla spalla e lui si era voltato, col viso duro e disperato dal pianto. Intorno, nessuno se n'era accorto.

Aoi gli aveva offerto il suo Bolide Rosso, una delle tre macchinine preferite che amava far sfrecciare nel corridoio dell'agenzia funebre, in una pista immaginaria che aveva perfezionato negli anni.

Porgendoglielo, Aoi ricordava di aver pensato che non era pronto a separarsi dal giocattolo, ma che se il compagno l'avesse voluto glielo avrebbe ceduto. Sembrava cosí dispiaciuto.

Takeru, però, invece che riconoscente parve sorpreso, e immediatamente ferito. Aveva abbassato lo sguardo sul blocchetto di metallo, la scritta SUPER FAST a lato. Quindi, come se un meccanismo inceppato si fosse d'un tratto risolto, aveva dato uno schiaffo violento alla mano di Aoi. La macchinina si era schiantata contro il muro.

Si era poi voltato, senza piú guardarlo.

Dal giorno del funerale il compagno, che era sempre stato gentile, smise di parlare ad Aoi. A scuola lo evitava, e solo quando era costretto – per un compito o un'esercitazione di gruppo – accettava di stargli accanto. Se per sbaglio incrociava il suo sguardo, Aoi vi riconosceva la miscela di odio, vergogna e impotenza che gli aveva sentito addosso quel pomeriggio.

43

Takeru lo odiava, perché lo aveva visto soffrire.

Ecco cosa intendeva il padre di Aoi quando ripeteva che il suo lavoro era duro, e che la gente spesso non capiva.

«Ma non è mica colpa tua, no? Mica hai ucciso tu quelle persone!»

«No, certo, ma al dolore non interessa cosa è vero e cosa è falso».

Contemplare il corpo immobile della madre, lasciarlo andare chissà dove e poi vederlo tornare in un mucchietto di bianchissime ossa, a Takeru doveva essere parsa un'operazione mostruosa. A distanza di anni, Aoi si sarebbe domandato se il compagno non avrebbe tollerato persino meglio la decomposizione del corpo piuttosto che la sua sparizione.

Fu cosí che il giorno del suo settimo compleanno Aoi piantò dentro di sé il secondo seme: seppe finalmente che lavoro faceva il padre, e si convinse anche che – chi credeva commerciasse la morte – sbagliava di grosso. Non era certo la morte. Era la vita, piuttosto, che faceva male.

Da anni Morioka-san, il padre di Aoi, desiderava una casa piú grande.

Non per accumulare cose, ma per il giardino che immaginava crescergli attorno. Dopo una delle sue crisi nervose – momenti in cui era colto da una voglia astratta di farla finita –, la madre di Aoi aveva preso da parte il marito. Ferma come non era mai stata, la donna gli aveva detto che avevano liquidità a sufficienza per investire, che cercasse quella casa!

Ogni scelta, però, finiva per superare la cifra che lui era disposto a pagare. L'uomo voleva alberi da frutta, cespugli di gelsomino, un ciliegio che annaffiasse di petali la fine di marzo. Non riusciva a scendere a compromessi.

La signora Morioka iniziò a pensare che il marito avrebbe rinunciato definitivamente all'idea di trasferirsi quando un giorno, per caso, il padre di Aoi parlò con un vecchio, e quel vecchio gli riferí di un triangolo grasso di terra, che sorgeva curiosamente nel bel mezzo di un passaggio a livello, nello snodo ferroviario tra Kamakura e Zushi. In quel punto si divaricavano le rotaie nelle due direzioni, infilandosi ciascuna dentro i tunnel che bucavano la montagna.

«Come due gambe, insomma!» rideva il vecchio con sguaiatezza quando lo andarono a vedere.

Il padre di Aoi aveva già deciso, prima ancora che suonasse il segnale del treno in arrivo, che si abbassassero le sbarre e vedessero sfrecciare il convoglio: non era una casa nuova che gli serviva, era precisamente quell'orto.

La madre di Aoi era spaventata all'idea che il figlio potesse accompagnare lí il padre. L'idea era buona ma la posizione dell'orto era tremenda. Una cosa era un adulto, un'altra un bambino: non si sa mai cosa gli passa per la testa, il colore del semaforo, i treni cosí veloci che nemmeno li senti arrivare.

No, la rassicurò il marito, poteva fidarsi: non lo avrebbe perso di vista un momento.

Un giorno d'aprile, venne piantato in Aoi il terzo e ultimo seme.

Era finito il tempo della contemplazione: padre e figlio inauguravano l'orto, passavano dalla parte di Dio. Il bambino, dopo aver appreso la morte, avrebbe imparato cosa si provava nel dare vita alle cose.

Morioka-san, di norma cosí poco fisico, mantenne la promessa data alla moglie: a ogni passaggio del treno, per tenerlo al sicuro, abbracciava suo figlio. Tanto che, certi giorni, Aoi finí per avere le sue braccia attorno anche quindici volte in un'ora.

Quando Aoi crebbe, il padre smise di stringerlo al passaggio dei treni, ma d'istinto allungava comunque la mano, gli posava un palmo sulla spalla. Dopo gli otto anni si sarebbe limitato a fissarlo in volto finché il treno non avesse finito di passare del tutto.

Per quanto il gesto non si sarebbe mai piú replicato, in Aoi quel contatto adorato col padre si mescolò inscindibilmente all'idea della cura. Non solo delle piante ma anche delle persone. Precisamente, alla cura del loro cuore.

Morioka-san comprò due zappe, una grande per sé e una piccola per Aoi. Acquistò sacchi di concime e dosatori per l'acqua, libri per studiare la luce, come andava sfruttata, per studiare il vento e le scosse dovute al passaggio dei treni. Preparò la terra, razionando le parti come una ricetta. Nulla, pensò Aoi, cambiava rispetto alla preparazione di una torta.

Preso dall'entusiasmo, il bambino iniziò a raccattare semi ovunque: quelli della mela che sua madre sbucciava in cucina, del kiwi mentre lo mangiava, dello *yuzu* che galleggiava nella vasca da bagno e che lui di nascosto spolpava.

Furono anni felici.

Con l'inseparabile album da disegno, Aoi tracciava l'anagrafe dell'orto. Talvolta, smuovendo le zolle, il padre gli parlava della misura del lutto. Di come pareva servissero diciotto mesi per consolarsi per la morte di un genitore e di come, per digerire la fine di una storia d'amore, servisse un tempo piú o meno uguale.

Aoi era cosí abituato a quei discorsi da adulto che non ci faceva piú caso. «Tra quanto spuntano i pomodori?» chiedeva impaziente, declinando la stessa domanda per ciascun seme che avevano piantato.

«Lo abbiamo appena messo nella terra, serve tempo».

«Domani?»

«Serve tempo».

«Che devo fare?»

«Puoi dare l'acqua, puoi far sí che il sole arrivi bene, ma poi devi aspettare, – concludeva l'uomo. – Tu fai certe cose, il tempo fa il resto».

«E poi?»

«E poi niente. Basta aspettare», rispondeva calmo il genitore.

In estate, la stagione piú ricca, arrivarono i fagiolini e le melanzane. I cetrioli spuntarono allungandosi con i loro fusti, le foglie piene di capillari come il volto della vicina di casa, quella che gironzolava con in bocca lo spazzolino da denti.

E a forza di osservare la natura minuscola del giardino e dell'orto, Aoi si convinse che suo padre avesse ragione: bastava aspettare perché tutto accadesse.

Se il padre vedeva nel figlio una pianta, la crescita lenta e poi convulsa dell'oleandro, i piccoli scatti ravvicinati che ne facevano una cosa la sera e un'altra la mattina successiva, la madre di Aoi vedeva nel figlio una creatura che andava innanzitutto protetta.

Amato dai genitori nel modo preciso e diverso che ognuno di loro aveva di amare, lo sguardo su di lui viveva di opposti. Dal padre conobbe il tempo dei morti e delle piante, dalla madre imparò invece la capacità di cogliere la felicità nelle piccole cose. Aoi si trovava allegro ed esuberante con lui, calmo e misurato con lei.

La signora Morioka era una donna gioiosa. Quando era nato Aoi si era ripromessa di non diventare una madre ansiosa, ma non ci era riuscita. Si era accorta invece d'aver partorito una mancanza, una parte di sé che di lí in poi avrebbe vagabondato nel mondo da sola. Per compensare quell'ansia, che spesso si traduceva in eccessi di severità, rimpinzava il figlio di dolci.

Aveva portato per la prima volta Aoi al negozio di *dagashi* quando aveva tre anni. L'insegna era sbiadita e il vecchio proprietario sedeva sonnacchioso dietro la cassa. Di lui si vedeva giusto la testa, il resto giaceva sommerso sotto piccoli scomparti di caramelle, scatole di marshmallow, barattoli di vetro e di latta traboccanti di dolci. Tutto, in quel luogo, era pura magia e non serviva spendere piú di cinque, dieci yen al pezzo.

All'ingresso del negozio la madre gli porgeva il cestino in miniatura e Aoi trottava tra gli scaffali per afferrare un budino grande un dito, un bastoncino tempestato di paillettes di cioccolato.

La rivoluzione avvenne quando Aoi scoprí i chupa-chups. La madre una volta aveva letto sul giornale di un incidente grottesco, e temeva che la pallina si potesse staccare dal bastoncino e incastrarsi nella gola del figlio.

«Devi farlo durare fino a casa, lo devi succhiare ma senza spaccarlo, – gli ordinò spaventata. – Fai attenzione a non staccarlo dal bastoncino. Hai capito?»

Tornando a piccoli passi concentrati dal negozio di

48

dagashi su Komachi-dōri, Aoi scartò il chupa-chups e infilò tra le labbra la sfera ciliegia. Fu una supernova.

Talvolta si fermava estasiato, alzava gli occhi verso la madre e, mostrandole il volume della pallina, le chiedeva: «Posso fare *crac*?»

Senza rendersene veramente conto, Aoi abbinò i chupa-chups a una lezione importante: imparò con sua madre la durata della felicità. Era dolce come i suoi occhi color ambra ma non resisteva mai piú di una sfera di zucchero, sciroppo di glucosio, polpa, succo di frutta.

C'era un pensiero fisso che crescendo, pur in mille varianti, sarebbe diventato una costante nella vita di Aoi: «È importante partire con l'anima ben preparata. Serve attrezzarsi contro la paura, contro la superstizione, contro gli altri ingombri del cuore».

Chi avesse detto quella frase non era importante. Chi dicesse cosa, in generale, non contava granché per lui.

Ma il padre di Aoi, nella memoria del figlio, era stato il primo a pronunciarla.

Da giovane, Morioka-san aveva dovuto combattere contro il pregiudizio dei suoi familiari, in particolare dello zio materno. Il padre lo aveva perso a sedici anni, la madre lo aveva seguito poco dopo e lui, per far fronte alla disastrosa situazione delle finanze di famiglia, aveva accettato con riconoscenza quel lavoro poco ambito ma ben pagato. Nonostante agli occhi di tutti quel mestiere paresse mostruoso, al padre di Aoi era piaciuto fin da subito.

«Abbiamo a che fare con la parte piú delicata dell'esistenza, non è una cosa che si può fare con leggerezza, – si ripeteva, e avrebbe continuato a ripetere ai figli negli anni. – Ma c'è anche da andarne orgogliosi».

Eppure, la leggerezza che il padre di Aoi credeva necessario bandire, tornò a lui dal ventre della moglie. Giunse attraverso quel loro figlio che scorrazzava per le stanze dell'agenzia funebre dove lui si aggirava fiero e austero, impeccabile in giacca e cravatta. Morioka-san non riusciva proprio a sgridare Aoi. Era consapevole, dopo tanti anni di quel mestiere bello ma duro, che la giovane età non salvava da nulla. Si poteva morire facilmente anche dopo un mese di vita.

E poi era accaduto qualcosa che a Morioka-san parve miracoloso: Aoi si era innamorato del padre.
Come ci si guadagna l'amore di un figlio?
Era una domanda che lui non si era mai posto, tanto era convinto che una cosa simile non gli sarebbe mai capitata. Che aveva di speciale, lui, per farsi amare da un bambino? No, meglio badare alla famiglia, procurare da mangiare, tenere tutti a distanza quando gli prendevano quelle sue tempestose crisi nervose.
E invece l'affetto irruente di Aoi gli era arrivato con tale naturalezza che l'uomo si era infine convinto che alla domanda su come si guadagna l'amore di un figlio, non vi fosse che una sola risposta: *Per caso*.
Con Aoi che gli gironzolava intorno tutto il giorno, Morioka-san si sentí dapprima confuso, poi nutrito di una felicità nuovissima. Il bambino gli inzaccherava i vestiti e la faccia con baci pieni di crema. E lui non si arrabbiava, anzi lo difendeva quando la madre lo rincorreva per rimetterlo in riga.
Dopo anni in cui aveva creduto che servisse soprattutto esercitare coerenza per fare bene il suo mestiere, e che occorresse rimanere impassibili per accogliere al meglio il dolore degli altri, ecco che Aoi gli apriva un'idea completamente diversa.
E allora guardare quel piccolino intrufolarsi tra le bare, accarezzare guance irrigidite, picchiettare le unghie con polpastrelli da insetto, scoprirlo – quando si allontanava un momento – intento a osservare i volti sformati di sconosciuti e raccontare loro la giornata all'asilo, ecco che grazie a quella minuscola porzione di essere umano, la leggerezza tornava a visitarlo.
Il suo mestiere gli diventava ancora piú caro.

Morioka-san riuscí ad alleggerire la morte, il dolore provato dalle persone prima, durante e dopo il funerale. Non si trattava solo di abitudine, ma di autentico amore. Smise di allontanare il pianto le volte in cui arrivava una piccola bara, o quando i parenti restavano muti a guardarlo, aggrediti da un dolore che non sapevano ancora nominare. Allungava la mano, lí dove sentiva che il gesto sarebbe stato accolto, e stringeva loro le dita. Abbracciava chi ne sentiva il bisogno, affrontava lo smarrimento degli altri.

Soprattutto ascoltava, perché l'ascolto è sempre la forma d'amore piú grande. «Non serve fingersi tristi, no, non serve neppure credere che chi è morto fosse una persona stupenda», diceva.

Con i Rimasti serviva piuttosto essere umani, rimanere in ascolto e offrire agli altri quel terreno comune di emozione, «quello che ti fa sentire di condividere un'esperienza piú grande, la vita in generale, – diceva con quel suo tono calmo e solenne, – perché nessuno lo dice ma tutti lo sanno, che uno *ora* sta piangendo una persona amata e soffre, ma *un giorno* accadrà a tutti: a chi adesso è in questa stanza, in questa città, da qualunque altra parte nel mondo».

La nascita della sorella fu per Aoi una rivoluzione, per il preciso motivo che non ci fu nessuna rivoluzione. O meglio, forse perché era stata annunciata come qualcosa di enorme alla quale Sayaka però, fin da neonata, non sembrava intenzionata a partecipare.

La madre avrebbe ripetuto fino allo sfinimento ad Aoi la formula magica per cui, ormai, era su di lui che contava: «Puoi dare un'occhiata a Sayaka da bravo *fratello maggiore*, mentre io faccio la spesa?», «Quando Sayaka torna da scuola puoi prepararle da bravo *fratello maggiore* un po' di riso con il *furikake*?», «Che salvezza che sei, Aoi: se non ci fossi tu, che sei un cosí bravo *fratello maggiore*, io come farei?»

Eppure Sayaka non aveva bisogno di lui, e verso il fratello mostrava una curiosità spenta.

A tre anni si sedeva da sola sulla tazza del gabinetto, a quattro già sapeva lo *hiragana*. Pretendeva d'essere autonoma in tutto ciò che le capitava, con un paio d'anni di anticipo su ogni tappa. Precocissima, diversa.

La signora Morioka amava preparare enormi porzioni di cibo che poi finiva per distribuire ai vicini e ai collaboratori dell'agenzia funebre. Aoi era spesso incaricato di andare a recapitare piatti e vassoi; andava a suonare ai campanelli e gridava vergognoso «*sumimasen*» oltre le tende appese agli ingressi.

Quando Sayaka fu abbastanza grande per dare una mano al fratello, Aoi fu felice all'idea di poter spartire con lei quell'imbarazzo.

Fin da subito Sayaka sembrò preferire l'osservazione all'azione. Sapeva sempre cosa dire ma non sentiva alcun desiderio di esprimere il proprio parere. Non perché non si considerasse intelligente, ma perché per parlare serve essere interessati a cosa pensano gli altri, e a lei interessavano solo le proprie cose. Adorava camminare, sembrava che le sue gambette non accumulassero né fame né sete. Eppure non amava mangiare, guardava il mondo con scarsa partecipazione, ficcandosi poi dentro la vita d'un tratto, come avrebbe detto Aoi quando divenne piú grande: a guardarla pareva di assistere a una di quelle scene dei documentari in cui, nella calma indolente della savana, d'improvviso una leonessa alza la testa, fissa la preda e un attimo dopo si lancia nella corsa.

A scuola, Sayaka si appassionò alle persone. Poche, selezionatissime persone, di cui memorizzava quelle che definiva le «espressioni di mezzo», le facce a metà strada tra le emozioni piú nette, quelle che sa riconoscere soltanto chi impara ad amare con devozione. E lei quell'amore lo rivolse verso alcune compagne di classe e soprattutto verso lo zio, il fratello della madre, che spesso li andava a trovare. Nei confronti di Aoi, nonostante il rapporto invertito degli anni, Sayaka provò invece sempre protezione.

A otto anni e mezzo, quando aveva capito già da un pezzo che i suoi disegni erano tutti sbagliati, Aoi perse coraggio.

Biglie, fiori, proiettili in terra, sfere succose, globi, campanelle vuote di *hozuki*. E poi vaso, recipiente, contenitore, barattolo, canale, sistema di irrigazione, piccoli tunnel di nylon bianchi come calze per proteggere dal freddo le piantine piú delicate.

Tutto bellissimo, ma comunque *sbagliato*. Bastava confrontarlo con l'album di disegno di sua sorella per far emergere un confronto impietoso: il suo era un pasticcio di tinte, imprecisioni dovunque.

Aoi smise di disegnare. La signora Morioka se ne accorse immediatamente e fece di tutto per aiutare il figlio a migliorare. Ma piú si accaniva piú Aoi si chiudeva, anzi, forse era proprio quella preoccupazione a disorientarlo.

Quanto fosse grave il suo difetto di vista, Aoi ancora non lo capiva, ma lo sguardo addolorato della madre e quella sua ansia di parlarne a ogni costo, gli pareva già una risposta.

Al contrario, il padre non badava alle ansie della moglie, e cosí lo zio materno che anzi lo rassicurava sul fatto che fosse tutto perfettamente normale: «Gli impedimenti esistono solo se li si va a cercare», amava dire.

Fu in quel clima che arrivò il tragico giorno in cui Aoi vide il sangue.

Quella mattina erano andati presto all'orto. Era un sabato di marzo e non si celebrava nessun funerale. Il tempo era nuvoloso, le previsioni davano pioggia.

Aoi ormai non disegnava piú nulla da settimane. L'album l'aveva infilato con una certa ostentata violenza in fondo all'armadio.

Padre e figlio si misero a lavorare il terreno per creare la giusta combinazione. Avrebbero piantato patate dolci, quelle dalla pasta violacea tipiche della zona di Okinawa. La madre di Aoi prometteva di farne muffin e budini in autunno e snack croccanti da conservare per l'inverno.

A metà mattinata Aoi era ancora chino sulla terra, dove lavorava con la zappa vari composti organici e sabbia. Il padre controllava le varie fasi, con i pugni chiusi sui fianchi, silenziosamente orgoglioso di lui.

Poi il segnale del passaggio a livello iniziò a lampeggiare, e insieme suonò anche il solito allarme. L'uomo spostò distrattamente lo sguardo sul versante sinistro, dove iniziava a scendere lenta la sbarra.

In quel momento, squarciando le nubi, uscí violentissimo un raggio di sole, e il padre di Aoi, chinandosi come d'abitudine verso il figlio, si riparò con la mano dalla luce accecante.

In un attimo, tutto si stravolse.

Si udí un assordante stridore di metallo, il grido dell'allarme e il movimento dell'aria sollecitata dal passaggio del treno che s'interruppe. Dopo qualche minuto si allargarono lugubri ululati di sirene. Accorsero le ambulanze, i pompieri. La gente uscí dalle case per decifrare quel mucchio di stranezze.

Un uomo giaceva sotto le rotaie.

Ci sono sempre ricordi sotto la pelle di altri ricordi.

Tutto rimane nascosto finché quella pellicola da qualche parte non si sfilaccia.

Di quel giorno, in particolare, Aoi avrebbe ricordato due cose.

La prima: le braccia del padre che lo tenevano forte – il volto premuto sul petto, quasi a soffocarlo pur di non fargli vedere cosa fosse successo –, la sensazione netta che quella stretta non fosse un invito ma un comando; il tentativo ultimo di proteggerlo dal diventare adulto prima del tempo.

La seconda: quel liquido giallo cosparso sulle rotaie che Aoi intravide mentre si allontanavano cauti, e le pietre intorno, anche quelle schizzate di un colore nascosto, annacquato dalla pioggia che aveva preso a battere forte.

Le circostanze dell'incidente rimasero vaghe.

Una distrazione, o magari un suicidio – chissà. Era giovane o vecchio? Stava andando al lavoro o era in vacanza? Aveva una moglie e dei figli o viveva da solo? Il suo piatto preferito qual era? Tifava per gli Hanshin Tigers? Da bambino aveva amato il profilo del monte Fuji, lo stesso che nei giorni sereni s'intravedeva all'orizzonte, proprio lí, dal punto della ferrovia in cui era morto?

Il giornale locale gli dedicò un trafiletto. Parlò tuttavia delle operazioni di ripristino e dei ritardi subíti dal treno, piú che di chi fosse quell'uomo.

Nella memoria di Aoi il ricordo si sfilettò. Col passare del tempo, la parte carnosa si separò naturalmente dalla lisca e rimase il sospiro triste del padre – come succedeva sempre quando all'agenzia arrivava un cadavere straziato o troppo giovane – e poi quella sua frase che, anni dopo, ancora echeggiava dentro di lui, chissà perché proprio quella tra milioni di altre tutte uguali: «Ciò che non si chiama sparisce».

Gliel'aveva sussurrata mentre finalmente stavano uscendo dalla centrale di polizia, dopo aver risposto a un'estenuante trafila di domande.

«Perché non ci hanno detto il suo nome? Perché hanno continuato tutto il tempo a chiamarlo *vittima* e basta?»

aveva domandato Aoi. Lo inquietava non poter chiamare le cose: amava leggere, e nei libri sembrava che ogni sentimento, ogni piccola cosa si potesse nominare.

Il padre gli rispose che la burocrazia funzionava cosí. La privacy, il protocollo. Eppure, certo, capiva il disagio del figlio.

«Ciò che non si chiama sparisce», aveva detto calmo. Chi moriva *veramente*, moriva cosí. Per questo nelle cerimonie funebri si pronunciava tante volte il nome del defunto.

Il semaforo aveva lampeggiato e i due si erano affrettati ad attraversare le strisce. La pioggia ancora cadeva, anche se con meno violenza.

«Forse, – aveva mormorato Morioka-san come parlando fra sé, – si spera che da qualche parte ne rimanga qualcosa».

«Ma allora dobbiamo sapere il nome di tutti!» aveva esclamato Aoi con decisione.

«Siamo cosí tanti, Aoi, – aveva replicato il padre con tenerezza, – che ci manca il tempo per ricordare. Il tempo di vivere già non ci basta».

Negli anni delle medie, quando la curiosità verso la morte cresceva, Aoi si avvicinava alle bare cercando di immaginarne la causa. Si chiedeva, con ingenuità, come quelle persone fossero finite là: nei libri, quando qualcuno se ne andava, c'era sempre un perché.

Quando in agenzia arrivavano i corpi, sgusciava nella sala per vederli. Restava incantato dalle bocche che talvolta erano rimaste aperte, l'aria che circolava tra i denti; osservava le piccole fuoriuscite di sangue che il padre tamponava infilando delicatamente bossoli di cotone nelle narici e nelle orecchie.

Il giorno in cui dall'obitorio giunse una ragazza di sedici anni, Aoi credette – suggestionato da *Denti di leone*, l'ultimo romanzo di Kawabata Yasunari, morto suicida a poca distanza da lí – che fosse morta della stessa malattia di cui parlava lo scrittore.

57

La protagonista del romanzo, Ineko, era affetta da un misterioso morbo che le impediva di vedere il corpo dell'amato. Aoi era affascinato dall'idea che fosse proprio l'amore a renderle invisibile il corpo dell'altro. Immaginò si potesse morire di invisibilità, per il preciso motivo per cui se non si riesce a vedere chi si ama, si soffre.

Dopo la scuola percorreva con la cartella sulle spalle stradine sottili e arcuate, scartate dai turisti. Gli pareva che in quei sentieri battuti di notte da *yōkai* e fantasmi, si attardassero anche i passi dei morti.

Tra i tanti mali immaginari che talvolta attribuiva ai corpi, il suo preferito era la ninfea fiorita nel petto di Chloé descritta da Boris Vian. Leggendo *La schiuma dei giorni* Aoi si era innamorato di quella ragazza e del suo coloratissimo mondo. Tutto era vero per lui, anche le scarpe che scavavano letteralmente buchi nel suolo, le pareti della casa che si stringevano per la sofferenza degli amanti. Aveva imparato a memoria i passaggi che descrivevano il fiore velenoso che tagliava il respiro a Chloé e che l'avrebbe presto portata alla morte. I polmoni per Aoi diventavano ali, e i defunti, nella sua testa bambina, si trasformavano tutti in uccelli.

Cosí, mentre percorreva trotterellando quelle viuzze, alzava gli occhi verso i fili della luce su cui si appollaiavano i passerotti e stavano in allarme i corvi. E allora gli pareva di vedere i morti spiegare le piume e beccare i vetri delle case per raccontare il loro ritorno.

Immaginava che il mondo di sotto fosse custodito da tutto quel frullare d'ali.

Si sentiva protetto.

La sua passione per la lettura lo avrebbe portato lontano, se il destino non si fosse messo di mezzo.

A venticinque anni, Aoi stava studiando per diventare insegnante: lo entusiasmava l'idea di poter trasmettere ad altri qualcosa che aveva nutrito cosí a lungo il suo cuore.

Leggendo *Note del guanciale* di Sei Shōnagon, e poi *Vita sexualis* di Mori Ōgai, e ancora *La casa delle belle addormentate* di Kawabata Yasunari, aveva avuto la sensazione che il mondo fosse piú grande di come se lo era figurato, e quell'epifania – che ci si potesse cioè letteralmente allargare la vita leggendo – lo aveva investito di gioia.

Non smetteva di stupirsi come, pur stando immobile in una stanzetta di pochi *tatami*, il suo corpo reagisse a immagini costruite anche molti secoli prima. Che fosse un libro di letteratura giapponese o straniera non cambiava poi molto. La felicità, per Aoi, era quella cosa in cui lui stava fermo, in silenzio, e la testa intanto si riempiva di cose.

E tuttavia, il giorno in cui morí suo padre, non aveva esitato.

Si trattava di passare ad altri l'attività di pompe funebri oppure di gestirla da sé, abbandonando i suoi progetti.

La sorella lavorava già da anni con i genitori: si occupava della preparazione dei corpi, del trucco dei defunti, dei contatti con l'imbalsamatore. La signora Morioka gestiva la contabilità, i rapporti con i fioristi specializzati, con i cimiteri e le aziende per la vendita dell'altare casalingo, il *butsudan*. Insieme al marito aveva curato quell'attività febbrile che inizia in qualunque momento arrivi una telefonata, anche nel cuore della notte, e che dall'istante in cui si alza la cornetta, deve concludersi in meno di sessantadue ore.

Il padre coordinava ogni passaggio. Si premurava di chiamare subito il bonzo o il *kannushi* a seconda che si celebrasse un funerale buddhista o shintoista, contattava l'ospedale dove il piú delle volte il defunto attendeva, correva a casa dei familiari per pianificare la cerimonia, prenotava la macchina per andare a prelevare la salma, chiamava il crematorio per stabilire l'ora, preparava la veglia, allestiva l'altare *makura-kazari*, contattava il servizio di buffet coordinando le quantità in base al numero di ospiti attesi, prenotava il piccolo bus privato per gli spostamenti. E ancora, e ancora.

Era un lavoro che prevedeva tanti passaggi, e che si intrecciava al lavoro di molti. Eppure, come il padre era solito dire, l'accoglienza e l'ascolto erano il cinquanta per cento del loro lavoro: il cinquanta per cento piú significativo.

«Devi entrare nel rito in punta di piedi. Si sta costruendo uno dei ricordi piú potenti per le persone che vi parteciperanno, – diceva. – In questo mestiere non esiste il giusto, non esiste il bello, non esiste il buono. Devi solo ascoltare, assorbire, domandare quando non sai o non capisci».

Aoi lo aveva sentito raccomandarsi con le stesse parole sia con sua sorella sia con gli apprendisti, che spesso però abbandonavano dopo poco. Non era un lavoro adatto a chiunque.

«Accadrà che i Rimasti vi fisseranno per strada, che alcuni distoglieranno lo sguardo, – aveva ripetuto a lui e a Sayaka fin da quando erano nati. – Non ve ne curate, non è malevolenza. È che gli ricordate, senza volerlo, un momento di grande tristezza. Se avete fatto un buon lavoro proveranno comunque riconoscenza. Ma si imbarazzeranno, perché li avete visti disperati, smarriti, come nessuno vorrebbe mai mostrarsi a degli sconosciuti».

E ogni volta che lo ribadiva, Aoi ricordava il suo compagno di classe delle elementari, quello cui era morta la madre, la macchinina rossa schiantata contro la parete.

«Ora che papà è morto, che cosa facciamo con l'azienda?» fu la domanda secca di Sayaka, la sera prima del funerale di Morioka-san.

«Me ne occuperò io. Datemi solo qualche giorno per sistemare le cose», rispose Aoi.

E cosí, pochi mesi prima che se ne andasse anche sua mamma, lui chiuse i conti con la vecchia vita e iniziò a lavorare nell'agenzia di pompe funebri insieme allo zio materno e alla sorella.

Erano trascorsi dieci anni, e lui non aveva mai rimpianto la scelta.

Tre

Ogni mattina, al risveglio, Mio veniva colpita dallo stesso pensiero: non appena avesse aperto gli occhi, avrebbe avuto tutto l'universo davanti.

A palpebre chiuse, distesa nel letto, assaporava l'attesa, l'esplosione cromatica che l'avrebbe travolta. Immaginava il pulviscolo che illuminava la stanza con migliaia di sfumature d'oro, il giallo smaltato che partiva dal lampadario e si spargeva di riflessi senape e zafferano. E poi il rosa mandarino delle tende, quel punto preciso della buccia che, schiacciato, risultava piú scuro. Il rosso carbone della parete, il carminio che virava deciso verso il nero, quasi precipitasse nel buio.

Mio tirava allora un respiro e apriva gli occhi.

Quel giorno, vestendosi per andare al lavoro, ascoltava distratta la televisione quando si trovò all'interno di un programma d'intrattenimento della *Nihon Terebi*. Si rivide nell'abito che aveva acquistato la primavera di due anni prima e che esibiva tutta la palette dell'alba sui ghiacci di Okhotsk. Ascoltò con poco interesse il discorso che aveva fatto lei stessa all'intervistatore nella piazzola di Yurakuchō. Era concentrata piuttosto a notare la resa sullo schermo del grigio foca delle maniche a sbuffo, del pallidissimo azzurro cristallo sui fianchi.

Anche Aoi, a un centinaio di chilometri di distanza e a qualche migliaio di pareti in linea d'aria da lei, si preparava per andare incontro alla sua giornata. Pur essendo sintonizzato sullo stesso canale, non sentí una sola parola dell'intervista. Si guardava allo specchio, sorpreso di una piega sulla fronte che la sera prima non c'era.

Il tempo operava dei salti, pensò, e lui doveva essersene perso uno.

Per colpa della trasmissione televisiva, quel mercoledí Mio uscí venti minuti piú tardi. Da Kagurazaka, dove abitava, prese la linea Tōzai, cambiò a Tōkyō-eki dove camminò nei labirinti sotterranei insieme a una folla disciplinata fino alla stazione di Ōtemachi. Cambiò due treni, poi salí sulla monorotaia e infine scese alla stazione di Tennōzu-airu.
Nei viaggi sfilò piú volte dalla tasca un taccuino bianco di stoffa e, fissando a turno le persone intorno a lei, prese appunti veloci.

Intanto, sulla banchina della stazione di Kamakura, Aoi attendeva il treno delle 7,51. Salí senza alcuna speranza di trovare posto a sedere. Si avvicinò comunque alla doppietta di sedili disposti a quadrato, mise la borsa sulla cappelliera, iniziò a leggere un libro. Con suo grande stupore, a Ōfuna scese una donna e lui poté sistemarsi accanto al finestrino, il sole che gli cadeva sugli occhi.
Tutti i libri di Aoi erano avvolti da una stoffa bianca che nascondeva titolo e copertina. Questo perché ciò che leggeva parlava spesso di morte. Non tanto del lato filosofico della faccenda, bensí su come occuparsene praticamente: raccogliere la salma, ricomporla quando alterata, ricostruire parti del volto, lavarla, vestirla, truccarla. Conosceva a memoria anche i gesti del bonzo, le parole che venivano sussurrate all'orecchio nelle ore successive al decesso in cui si credeva che il defunto potesse ancora sentire i rumori del mondo.
Aoi organizzava funerali, con la consapevolezza che l'inizio delle cose fosse importante almeno quanto la loro fine. E la morte, secondo lui, consisteva nel prendere per mano i Rimasti e aiutarli a trasformare la presenza in assenza.
A rinunciare definitivamente all'idea di sapere qualcosa in piú su una persona.

Titolo del libro che Aoi leggeva in treno quel giorno

Sachiya, Hiro, *O-sōshiki wo dō suru ka – nihon-jin no shūkyō to shūzoku*, PHP, Tōkyō 2000.

Mio pensò che finalmente stava iniziando un'era in discesa. La morfologia di Kagurazaka, il quartiere in cui era nata, glielo ribadiva: dopo una salita arriva sempre una pendenza vertiginosa.

Cinque giorni la settimana, alle otto meno un quarto, varcava le porte automatiche di Pigment e si ritrovava nel ventre di una balena. Trascorreva la sua giornata sotto onde di bambú: erano stecche sottili, leggerissime, che si succedevano sul soffitto e su certe zone sottostanti l'immensa sala; i fusti legnosi parevano inarcarsi qui e là per ingoiare la luce e l'aria.

Il benessere che Mio provava da Pigment era innanzitutto visivo: la successione ordinata delle 4500 boccette contenenti i pigmenti si stagliava lungo la parete di fondo, i colori crescevano e decrescevano naturalmente; i 600 modelli di pennelli, pennellesse e palette erano appesi in verticale, affiancati secondo lunghezze e larghezze discontinue. Tavoli di legno chiaro, lisci come plum-cake, tagliavano in diagonale gli spazi.

Su scaffali e scansie venivano custodite le tempere, i solventi, decine di tipi diversi di colla (di origine vegetale e animale), foglie d'oro, lacche di vari colori e centinaia di altri ingredienti di cui la maggior parte delle persone fuori da quel negozio non avrebbe saputo dire il nome.

Oltre alla vendita delle tempere in tubetto, dei colori in polvere e della fiumana di materiali e strumenti di tintura, in quel negozio si offrivano anche consulenze specializzate per la realizzazione di spazi pubblici e privati, interventi mirati sull'arredamento di abitazioni e locali, si organizzavano lezioni e seminari che toccavano gli aspetti piú disparati delle vite nascoste dei colori.

Mio si sentiva felice già mentre scendeva dal treno e, uscendo alla stazione della monorotaia, individuava il rettangolo del palazzone che ospitava Pigment – due terzi finestre a caselle su sfondo grigiastro, un terzo vetrate e volute di bambú.

Amava il proprio lavoro e in quel luogo sentiva che l'indicibile veniva detto, che l'invisibile guadagnava una forma. In quel negozio stupefacente a Tennōzu-airu, a est di Tōkyō, si raccoglievano non solo le materie prime ma anche i pensieri che portavano all'uomo il colore.

Dopo l'università, quando aveva sentito dell'apertura di un posto unico al mondo, curato da uno dei critici piú illuminati dell'Università d'Arti Applicate di Kyōto, aveva immediatamente inviato il proprio curriculum.

Durante il colloquio aveva lasciato tutti a bocca aperta per via del diluvio di vocaboli che anticipavano la sua eccezionale sensibilità al colore. Era stata richiamata immediatamente.

Ciò che piú di tutto la conquistava di Pigment era l'idea che ogni dettaglio suggeriva quanto il mondo fosse una cosa che, in fondo, bastava classificare e mettere a posto per riuscire a capirla.

Le persone si identificano con un sentimento.

Chi scrive si identifica con la nostalgia delle cose perdute. Emil Cioran – che Mio leggeva e rileggeva, immaginando che la sua scrittura coprisse tutte le possibili gradazioni del marrone e del verde – s'identificava con la nostalgia del tempo da cui si sentiva estromesso.

Se glielo avessero posto come un problema, Mio si sarebbe identificata con la fame, con il senso di incompleto che le restituiva la vita. Tutto per lei era parziale e impre-

66

ciso, l'approssimazione travolgeva il nome delle cose, e il nome era la linea di demarcazione tra quanto esisteva e quanto invece non c'era.

Solo il colore, per Mio, era precisione.

Ogni persona ne aveva uno addosso, e quello era la soluzione.

Se ne era accorta da ragazzina il giorno in cui, riportando alla mente una zia, quella *era* verde: quando era allegra pareva del verde brillante delle fiale delle streghe, mentre quando era stanca la associava al color alga essiccata. La donna aveva il terribile vizio di aprire le ante degli armadi nelle case degli altri («verde salice 柳緑, allora») e in dono portava sempre stantii dolcetti al *maccha* («verde bambú invecchiato 老竹色»).

C'era poi stato un certo compagno di scuola delle elementari, che Mio abbinava alla ruggine, a campi bruciati, punte isolate di bianco Livorno. Quel bambino aveva l'anima scura: schiacciava le formiche di nascosto dalla maestra, sbriciolava le coccinelle tra le dita durante la pausa. Mio lo spiava eccitata e inorridita: per la prima volta nella sua vita incontrava qualcuno che guardava il mondo solo per fargli del male.

Crescendo, Mio avrebbe colto la stessa aura nera nel meccanico dell'officina sotto casa. Era stata anche allora una sensazione immediata. Un giorno d'estate l'aveva visto calciare con violenza una grossa cicala, il mucchietto fremente scaraventato per strada, le ali spezzate dall'impatto con la scarpa. Mio aveva alzato gli occhi turbata, l'uomo aveva mantenuto fermo lo sguardo, come fosse una prova di forza.

Si nasceva cosí? Il colore di una persona era già nel DNA, o invece accadeva qualcosa che lo cambiava?

Magari erano vere entrambe le cose, che con un certo colore si nasceva, ma che era l'esperienza del mondo a modificarne col tempo le sfumature.

Quel mercoledí mattina, prima dell'apertura ai clienti, Mio aveva aggiornato il catalogo dei pigmenti e sistemato un carico di scatole-regalo sui toni del giallo. Alle dieci aveva servito un imprenditore che voleva rinnovare gli ambienti dei suoi cinque locali: due ristoranti, un caffè e due snack bar sparsi tra la zona di Shinjuku, Roppongi e la baia di Hamamatsu-chō. Ognuno di essi richiedeva un piano individuale per il rilancio pubblicitario e il rinnovamento dell'immagine.

Mio aveva ascoltato attentamente l'uomo. Spiegava con tono sicuro il tipo di clientela, mostrando sullo schermo del cellulare le pareti, i tavoli e le decorazioni floreali esibite vicino alle casse. Quando, dopo circa mezz'ora, si era lasciato andare al racconto nostalgico di come da bambino, certe sere, rimanesse per ore sotto al bancone dello snack bar dove sua madre serviva da bere, Mio aveva pensato che l'uomo sprigionasse un blu *seitai* 青袋, sobrio e profondo, picchiettato di nero carbone e lampi di giallo castagna.

Era una professionista empatica ed efficace. Nell'arco di un'ora soltanto aveva steso un piano dettagliato di lavoro per tre dei cinque locali, e aveva già fissato per la settimana seguente una serie di sopralluoghi con l'arredatore e il responsabile della campagna pubblicitaria.

L'imprenditore, prima di salutarla, l'aveva ringraziata a lungo.

«Sí, sí *kuri-iro* 栗色, giallo castagna», aveva borbottato Mio tra sé e sé, seguendo con gli occhi la figura tozza dell'uomo che procedeva verso l'uscita. Dopo un ultimo inchino aveva sfilato dalla tasca il suo taccuino di stoffa. Vi aveva annotato il nome e cognome del cliente, e accanto aveva trascritto: *blu* seitai 青袋, *punteggiature di nero carbone, giallo castagna*.

Alle undici era entrato nel negozio un anziano, i capelli candidi e il volto stropicciato di rughe. Voleva gli restaurassero un quadro raffigurante una casa che la moglie aveva dipinto in gioventú. Ci tenevano entrambi enormemente e non tolleravano l'idea che si deteriorasse. Nel restaurarlo, però, era importante che il tetto venisse ridipinto di rosso.

«Tutto identico tranne il tetto?»

«Esattamente. Ritrae casa nostra, sa? Quella che ci siamo costruiti insieme appena sposati. Il tetto è sempre stato nero, ma quando lo abbiamo fatto riparare, ci è parso piú bello che venisse riverniciato di rosso».

Quell'uso tutto plurale della lingua, l'idea che il colore dovesse inseguire la loro vita e non l'inverso, l'aveva colpita. «*Sabi-shu* 錆朱, non può che essere *sabi-shu*», aveva mormorato Mio una volta rimasta da sola. Ripercorrendo mentalmente l'incontro, aveva individuato nell'anziano un rosso bruno, di quelli attutiti dagli anni. L'aveva annotato nel taccuino specificando subito sotto, tra parentesi, le sfumature di lillà dell'uomo quando rideva.

I colleghi, quello scrivere fitto e segreto di Mio non appena congedava qualcuno, lo avevano preso per zelo; pensavano facesse come i parrucchieri che riempiono le agende di appunti cosí da essere in grado di riprendere il filo quando il cliente fosse tornato a tagliare i capelli.

Non potevano sapere che il suo sogno infantile, ovvero individuare il colore di ogni persona, Mio se l'era trascinato anche da adulta.

Erano quelli, per lei, i momenti piú felici della giornata.

L'indirizzo esatto di Pigment e le indicazioni per il percorso (dei cinque possibili) che sceglieva Mio per arrivarci da Kagurazaka

TERRADA Harbor One Bldg. 1F, 2-5-5 Higashi-Shinagawa, Shinagawa-ku, Tōkyō 〒 140-0002
Dalla stazione di Kagurazaka prendere → la Linea Tōzai in direzione Tōyō-Katsutadai fino a Ōtemachi → spostarsi a piedi per 10 minuti fino a Tōkyō-eki. Di lí prendere → la Linea Yamanote in direzione Shinagawa fino a Hamamatsuchō. Scendere e prendere → la Linea della Monorotaia Tōkyō-monorēru in direzione del Terminal 2 dell'Aeroporto di Haneda. Scendere a Tennōzu-airu → camminare per 3 minuti[1].

[1] Il tempo medio di percorrenza era di 36 minuti, i cambi effettuati erano 3, il costo della tratta con biglietto 530 yen, con carta ricaricabile 524 yen.

In certi momenti della nostra vita ci pare di poter rischiare, o perlomeno di poter puntare molto sul presente. Un presente predisposto a lungo, un tempo che fino a quel momento ci è sembrato sempre passasse un po' oltre il punto in cui ci trovavamo. Finché inaspettatamente ecco che il presente si ferma accanto a noi, come uno sconosciuto che, per puro caso, ci si siede di fianco.

Per decidere di mettere a repentaglio il passato in nome di quel preciso presente (di cui in fondo si ignora ancora ogni cosa) serve tuttavia accettare l'idea che sia l'incertezza (e non la convinzione) a guidarci: non saperne nulla di nulla, e pensare che vada bene cosí.

La mattinata di Mio era trascorsa piuttosto velocemente: aveva risposto a una trentina di mail e fissato appuntamenti con numerosi potenziali clienti.

Durante la pausa pranzo nel giardino all'aperto, aveva cercato di convincere il direttore a investire su due nuovi pigmenti: uno di scaglie di legno brasiliano pernambuco, l'altro di pura Siena spagnola messo all'asta da un museo della Catalogna. L'uomo aveva aperto e chiuso piú volte la scatola del proprio *bentō*, rinunciando infine a mangiarlo per ascoltare Mio e il suo entusiasmo.

Fu alle 15,47 del pomeriggio che l'allineamento emotivo di Mio crollò. E ciò avvenne perché, al ventiduesimo secondo di quel minuto, Aoi si avvicinò all'ingresso, varcò le porte automatiche di Pigment e, dopo un primo momento di esitazione nel trovarsi sotto un cielo di bambú, si diresse deciso verso di lei.

Mio sapeva grazie a Emil Cioran che le certezze hanno un grande valore pratico, ma che poi, nella teoria, non sono piú robuste di un castello di sabbia. Le certezze appassiscono in fretta, mentre i dubbi restano lí, come fiori sempre freschi in soggiorno.

Nel rinunciare volontariamente a innamorarsi, per anni si era detta convinta che le esperienze del passato stessero lí a darle ragione. Non aveva avuto fortuna, e quel poco che le era successo di buono lo aveva bruciato per troppa passione. Mio aveva evitato accuratamente gli incontri romantici, si era isolata dagli uomini, poi dalle donne, finendo per trascorrere il proprio tempo da sola.

Eppure ora si trattava di credere, piú che al passato che l'aveva condotta fin lí, al presente che Aoi portava con sé.

«Mi scusi, questo cos'è?»

«Si chiama *nibi-iro* 鈍. È un colore che originariamente veniva usato per gli abiti da lutto, – rispose Mio. L'automatismo mosse la bocca, ma gli occhi fin dall'inizio furono solo per lui. – Si tratta di una tintura ricavata dalla corteccia di vari tipi di querce giapponesi come *kashiwa* e *kunugi*, una tinta cupa che veniva intesa come sinonimo di tutti i colori scuri».

L'uomo annuí, esplorando il rettangolino nero nel catalogo che Mio teneva spalancato sul banco.

«Nel periodo Heian era considerata *kyōshiki* 凶色, – proseguí lei. – Ovvero una tinta di cattivo augurio, sfortunata, luttuosa: nessuno si azzardava a indossarla».

«Addirittura?»

«Sí, però, mano a mano che il ricordo di questa credenza si andava usurando, tornò in auge, specialmente nel periodo Edo, quando la gamma dei grigi divenne popolare».

«Mh, una sorta di rivincita», commentò lui sorridendo.

«Se lo guarda con attenzione, – aggiunse Mio chinandosi sul campionario, – noterà un grigio cenere dal riflesso bluastro, un azzurrino, lampi di verdastro e... minuscole distese di muschio. Li vede?»

A quella lista di parole tutte talmente vicine e irreali, l'uomo spalancò gli occhi e con sguardo sorpreso allargò ulteriormente il sorriso.

Mio serrò un po' imbarazzata le labbra.

Lui era divertito: «A dire la verità non riesco a vedere nulla di quanto lei dice, ma trovo che sia comunque una meraviglia», concluse scoppiando in una risata.

Di come il colore degli occhi del padre influenzi le scelte sentimentali delle figlie. Di come sarebbe cambiato qualcosa (o forse nulla), se Mio ne fosse stata a conoscenza

Secondo uno studio pubblicato online dal titolo *Fathers' eye colour sways daughters' choice of both long- and short-term partners* di Paola Bressan e Valeria Damian, il colore degli occhi del padre incide sulla scelta dei partner della figlia. È l'esperienza prima dell'amore, anche quando quell'amore si è guastato nel tempo.

È anche la dimostrazione che l'amore lo si impara addosso, prima ancora di rendersi conto della sua qualità.

Se anche Mio lo avesse saputo, non sarebbe probabilmente cambiato nulla. Guardando Aoi avrebbe forse pensato un attimo al colore degli occhi di suo padre, si sarebbe accorta di averli studiati con precisione da bambina quando lui le leggeva i libri illustrati, e di aver smesso completamente di considerarli quando ormai era adulta.

Forse si sarebbe resa conto (con o senza tristezza, nessuno può dirlo) che la mente dimentica anche le cose che le sono state piú care.

Mio isolò gli occhi acquosi di Aoi.

Parevano pozzanghere, luminosi globi di ocra, terra e giallo colza. Poi cosa? C'era quel punto spostato lievemente a destra, una sorta di luce nervosa che oscillava come sole tra i rami.

«Che tipo di locale deve rinnovare?» gli chiese.

«Una camera ardente».

«Oh...»

«Non vi è mai capitato?»

«A dire il vero no».

«Serve ripensare anche lo spazio di consulenza e quello di accoglienza dei familiari dei defunti. Spesso andiamo direttamente a casa loro ma alcuni preferiscono venire da noi. Vorrei renderlo un luogo piú confortevole, che ospiti meglio la commozione di quelle persone».

Per fermare il disagio Mio iniziò a prendere appunti, chinandosi sul block-notes.

«Certo, bisogna mantenere le tinte tradizionali, ma ho letto che il colore sa mettere a proprio agio l'animo delle persone, – proseguí lui. – Come può immaginare, tutto ciò che ruota intorno alla scomparsa provoca forti emozioni. Vorrei quindi che i luoghi che i familiari e gli amici ricorderanno negli anni come legati all'ultimo saluto a una persona cara siano quanto piú accoglienti possibile».

«Certo, capisco».

«Il nostro budget non è molto alto ma crediamo che la vostra consulenza possa ottimizzare i nostri sforzi».

Quando lei alzò gli occhi dal block-notes, Aoi aveva ancora addosso la stessa espressione concentrata. Mio avrebbe saputo predire cosa sarebbe accaduto al suo volto nell'arco di trent'anni: l'età sbriciolata sulle labbra, le rughe, la risata. Vide chiaramente – sotto l'ambra rosata di quell'incarnato – come la rabbia lo rivoluzionava, come l'amore lo stravolgeva. Quell'uomo nell'emozione diventava un altro.

«Crede sia possibile ottenere una vostra consulenza?» domandò Aoi porgendole il biglietto da visita.

«Certamente».

Le chiese i costi, s'informò sul calendario, sui tempi.

Mio controllò l'agenda. Sarebbe stata libera non prima di due settimane, ma non glielo disse. Avvertiva a sua volta l'urgenza, la sensazione che il presente stesse spingendo per uscire dall'ombra.

Lanciò un'occhiata a Miku, la collega che ora gesticolava davanti a un'immensa lavagna in una sala di Pigment. Stava spiegando a un gruppo di studenti, visibilmente provati, le teorie sulla lunghezza d'onda di Newton.

Decise che le avrebbe domandato di sostituirla, poi basta, nessun altro favore fino a primavera. *Lo giuro*, poi basta.

«Sabato? – propose lei. – Cosa ne dice di sabato mattina?»

Quella sera, uscendo dal negozio, Mio si accorse che Tōkyō era diversa.

Le era sempre parsa meravigliosa: ingorda di luci, la capitale si abbuffava di colori dalla mattina alla sera. Non aveva misura. E proprio quel suo non sapersi dosare, gliela faceva sentire vicina.

Mentre percorreva la strada verso la stazione della monorotaia, la signora del ristorante di *katsudon* come sempre a quell'ora stava scostando la tenda *noren*, ma la tenda non era piú blu: dalla stoffa nascevano linee parallele di bianco e di viola simili al motivo tradizionale dei *kaminari*, i fulmini.

76

Dalle scanalature gialle incise nei marciapiedi per guidare i passi dei ciechi, invece, Mio vide spuntare prima giaggioli e poi germogli di *sagittaria trifolia*. Il giallo virò verso un verde acquitrinoso e ondeggiò nell'ultimo tratto fino alla stazione. Quando attraversò i tornelli, i germogli si erano già trasformati in serpenti.

Mio era abituata a vedere il mondo cambiarle negli occhi, ma quella sera la successione era vertiginosa. Un colore sbocciava in un altro.

In treno dormí.

Si svegliò appena in tempo per scendere alla sua fermata. Camminando ripensò piú volte ad Aoi.

Fu quando si sedette al tavolo del soggiorno, mentre la zuppa borbottava nella marmitta e mancavano ancora dieci minuti al bollitore del riso, fu precisamente nel momento in cui aprí il taccuino di stoffa e trovò un mare di bianco, che capí che era successo qualcosa.

Le pagine, sempre piene di annotazioni, parevano monche. Si fermavano all'ora di pranzo, poi niente. Non trovò neppure il nome di Aoi, né quello di nessuno dopo di lui, come se il mondo in quel punto si fosse arrestato. S'innervosí.

Piú tardi, immersa nell'acqua dell'*ofuro*, si accorse che non era piú nervosismo ma eccitazione.

Con il volto premuto sul cuscino, prima dell'inizio di una notte insonne, scoprí infine che non era piú eccitazione ma paura.

Lo sconosciuto che assistette al primo incontro di Mio e Aoi

Tra i clienti di Pigment, quel giorno in cui avvenne l'incontro tra Mio e Aoi, c'era Tanaka Yukio.

Era un arredatore di quarantun anni con una passione per i divani dall'anima in legno e le riempiture in stoffa e cotone. I suoi preferiti, per la precisione, erano quelli con i braccioli arricciati come croissant. «Ma, – gli piaceva ripetere, – nell'attimo prima che il calore li costringa a lievitare». Proporre quel dettaglio a chiunque incontrasse, restituiva a Tanaka-san l'immagine bella che amava dare di sé.

Nelle domeniche di sole Tanaka Yukio scommetteva sui cavalli all'ippodromo di Tama, mentre ogni domenica di pioggia andava al cinema con suo figlio, un bambino di nove anni dall'aria vispa di cui non si curava ma che, in barba ai suoi meriti, provava per il padre una venerazione. Cosí, in quell'alternanza metereologica, Tanaka Yukio sperimentava la paternità e perdeva denaro. I guadagni sulle puntate erano infinitesimali eppure, invecchiando, avrebbe scoperto che era perdere, precisamente perdere, ciò che lo seduceva di piú. Amava la sensazione di fare qualcosa di divertente e insieme di farsi del male.

Quella mattina, Tanaka Yukio era appena entrato da Pigment. Gli serviva una consulenza sulla tintura delle pareti per la casa di un cliente importante. Quello si era intestardito che le voleva tutte rosse, ma insieme ai com-

78

plementi d'arredo che avevano impiegato mesi a selezionare a lui pareva un'emorragia. Allora non restava che cercare soluzioni che accomodassero tutti, oppure – questa era la segreta speranza che aveva portato Tanaka-san da Pigment – ottenere un parere definitivo da un'autorità in materia.

Quando Aoi si avvicinò a Mio, Tanaka-san provò un moto di stizza per essere arrivato secondo. Sarebbero bastati cinque secondi in meno perché toccasse a lui. Si appoggiò a uno sgabello e si preparò ad aspettare.

Tanaka-san assistette cosí al primo incontro di Mio e Aoi. Colse un impercettibile fremito sul volto di lei, la mano che riassestava inutilmente la frangia e i capelli che scendevano a lato della spalla sinistra come affluenti di un unico fiume.

Senza sapere il perché, e senza stupirsene affatto, gli venne in mente la *chaise-longue* del divano del proprio salotto. Immaginò Mio distesa che si allungava a piedi scalzi, e Aoi – con un vassoio pieno di *macaron* e *financier* – sedersi a terra, accanto a lei. La stanza aveva le pareti color cioccolato, e lui si sentiva inspiegabilmente contento di guardarli di nascosto.

Senza che nessuno di loro potesse sospettarlo, Tanaka Yukio avrebbe rivisto Mio e Aoi in altre tre occasioni nei mesi a venire. E sarebbe stato ogni volta in una fase cruciale del loro amore.

Il giorno seguente Mio arrivò in ritardo al lavoro, pareva distratta.

Quando i colleghi le chiesero se stesse bene, rispose che aveva effettivamente una forte emicrania.

All'ora di pranzo non raggiunse gli altri in giardino. Si chiuse in bagno e sfilò il taccuino dalla borsa.

Ritrovò le pagine bianche, l'ultimo nome di una donna che le aveva chiesto dove potesse trovare un pennello di 17 millimetri per la sua tela.

Poggiò il biglietto da visita sulla pagina vuota e controllando i *kanji* trascrisse il cognome e il nome di Aoi.

Per i restanti quarantacinque minuti della pausa, cercò invano di riassumerlo in una tinta.

Niente, non le veniva in mente neppure un colore dominante. Fu sbalordita dall'ostinazione di quella incertezza. Peggio: l'anima di Aoi le sembrava piena di cose che non conosceva. Possibile? *Mio, che sciocchezza!*

Eppure, per quanto si sforzasse, lo sguardo non riusciva a fermarsi su di lui, tutto sfuggiva. Pareva un bambino piccolo che si tenta disperatamente di vestire mentre quello sguscia via come un'anguilla.

Quando l'aveva annunciata l'emicrania era una bugia. Ora, uscendo dal bagno, le scoppiava veramente la testa.

Forse, si disse mentre serviva una cliente, era il lavoro di quell'uomo a confondere i piani: l'intimità eccezionale che si creava tra lui e centinaia di sconosciuti, le emozioni ingarbugliate che nascono quando si tocca cosí da vicino e cosí a lungo la morte. Era quello, probabilmente, a rendere instabile il suo colore.

Ciò che Mio non poteva sapere era che l'anima di Aoi si era nutrita fin dall'infanzia dei toni cangianti della madre – che amava i tulipani tanto quanto ridere sguaiatamente – e del vetro smerigliato e iridato del padre – un uomo discreto, scomparso con la stessa discrezione con cui era vissuto.

Era giovedí pomeriggio, sabato le sembrava lontanissimo, e quell'attesa le ticchettava in pancia i secondi.

C'era tuttavia un'altra cosa ancora che Mio non poteva proprio sapere.

Ovvero che, pur con tutta la calma e l'autocontrollo di cui era in possesso, anche Aoi la stava pensando da molte ore.

Cosa pensava Aoi in quelle ore

Aoi pensava che entro sabato fosse necessario pulire l'agenzia funebre con la massima cura.

Dal mercoledí sera – di ritorno dall'incontro con Mio – fino al venerdí notte compreso, avrebbe spazzato, spolverato, lucidato ogni cosa, sotto lo sguardo discreto ma stupito della sorella.

Mentre era impegnato in quelle operazioni, Aoi sarebbe spesso tornato a Mio.

Si sarebbe trovato, nello specifico, a riflettere sul fatto che lei fosse molto attraente, e che probabilmente non ne faceva una faccenda importante; mentre ricordava il volto serio di Mio, intenta a spiegare nel dettaglio cose che nessun altro all'infuori di lei poteva capire, avrebbe scoperto cosa gli era piaciuto immediatamente di lei: quella donna era anche buffa.

Giovedí sera, compilando i documenti per un funerale che si sarebbe svolto il pomeriggio seguente, Aoi avrebbe pensato che sabato magari, dopo la consulenza – se Mio non fosse andata di corsa – sarebbe stato bello invitarla a mangiare il *tenpura* insieme. L'avrebbe portata nel ristorante di Ikeda-san, davanti al santuario Tsurugaoka Hachimangū. Le avrebbe spiegato cosí il viaggio intrapreso per arrivare da Pigment e parlare con lei. Precisamente con lei.

Le avrebbe detto, per invogliarla, che il *tenpura* di Ikeda-san era il migliore. Il migliore del mondo!

Venerdí mattina Miku, la collega a cui Mio doveva un favore, la prese da parte.

C'era una nuova cliente che voleva assolutamente una donna come interlocutrice, e nel pomeriggio soltanto Tanaka era disponibile. Tanaka però era un uomo, e la cliente aveva ribadito che un uomo non andava bene.

«Ma perché mai?» spalancò gli occhi Mio.

«È una questione un po' delicata, – spiegò Miku. – Pare lo avesse specificato per telefono, ma l'informazione dev'esserci sfuggita. E quindi adesso dobbiamo sbrigarci a trovare un sostituto per le quattro di oggi».

«Io?»

Miku voleva soltanto risolvere un problema: «Credi che Tanaka-kun possa prendere il tuo posto nel sopralluogo a Kichijōji?»

«Sí, certo, – si arrese Mio. – Serve semplicemente scattare delle fotografie per il book. Della cliente me ne posso occupare io».

Alle quattro in punto una donna straniera varcò le porte di Pigment e si diresse verso di lei. Aveva capelli lunghi e biondi, un abito inchiostro e una cintura sabbia stretta alla vita. Teneva per mano due bambine di circa sei anni, allacciate ai lati della gonna.

Mio notò subito la discrepanza. La piccola a destra aveva lineamenti piú acquosi, in cui arretravano un poco i tratti orientali; la palpebra arricciata, il naso piú lungo. Assomigliava alla madre. L'altra no: quella a sinistra era una creatura completamente staccata dalla figura dell'adulta.

«Bambine, – le esortò la donna, – andate a guardare le scatole delle tempere. Decidete quali vi piacciono, cosí poi dopo le compriamo e le portiamo a casa. Io intanto parlo con questa signora».

Lo disse prima in una lingua straniera, poi in giapponese, come a sottotitolare le proprie parole.

La bambina che pareva un poco piú grande, quella di certo passata per il corpo della donna, prese per mano la sorella e si diressero entrambe verso l'angolo delle confezioni-regalo.

«Mi scusi, – disse rapida a Mio, – ho bisogno di spiegarle prima brevemente la situazione».

Mentre Miku facendole un segno d'intesa prendeva in custodia le bimbe, Mio fece accomodare la sconosciuta.

Con una commozione che si percepí immediatamente, la donna (che le confessò di essere italiana: «Mi chiamo Sara, piacere») spiegò a Mio la propria famiglia. Una delle bambine, la maggiore, era sua figlia da sempre, mentre l'altra – disse sussurrando – lo era da circa sei mesi. L'avevano presa in affidamento, e ora lei e il marito stavano facendo le pratiche per l'adozione. Il punto però – abbassò di un altro grado la voce – era che la piccola aveva avuto un'esperienza ripetuta di abusi. Per questo serviva categoricamente che a darle lezioni sui colori fosse una donna.

Sara si fermò sul termine *abusi* giusto un secondo, come per valutarne la portata sul volto di Mio. E questa pensò che una cosa cosí grande, di botto, a quella maniera, la poteva pronunciare solo una persona straniera.

Annuí per farle capire che aveva inteso ogni parola.

La donna passò poi a raccontare che la terapeuta che seguiva la famiglia aveva consigliato, come cura iniziale, di assecondare i desideri della bambina. Riempirla per quanto possibile di *sí*, cementificarne in ogni modo la fiducia.

Ascoltandola parlare, a Mio tornarono in mente scene

84

di film americani in cui si chiedeva a bambini che avevano subíto dei traumi di disegnare qualcosa. E in quegli spazi enormi, su dei tappeti sconfinati, i piccoli tratteggiavano con matite nere e marroni quasi sempre dei mostri. Ricordò di essersi domandata come mai gli adulti non fossero in grado di prevenire certi orrori, e d'essersi risposta che lei di psicologia non sapeva nulla, però – e di questo ne era certa – dal modo in cui le persone sceglievano i colori avrebbe saputo facilmente dire chi fosse felice e chi no.

«E ora, – concluse sorridendo Sara, – Rui si è fissata con i colori, su come pitturare cose senza materia, come i sogni».

«I sogni?»

«Sí, è cominciato tutto un mese fa. Una mattina Rui si sveglia e dice che ha fatto un sacco di sogni ma non li può disegnare, perché non si ricorda i colori. Nel frattempo l'altra mia figlia, Alma, si è appassionata a quel gioco inventato dalla sorella: le colazioni sono diventate improvvisamente una gran confusione di disegni, discorsi strampalati sui colori... Insomma, entrambe le bambine vorrebbero saperne di piú».

«Dei colori?»

«Esattamente. Oltretutto la sua collega mi ha detto che lei sa l'italiano».

«Oh no, non proprio: mia cugina abita da anni in Italia, e ho solo studiato i colori tradizionali del suo Paese. Sono meravigliosi!»

«Be', sarebbe stupendo se partisse da quelli... che poi non credo di conoscerli neppure io, – si schermí la donna. – Forse l'azzurro Tiziano?»

«Intende il rosso Tiziano?» la corresse rapida Mio.

«Vede?» Sara scoppiò in una risata lucente, e Mio pensò che il suo colore fosse magenta. Un pieno, italianissimo magenta.

Quando mezz'ora piú tardi la donna varcando l'uscita di Pigment si voltò a salutarla con le bambine al suo fianco, Mio si sentí immensamente sollevata nel poter tirare fuori il taccuino. Piú di ogni altra cosa, fu felice di riuscire a trascrivere *Shimizu Sara*, e accanto: *magenta*.

Solo a destra del nome di Aoi restava ancora uno spazio bianco.

Per i tre mesi a venire, una volta a settimana, Mio avrebbe esplorato la scatola delle matite con Alma e Rui-chan.

In una saletta luminosa di Pigment sarebbero partite dai toni elementari, e ogni volta Mio avrebbe gradualmente aggiunto nuove matite. Le bambine avrebbero preso in mano sfumature diverse, posizionandole in scala, andando cosí sempre piú a definire un rosso o un arancione, complicando e allargando la portata delle parole. Ne avrebbero imparate le storie.

«Il bianco, Rui, avresti mai detto che potesse essere di tutti questi colori?»

«Alma, conosci il Rosa d'Umbria? E lo sai che anche quest'altro rosa ha il nome di una città italiana? Rosa di Parma!»

«Bambine, notate la differenza?»

Sarebbero poi passate alle tempere, e lí avrebbero appreso come nasce fisicamente il colore. Di settimana in settimana le avrebbe fatte innamorare non *del* colore, ma di tutti *i* colori che erano capaci di vedere. In ogni momento della giornata, Mio avrebbe avuto costantemente in faccia la meraviglia delle bambine. Finché anche lei, senza sospettarlo, si sarebbe ricordata di loro quando il coraggio di essere madre le fosse venuto meno.

La memoria di quelle bellissime ore trascorse insieme a Rui e Alma le avrebbe sempre fatto tornare il desiderio di riprovare.

*Parte della conversazione che si tenne quel venerdí sera tra
Sara e suo marito Hiroshi circa il rosso Tiziano, mentre
Alma e Rui guardavano un cartone in tv*

«Lo sapevi che in italiano c'è un rosso che prende il nome da Tiziano, il pittore del Rinascimento?»

«Che rosso?»

«Guarda... pare che i rossi nei suoi quadri fossero cosí
popolari che le donne del Cinquecento si facevano decolo-
rare e poi tingere i capelli di quel colore particolare. Con
le ricette piú diverse si fabbricavano degli shampoo deco-
loranti, e poi tenevano esposti i capelli al sole grazie a un
cappello speciale».

«Mh».

«Anche adesso va di moda il rosso Tiziano per le tinture dai parrucchieri... Vedi? È una sorta di biondo rama-
to, con dei riflessi rossicci. Dicono che Tiziano lo mettesse ovunque nei quadri, su uomini, donne, santi e divinità.
Per ognuno rivestiva un significato particolare: dove la
sensualità, dove il potere».

«Interessante».

«Ho letto che Tiziano era affascinato dai bagliori del
fuoco, chissà che quell'amore per il rosso non provenisse
da lí».

«La prossima volta che andiamo in Italia, portiamo al
museo le bambine a vedere i suoi quadri...»

«Sarebbe bellissimo, sí!»

Quattro

La prima cosa che Aoi faceva al risveglio era affacciarsi sul suo giardino segreto.

Con la ciotola di riso nel palmo, osservava fremere l'edera aggrappata al muretto, una macchia di convolvoli spalancati dall'alba. La stagione delle piogge rendeva l'aria carica d'acqua, e Aoi, che non amava il caldo eccessivo, si godeva quell'inizio d'estate scandito dallo sbocciare delle ortensie. Con soddisfazione posava lo sguardo sulla salvia fiorita, indugiava pensoso sui sostegni che mesi prima aveva approntato per i tralci di ipomea. Poi, con la punta delle bacchette, avvicinava lentamente il cibo alla bocca.

Aoi era figlio di una tartaruga. Fin da bambino, si muoveva senza fretta nel piccolissimo mondo che aveva allestito intorno a sé. Da fuori poteva sembrare pigrizia, invece si trattava di cura: abbassando i ritmi della sua vita, assecondava quella spinta istintiva che lo accompagnava da sempre e lo portava a dare importanza a ogni cosa.

Quel sabato mattina Aoi guardò l'ora, poi il cielo, e si domandò se sarebbe riuscito ad andare a prendere Mio in bicicletta. Se fosse piovuto sarebbe dovuto uscire presto di casa: l'idea di accelerare l'attacco del giorno lo infastidiva.

Mio era già in treno, abbandonata allo schienale. La borsetta di fianco, gli occhi oltre il vetro.

Era la prima volta che prendeva la linea Yokosuka da Tōkyō-eki, ed era nervosa. A ogni fermata controllava il nome della stazione, pur sapendo che mancava ancora un po'. All'altezza di Yokohama l'emozione di incontrare Aoi le sembrò immensa. Riuscí a tenerla a bada studiando il paesaggio: stazione dopo stazione lo spazio tra le case aumentava, il verde cresceva di statura.

La donna che le sedeva di fronte, casualmente la stessa che giorni prima era scesa a Ōfuna lasciando ad Aoi il posto a sedere, dormiva un sonno agitato. A Mio parve esausta: chissà che lavoro faceva.

Si trovò a pensare che per certi mestieri particolari serviva un *perché*. Nessuno avrebbe mai domandato a un impiegato dell'ufficio postale come mai lavorasse lí, o a una cassiera se quello fosse stato il suo sogno da ragazzina. Ma nel caso di lavori eccezionali, ecco che la domanda spingeva dallo stomaco fino alla lingua: «Allora, come mai?»

Doveva accadere cosí anche ad Aoi, perché occuparsi della morte degli altri non poteva che essere una scelta.

Alla stazione di Totsuka la donna che le sedeva di fronte aprí gli occhi e posò lo sguardo su Mio. Ne esaminò l'abito bianco a righine rosse, il grande cappello di paglia con intorno un nastro infantile, le scarpe aperte di stoffa.

La donna si sentí sollevata quando Mio scese alla stazione di Kamakura, lasciandola libera di allungare le gambe. La osservò scomparire tra la folla sulla banchina, e si chiese perché mai sorridesse da sola.

Aoi la stava aspettando fuori dalla stazione. Teneva in mano il manubrio di una bicicletta sottile e confermò in uno sguardo tutte le attese di Mio.

Un nugolo di turisti rendeva vischioso il passaggio, e le decorazioni per la festa di Tanabata, disposte a lato delle uscite, raccoglievano la gioia di liceali in divisa. Piegate su un tavolino, le persone trascrivevano i propri desideri su sottili fogli di carta, poi appendevano i *tanzaku* ai fuscelli già carichi dei sogni degli altri.

«Sono contento abbia scelto proprio questo giorno», disse Aoi mentre procedevano lenti sul viale di Wakamiya-ōji. Teneva curiosamente un chupa-chups tra le dita che, a intervalli, infilava in bocca.

Il flusso di gente impediva loro di camminare accanto e i discorsi si interrompevano spesso, riunendosi a tratti come battute di un copione.

«Come mai? Che giorno è?»

«È *tomo-biki* 友引, il giorno libero per chi fa il nostro mestiere».

«Non pensavo neppure ne aveste».

«Teoricamente no, ma durante *tomo-biki* non si svolgono mai funerali. In realtà è solo per una forma di superstizione popolare, non ha niente a che fare con la religione, ma la gente crede porti male».

«Quindi è un giorno sfortunato?»

«Affatto. Diciamo che un gioco di parole mi regala ogni mese quattro, cinque giorni di pausa», si schermí Aoi.

Attraversarono il largo viale inondato di famiglie, passeggini e biciclette, e Mio pensò a come dovesse apparire quella cittadina all'alba, a come sarebbe cambiata col trascorrere delle ore la temperatura delle tinte, alle diverse sfumature delle ombre e della luce sulle case.

Quando passarono di sfuggita davanti al mercato coperto, Aoi notò lo sguardo curioso di Mio.

«Diamo un'occhiata, se vuole, l'agenzia è a cinque minuti da qui». Lui appoggiò la bicicletta al muro d'ingresso ed entrarono insieme.

I banchi erano carichi di verdure particolari che venivano coltivate unicamente nella penisola dell'Hantō: zucchine lunghe mezzo metro, melanzane bianche e setose, *okura* rosa.

«Che meraviglia», sussurrò Mio, sbalordita da come tutto quanto brillasse di un colore diverso dal solito.

Non acquistò nulla, però. Sapeva che il fuoco sciupava la parte che amava di piú.

«È lí». Aoi indicò un edificio dalla forma irregolare, pitturato di blu antracite.

L'ingresso dell'agenzia era anticipato da un'ampia rientranza, una piazzola coperta in cui Mio ipotizzò si fermasse il carro funebre e si scaricasse la salma.

«Qui ci sono gli uffici, mentre da questa parte, – disse lui spostandosi verso un portone piú largo, – si accede alla camera ardente e alla zona in cui si svolgono i funerali e la veglia».

Mio procedeva un passo alla volta, attenta a non sorpassarlo.

«Qui è dove compare il nome della famiglia del defunto, – aggiunse Aoi accarezzando un'asta piantata in un blocco di pietra su cui era appeso un cartoncino. – Lo scriviamo a mano, con il pennello».

Quando entrarono nell'ufficio di Aoi, Mio posò il grande cappello di paglia sull'appendiabiti, si legò i capelli in una crocchia e assunse un'espressione raccolta.

Nell'ora successiva attraversarono gli ambienti dell'agenzia. Scivolarono sui pavimenti di legno, poi di mattone. Nella stanza del *tatami* si sfilarono entrambi le scarpe. Aoi aveva le parole e Mio il silenzio della concentrazione. Mentre lui raccontava il proprio lavoro, lei non smise un momento di prendere appunti e di registrare le immagini con il cellulare. In quattro riprese, e mai per errore, filmò anche Aoi. Trovava affascinante il suo rigore, e soprattutto l'idea che lui non c'entrasse nulla con lei.

Mio ragionava tra sé su come sarebbe potuta intervenire sulle varie sale. Qui serve *discrezione*, magari grazie a un bianco meno piatto e squillante. Qui invece serve *calore*, una sfumatura di un lilla piú lieve.

Alla fine della visita, Mio estrasse dalla borsetta tre blocchi. Erano scale di cartoncini colorati fermati da un anello di metallo. Ad Aoi parvero le *memory-card* che usava alle medie per imparare le parole in inglese.

«Credo che, per iniziare, si possa decidere tra questi abbinamenti, – annunciò accostando tre cartoncini. Divaricati in semicerchi, modellavano sulla scrivania di Aoi un arcobaleno. – *Hatoba-nezumi* 鳩羽鼠, *nise-murasaki* 偽紫 e *benifuji* 紅藤».

Sulla parete del corridoio che conduceva alla stanza adibita alla veglia, avrebbe voluto riprodurre i fiori di *higanbana*, gigli rossi del Nirvana dalle teste filamentose; gli propose di decorare con altri minuscoli fiori l'angolo per i bambini: bisognava mettere a proprio agio anche chi, della morte, non poteva ancora capire nulla.

«Oppure, – continuò Mio, – guardi quest'altro terzetto di tinte. Oscillano sempre tra il grigio, il viola e il cremisi. Le trova riassunte in questo pattern che è tipico dei periodi Meiji e Taishō –. Assorta nella sua riflessione ad alta voce, sfogliò le pagine di un libricino e ne mostrò alcune ad Aoi. – Si tratterebbe di alternare *sunezumi* 素鼠, *urayanagi* 裏柳 e *sakura-nezumi* 桜鼠».

«*Urayanagi?*» chiese lui.

«Sí, è letteralmente il colore del retro delle foglie del salice piangente», spiegò rapida Mio.

Il sorriso di Aoi la fermò.

«La sto annoiando…»

«Per nulla, siamo qui per questo. E poi è bellissimo ascoltarla».

«Le interessa?»

«A esser sincero non capisco molto, ma mi interessa immensamente».

Quell'*immensamente* si posò sul volto di Mio e le sfiorò le guance fino a farla arrossire. Intorno a loro la luce sembrava filtrata da qualcosa di caldo, come se la temperatura si fosse alzata improvvisamente di qualche grado.

«Mi fido ciecamente di lei, – riprese Aoi. – Io non ho alcuna dimestichezza con il colore, ma se mi affido a lei sono sicuro che il risultato sarà perfetto».

«Allora per il momento direi che abbiamo finito, – rispose Mio. – Una volta decise le tinte e le fantasie, resta la parte operativa. Ovviamente tornerò per coordinare il lavoro, dovessero esserci aggiustamenti in corso da fare –. Guardò l'orologio alla parete. – Oh, è già mezzogiorno».

«Yoshida-san, pensavo… Se non ha fretta di tornare a Tōkyō, potremmo pranzare insieme».

«Un pranzo?»

«La vorrei portare da Ikeda-san, un'anziana signora che gestisce insieme alla figlia un piccolo ristorante dove vado da quando sono bambino: fa il *tenpura* piú buono del mondo».

«Addirittura?» rispose Mio, divertita dall'ingenuità della frase.

«Ne sono convinto, – ribadí lui scoppiando in una risata. – Ikeda-san fa il *tenpura* piú buono del mondo!»

Il tenpura *piú buono del mondo*

Secondo Anzai Miku, trentasei anni, collega di Mio: «Da Kawara no Abe, a Tōkyō, nella zona tra Oshiage e Hikihune, dove il mio fidanzato mi portò a mangiare prima di salire sulla Sky Tree. Ricordo che in ascensore il *tenpura* mi tornò tutto su, però era buono comunque! (*ridendo*)».

Secondo Sayaka, sorella di Aoi, trentadue anni: «Quello della catena Ten'ya, a Ōfuna, dove andavo a mangiare ogni settimana con le compagne delle superiori. Il *tendon* di verdure era il migliore».

Secondo Rui-chan, figlia adottiva di Sara, sei anni: «Quello preparato dalla madre di Alma... (*pausa*) che adesso è anche la mia».

Dio solo sapeva da quale parte del Giappone provenissero i suoi antenati.

Come un veleno, Mio sentiva dentro di sé un'innata tensione verso la sconfinatezza, che attribuiva alla frequentazione dei suoi avi col mare. Echeggiavano dentro di lei generazioni e generazioni di pescatori, migliaia di uomini e donne iniziati e finiti nell'aria salmastra, vissuti faccia a faccia con l'oceano e con la consapevolezza di essere insignificanti rispetto alla natura.

Inquieta, ossessiva, insicura, a Mio non bastava mai nulla. Eppure, quando si trattava di riconoscere l'amore negli altri, si lasciava contagiare dall'entusiasmo, come facendo suo l'accento di un forestiero incrociato per caso.

Cosí, nell'arco di una mezz'ora soltanto, da quando presero a camminare lungo il viale di Wakamiya-ōji fino a quando assaporò il primo boccone di quella frittura croccante, Mio si convinse che Aoi avesse ragione: quello di Ikeda-san era, senza alcun dubbio, il *tenpura* piú buono del mondo.

Dalla finestra al secondo piano del ristorante osservavano il fluire disordinato dei turisti, la loro gioia a priori.

«Com'è fare il suo lavoro?» domandò Mio improvvisamente.

Il pranzo era finito da un pezzo, erano rimasti seduti a parlare. Sul tavolo restavano le ciotole vuote, le bacchette riposte nella custodia di carta.

«È una restituzione», rispose lui pulendosi le mani con l'*oshibori* e ripiegandolo a lato.

Mio sistemò tra parentesi il volto. «Cosa intende?»

«Si restituisce una forma, cosí che le persone possano riconoscere una cosa immateriale come la morte. Quando perdiamo qualcuno, non avere piú il suo corpo accanto ci blocca. Ma se ci pensa bene, ci blocca anche quello che accade non appena un nostro caro muore... Gli occhi che affondano, i corpi che iniziano a marcire».

Quell'immagine la colpí fisicamente, come il ribrezzo che avvertiva per la crosta schiacciata di uno scarafaggio.

«E poi ci sono persone che restano coinvolte in incidenti o che muoiono dopo lunghe malattie che cambiano persino i lineamenti del volto».

Aoi le spiegò che per fare quel mestiere serviva conoscere le basi della tanatoprassi, ovvero l'insieme delle tecniche di conservazione e presentazione estetica della salma. Si usavano sostanze specifiche e strumenti particolari: per ogni giorno servivano in media dieci chili di ghiaccio. In alcuni casi, poi, era necessario chiamare l'imbalsamatore.

«E il trucco? Come si scelgono i colori?» Nonostante la repulsione, Mio provava dentro di sé anche curiosità.

«Io non ho alcuna dimestichezza con i colori, lo avrà capito, – rise Aoi. – È mia sorella che se ne occupa. Le ho sentito spesso dire, però, che non c'è niente di assoluto o giusto nel trucco, né in quello dei vivi né in quello dei morti».

Ciò che contava davvero nel loro lavoro, continuò Aoi, era il confronto con i parenti del defunto, a cui si domandava il profumo che preferiva, la maniera in cui si truccava e soprattutto l'abito che avrebbero voluto indossasse, se quello tradizionale o uno che la persona amava mettersi in vita. Chiedevano sempre fotografie, qualche volta anche un video dello scomparso, per poterne ricostruire almeno in parte l'aspetto di prima: non appena il sangue smette di circolare e l'anima si sfila dal corpo, questo perde volume in tanti, impercettibili punti.

«Quando l'anima se ne va i lineamenti ne risentono sempre, solo che a parole dove sia diverso nessuno lo riesce a spiegare».

Di tutto quel lungo discorso, a Mio rimase addosso il *tanè*, l'albume lattiginoso della pelle dei neonati che si tramutava con una velocità spaventosa da panna acida a nero.

«Ecco, – le disse Aoi, – i cadaveri dei bambini gridano la fretta disperata di tornare alla terra».

Lei abbassò lo sguardo. Quell'uomo diceva cose talmente crude e personali che le venne da domandarsi come riuscisse a restare calmo. Era tranquillo mentre se ne usciva con la decomposizione dei corpi, la ricostruzione dei volti, persino con la vita sentimentale della sorella: «Non è sposata, non ha figli. Non sono neppure sicuro li voglia». Con la pacatezza delle cose ormai superate, Aoi le raccontò anche della discriminazione feroce che aveva subíto nella sua infanzia per via del lavoro del padre, della mantide che in terza elementare un compagno cattivo gli fece trovare schiacciata nel *bentō*, «Cosí gli puoi fare il funerale, come fa la tua famiglia alle persone».

La vecchia Ikeda-san venne a sparecchiare la tavola.

Alzandosi per andare a pagare, Aoi le raccontò della volta che una donna, rimasta vedova a soli trent'anni, dopo la cerimonia gli aveva chiesto di amarla.

«Ma com'è possibile?» chiese Mio.

«Era sopraffatta dal senso di morte. In quel momento desiderava qualunque cosa le ricordasse d'essere viva».

Era allibita. Lo guardava e non capiva come quell'uomo potesse dire cose tanto enormi a una sconosciuta, come riuscisse a mantenere la voce distesa.

Pareva quasi ci fosse una falla nelle barriere di autodifesa, e che da quel taglio fuoriuscisse la sua parte piú segreta.

Ikeda-san nel modo in cui la annotò Mio sul suo taccuino

Ikeda-san: GIALLO MIMOSA e MARDONÉ. Si aggiungono sfumature di BENGALA quando guarda la figlia e di CURCUMA quando serve la clientela[2].

---

[2] L'anima bengala è in superficie, l'anima color curcuma la tiene nascosta.

Quel pomeriggio di luglio camminarono a lungo per Kamakura.

Usciti dal ristorante Aoi accompagnò col braccio Mio nella folla. In mancanza di un marciapiede, la gente restava premuta contro le pareti del viale. A fatica si diressero verso l'immenso *torii* scarlatto che sovrastava l'ingresso del santuario Tsurugaoka Hachimangū. La gente era allegra per le celebrazioni di Tanabata: immensi festoni tubolari scendevano con le loro code flessuose dal tetto dei vari edifici.

Fin da quando era andato a prenderla quella mattina alla stazione, Aoi era rimasto incantato dall'avidità degli occhi di Mio. Non si fermava solo sulla bellezza del paesaggio o sulla solennità dell'architettura, ma anche davanti a cose spiacevoli, tagli urbani che chiunque altro avrebbe ritenuto di poco significato o addirittura sconvenienti. Case disabitate, volantini accumulati come un mare di carta all'ingresso, cestini gonfi di immondizia, macchie sui vetri: Mio guardava con meraviglia la ruggine salire sulle lamiere di una baracca, l'incuria trasformare le cose in giardini improvvisati.

Durante la passeggiata fissò a lungo una senzatetto: indossava un elegantissimo completo, che un tempo doveva essere stato rosa pastello, e spingeva un carrello pieno di cartoni, i colori dissipati dal sole e dal vento. Aoi le raccontò che girava per Kamakura ormai da dieci anni.

I passi erano calibrati. I loro corpi iniziavano a parlare uno stesso linguaggio.

Chiacchierando, Mio e Aoi continuavano a voltarsi l'una verso l'altro. Quasi incoscienti salirono le ripide scalinate del santuario, e dall'alto finalmente videro il mare.

«*Shinbashi-iro* 新橋色!» esclamò Mio, indicando la conca di colore oltre i tre *torii* che si stagliavano all'orizzonte per segnalare l'avvicinamento alla dimora della divinità.

«*Shinbashi-iro*?»

«È un verde acqua brillante che nacque nel periodo Meiji, quando iniziarono le importazioni dall'estero delle tinte chimiche. Con questo colore si tingevano i *kimono*: era molto amato dalle *geisha* del quartiere di Shinbashi. Di lí il nome, color Shinbashi».

Aoi sorrise. Mio non si accorgeva di quanto fosse attraente, né di quanto complicato fosse seguire i suoi discorsi. Pregarono, attaccarono un *tanzaku* alle bacheche approntate nel santuario per l'occasione. Poi, schivando i turisti, presero le scalinate laterali. Rimboccarono il viale che tracimava bimbi di corsa, giovani donne in *kimono*, coppiette con in mano verdure in salamoia e bevande.

Loro due, invece, si diressero verso il colore del mare.

A pochi metri in linea d'aria dal mare, c'era una villetta biancastra e tutta scrostata: i cespugli ingoiavano la scala d'ingresso, si arrampicavano sulle pareti fino oltre il tetto.

«Dev'essere bellissimo lí dentro, – disse Mio. – La natura quando si riprende i suoi spazi sprigiona dei colori inconsueti».

E mentre lui si lanciava in discorsi pieni di cifre, la percentuale di edifici in abbandono e l'inesorabile invecchiamento della popolazione, Mio si lasciò trasportare dall'immaginazione e vide chiaramente Aoi prenderla *in mano* come una cosa, sfondare la porta già rotta, entrare nella villetta ormai sbriciolata, posarla nel centro di una stanza che pareva una giungla. Fare l'amore con lei.

Travolta dal bianco del legno e dal verde cresciuto nella

casa distrutta, a un certo punto a Mio parve di non scorgere piú Aoi. Ne sentiva la voce che da lontano la chiamava
e le domandava se volesse scendere fino alla spiaggia, che
l'isola di Enoshima si intravedeva spingendosi fino al limite della baia, verso Zushi Marina.

Mio, dove sei?, si chiedeva lei stessa. Si vedeva prima
vestita, poi d'improvviso spogliata sotto di lui. Allarmata,
affrontò la scala ricoperta di vegetazione e uscí di corsa
dalla casa in rovina; totalmente nuda si ritrovò in strada,
i vestiti parevano rimasti in mezzo alla stanza insieme al
corpo di lui.

Mio, dove sei?

«Allora, Yoshida-san, andiamo fino a riva? Si scende
da lí», le disse Aoi indicando una stradina cementata che
si concludeva nella sabbia.

Una secchiata di grigio la risvegliò. Il cielo era plumbeo
e il vento si alzava.

Piú tardi, tornando dal mare, Mio si sentí talmente
confusa che pregò.

Nel piccolo santuario dove si fermarono qualche minuto, giunse i palmi e supplicò che quel dolore che sentiva forte nel petto da giorni, e ancor piú forte da quando
era accanto ad Aoi, ecco, se proprio fosse stato destinato
a durare, che almeno contagiasse anche lui.

Sette desideri piú uno trascritti sui tanzaku *quel giorno e
appesi nel recinto del Santuario Tsurugaoka Hachimangū*

Vorrei superare gli esami di ammissione all'università~
Vorrei trovare il vero amore~
Vorrei diventare un Tyrannosaurus rex~
Vorrei che la mia famiglia fosse sempre in salute~
Vorrei aprire il mio ristorante~
Vorrei avere una bacchetta magica~
Vorrei riuscire a dirle la verità~
Vorrei diventare madre~

Piú tardi, quel pomeriggio, Mio confessò ad Aoi di quanto i colori contassero nella sua vita. Lo fece con la leggerezza con cui si parla di qualcosa di ovvio.

Lui si era accorto da subito che per descrivere la realtà Mio usava un vocabolario ricchissimo. Aveva l'impressione che con lei dire *rosso* o *giallo* fosse un insulto, o riassumere la complessità delle cose nella circonferenza strettissima di una parola come *blu* fosse scorretto.

Cosí, quando Mio gli raccontò di sua madre che le regalava caramelle in cambio di nuove parole, lui non rimase sorpreso.

Suo padre, rispose Aoi, era stato un grande appassionato di piante e parlava di botanica per spiegare la morte. Si facevano molte meno storie, sosteneva, quando si seccava una pianta: nessun funerale, era sufficiente osservare la trasformazione delle foglie.

Poi, d'un tratto, Aoi s'interruppe. Si allontanò di un paio di metri e rispose al telefono che aveva iniziato a vibrare. Posò la mano davanti alla bocca, per proteggere le parole dal frastuono del viale.

Mio lo vide inchinarsi, assumere una posa diversa.

Ecco, Aoi perdeva colore. L'azzurro dei jeans, il verde e il giallo della maglietta caddero a terra. Dal terreno, da oggetti e persone che gli erano intorno, si staccavano invece frammenti di grigi, di neri, di bianchi e violetti, e convergevano verso di lui. Parevano tessere di un mosaico, e Aoi il corpo gravitazionale che le chiamava a raccolta.

«Mi scusi, una telefonata di lavoro», spiegò quando fu di ritorno.

«Ma non era il suo giorno libero?»

«Per i funerali, sí. Ma le consulenze capitano in ogni momento. È un mestiere imprevedibile».

«Deve andare? – chiese lei. E, senza lasciarlo rispondere, aggiunse: – Vuole che la accompagni? Cioè, posso accompagnarla?»

Aoi rimase stupito: «Posso rimandare a un altro giorno, e comunque è solo una consulenza a una signora col padre malato, credo me la sbrigherei in poco tempo. La devo richiamare tra dieci minuti».

«E allora le dica che andiamo. O viene la signora in agenzia?»

«No, ha chiesto andassi io da lei, preferisce non lasciare il padre da solo. Non abitano lontano da qui».

«Andiamo allora», ribadí Mio con una convinzione che fu oscura persino a se stessa. Sentiva il bisogno fisico di vedere Aoi immerso nella sua materia.

«Va bene, mi lasci giusto passare in agenzia a cambiarmi».

Li accolse una donna dalla capigliatura gonfia, le labbra secche e il mascara spennellato con cura, il trucco tirato con la squadra sulle sopracciglia che le disegnavano sul volto un'espressione arcigna. Si accertò dell'identità di Aoi, e quando lui si mise a spiegarle chi fosse Mio, con la mano fece segno che non le importava.

Prima di lasciarli accomodare sul *tatami* chiese loro di rimanere in silenzio. Scostando una porta, mostrò in controluce una figura: stava china, intenta a guardare qualcosa di luminoso che da lontano non s'intuiva.

Appena fu certa avessero registrato la scena, la donna richiuse la porta.

Ōta-san, suo padre, ormai trascorreva le giornate cosí. Seduto sulla seggiola, davanti al tavolo della cucina, i gomiti puntati e il mento sui palmi. Osservava un bicchiere d'acqua dentro cui galleggiava un piccolissimo fiore: aspettava che appassisse. Passava ore a tenere d'occhio il punto di rottura dell'acqua, dove spariva la limpidezza. Provava piacere nel vedere come il tempo macerasse le cose.

La figlia disse tutto questo con parole diverse, piú dure e piú svelte. Che non le domandassero come si chiamava il fiore, non lo sapeva, forse un gelsomino, ma *francamente* che importanza aveva? Era preoccupata, e non solo per il padre che ormai era fuori di testa, ma per se stessa: gestire un vecchio che trascorreva le giornate davanti a un bicchiere e a un fiore, all'acqua che si faceva sporca e a lui che aspettava che si intorbidisse per poterla buttare e ricominciare da capo, *francamente* era una cosa tremenda.

«Cosa le dice che la morte è vicina?» domandò Aoi con voce neutrale.

«Non mangia, beve a malapena. Non gli viene nemmeno la fantasia di alzarsi da lí. Per farlo dormire bisogna trascinarlo a forza».

Aoi, chiuso nel suo completo nero, ascoltava la donna e intanto si domandava se, descrivendo le abitudini del padre – che preferiva meditare anziché uscire, che guardava un minuscolo gelsomino appassire nell'acqua come se l'universo avesse scelto quel punto preciso per manifestarsi –, si chiedeva, insomma, se la figlia fosse in grado di coglierne non solo il disagio, ma anche la bellezza.

Mio intanto lanciava occhiate furtive alla stanza, in cui erano ammassate scatole, stracci, mucchi indistinguibili di cianfrusaglie. Avvertiva la disturbante mistura di bordeaux e verde salvia della donna.

Aoi, infine, tirò fuori dalla sua cartella il catalogo degli altari e delle bare. Iniziarono a parlare dei costi del funerale.

«Il carro funebre quanto viene?»

«Fino a dieci chilometri sono 20 000 yen».

«L'altare alle spalle del morto?»

«Un set completo per un *makura-kazari* di legno bianco, comprensivo di una candela, dell'incenso, del vaso, del vassoio di *mochi* e…»

«Quanto costa?» lo incalzò lei.

«Circa 5000 yen».

La donna prendeva rapidi appunti su un blocchetto con in calce il nome di una lavanderia.

Ribadí che era convinta che la morte del padre fosse questione di giorni, e voleva iniziare a mettere tutto nero su bianco, confrontare i listini delle varie agenzie, paragonare per tempo i servizi.

«Domani ho appuntamento con un'agenzia di pompe funebri di Ōfuna, piú tardi con una di Fujisawa, – disse guardandoli negli occhi con una sorta di soddisfazione cattiva. – Quindi, *francamente*, non sono sicura vi richiamerò».

Salutandola sulla soglia, Aoi pensò che il *francamente* che quella donna ripeteva faceva apparire tutte le altre cose come una bugia, e che a voler uniformare il mondo a quanto era normale – un vecchio stravaccato davanti alla televisione anziché davanti a un fiore in un bicchiere – forse ci rassicurava, ma era triste.

«A volte capitano anche clienti cosí», disse stringatamente quando ripresero a camminare.

«Non si scusi, è stato interessante».

Dopo qualche debole tentativo di spostare altrove l'argomento, finirono per stare in silenzio.

Si avviarono verso la stazione e quando arrivarono ai tornelli, Aoi le domandò se la domenica successiva avesse da fare.

«È di nuovo *tomo-biki*?»

«Esattamente! – Aoi sorrise. – Sa, ci sono molte altre cose che vale la pena di vedere a Kamakura».

«In realtà il mio giorno libero è il lunedí», disse Mio.

«Intende dopodomani? – lui sfilò dalla tasca il cellulare. – Per ora è previsto un funerale alle dieci, e nient'altro. Avrei tutto il pomeriggio, anche se non posso ancora esserne certo».

Si salutarono in modo agile e asciutto. L'inchino li avvicinò.

Non appena Mio salí sul treno iniziò a piovere.

Aoi acquistò un ombrello al *konbini* della stazione per non rovinare il completo e, tornando verso casa, scrisse un breve messaggio alla sorella. Non disse nulla del vecchio Ōta-san né di sua figlia. Accennò sinteticamente a Mio Yoshida (la chiamò cosí): disse che in settimana sarebbe arrivato il prospetto e che, secondo lui, avrebbe fatto un lavoro eccellente.

La risposta arrivò immediata: *Era proprio necessario?*

Aoi sentí tutta la durezza di quelle parole. Scrisse: *So che non sei d'accordo, ma io sento che è stata la scelta giusta.*

Imboccando finalmente la viuzza sul retro, lí dove sorgeva la vecchia casa presa in affitto da anni, Aoi si accorse che parte della felicità accumulata durante la giornata con Mio era andata perduta.

Saltò la cena, e al buio si mise a scrutare il giardino segreto dalla veranda.

Pensò al padre, al suo modo rigoroso di maneggiare la morte; pensò a suo zio, a quando gli ripeteva che in certe persone c'è una grazia cui si fatica a dare voce. Pensò soprattutto alla madre, che fino all'ultimo dei suoi giorni non aveva fatto altro che parlare della differenza tra le persone, della necessità sbagliata di uniformare le cose. Ne aveva fatto una battaglia, e buona parte di quella battaglia era dovuta proprio a lui, Aoi: a come era nato, a ciò che lo rendeva diverso dagli altri bambini.

Nel dormiveglia gli tornarono in mente le sue parole.

Era un ricordo?, fece appena in tempo a chiedersi. Oppure era uno di quei segnali con cui le persone importanti ci fanno sapere che in qualche modo continuano a viverci dentro anche dopo la morte?

Senza riuscire a darsi una risposta, si addormentò.

Il discorso che (forse) fece la madre ad Aoi quando era viva e che lui ricompose nel dormiveglia

Immagina un campo di tulipani, Aoi. Lo vedi? Ecco, ora immagina che tra quel mare di fiori ce ne siano alcuni con le teste piú alte degli altri, anzi, che insieme ai tulipani vengano su anche tre altissimi girasoli, un angolo d'iris e, che ne so, papaveri o giaggioli... Mi segui, Aoi? Ecco, bene. Ora vedi quell'uomo con le cesoie? Lo vedi mentre si avvicina ai fiori piú alti? È nervoso perché sono diversi dagli altri. E sai cosa farà ora quell'uomo? Esatto, li taglierà. Ora sono tutti della stessa altezza, ma guarda, nel campo molti fiori hanno perso la testa, sono solo gambi. Lo vedi l'orrore? L'orrore di voler per forza fare uguali le cose?

Nelle ore successive al loro incontro, mentre Aoi scriveva alla sorella, si lavava i denti e tentava di proteggere la gioia della giornata trascorsa con lei, Mio cercò di allontanare a forza il pensiero di lui.

Aoi le era già talmente presente da interferire con il normale svolgimento della sua vita: scendere dal treno, trovare le chiavi di casa, asciugarsi i capelli, masticare una mela.

Era come se le fosse accanto, fisicamente, come se varcando una porta dovesse fare attenzione a non chiudergliela addosso. Era la prima volta da anni che si sentiva cosí. E l'ultima in cui era successo qualcosa di simile aveva rischiato la vita.

Il giorno dopo era domenica, Pigment era aperto e Mio lavorò tutta la mattina alla prima lezione per Alma e Rui: la mappa dei colori primari e secondari, il «battesimo dei colori», metafore piccine per spiegare il mare di onde elettromagnetiche che regalano all'occhio umano la possibilità di vedere.

Per un caso che trovò sorprendente, scoprí che l'anziano che voleva restaurare il quadro dipinto dalla moglie aveva scelto per il tetto esattamente la tonalità che Mio aveva trascritto nel taccuino accanto al suo nome: *sabi-shu* 錆朱. Si era chiesta se non fosse quello il colore che univa l'uomo e sua moglie.

Nell'arco lungo del pomeriggio accolse dei turisti inglesi che avevano letto di Pigment sulla loro guida e volevano saperne di piú, affrontò una ventina di clienti e impostò due consulenze. Quando ormai era sera buttò giú una mail formale, con il direttore in CC, al museo della Catalogna per ottenere altre informazioni su quei pigmenti messi all'asta.

Uscí che era già buio, ma l'inquietudine non la abbandonava.

L'unico sollievo che provò, benché infantile, fu dovuto alla convinzione che il rossetto che aveva scelto per l'incontro con Aoi fosse stato perfettamente in tono con la mattina e il pomeriggio trascorsi insieme a lui. Persino il mascara, che si era sciolto a lato dell'occhio sinistro.

Consapevole che il pomeriggio seguente lo avrebbe incontrato e sarebbe stata di nuovo fragile, mise le mani sulla casa.

Affrontò la pila di piatti lasciati nell'acquaio, fece il bucato. Tirò fuori l'aspirapolvere, salvò un piccolo ragno. Passando davanti alla libreria, e rompendo ogni criterio, sfilò i libri piú amati e li mise vicini. Individuò in quel punto un'ancora, se mai le cose si fossero messe male.

Spalancò infine l'armadio, con una cautela che non usava mai. Nella fascia centrale si allungava una fila ben distanziata di abiti appesi, in basso una serie di cassettiere trasparenti rivelava come l'ordine cromatico fosse una condizione imprescindibile ovunque. In alto, invece, riposava il passato di Mio, una massa informe di scatole e buste avvolte da un lenzuolo bianco, perché non prendessero polvere.

Nello scomparto di destra finalmente trovò ciò che cercava. Sua madre e sua nonna, riposte con cura nella cassettiera dei *kimono*. Allungò le dita per accarezzarle, ma all'idea astratta eppure spaventosa di scomparire come erano scomparse loro le mancò il coraggio. Richiuse l'armadio, riprese la porta della cucina.

Preparò torte e biscotti tutta la sera.

Il colore del rossetto e del mascara di Mio

Il colore del rossetto di Mio era *usu-kōbai* 薄紅梅, un rosato piú chiaro del color prugna, simile al colore del fiore di *usu-kōbai*. A seconda della densità di tintura, questo colore si spalanca in una classificazione tripla, cambiando nome in variazione del prefisso che intende le qualità «pallido», «medio», «denso/carico» (薄紅梅・中紅梅・濃紅梅). Si tratta di una tinta molto usata nei *kimono*.

Il colore del mascara che si sciolse all'angolo dell'occhio sinistro di Mio era *ankokushoku* 暗黒色. Spesso usato nei romanzi storici o di fantascienza: un nero completo che esclude e assorbe la vista senza lasciare neppure una parvenza di luce. È, in giapponese, il colore della cecità.

Cinque

Emil Cioran scriveva che «la vita è uno stato assoluto di insicurezza, che è provvisoria per definizione, che rappresenta un modo di esistenza accidentale». Continuava sostenendo che «non esiste guarigione, o piuttosto, tutte le malattie da cui siamo "guariti" le portiamo in noi e non ci lasciano mai».

Il padre di Mio, che pure non aveva mai letto Cioran e non poteva certo dirsi esperto di filosofia, pensava grosso modo la stessa cosa. Quei sentimenti di insicurezza e di provvisorietà, però, anziché alla vita – un concetto troppo vago per lui – o all'impronta della malattia – di cui per principio si disinteressava – li riferiva all'amore. Yōsuke Yoshida si era convinto che, proprio come gli splendidi ricami di uno *shiromuku*, che restano tali quando il *kimono* invecchia e si usura, anche gli esseri umani possono nascondere un'anima infetta in un corpo che si finge guarito.

Eppure la guarigione, quella vera, non c'è. La salute pare ristabilita, si esce dal letto, ma è una bugia: da certe cose non ci si risana.

Yōsuke aveva conosciuto Kaneko quando aveva dodici anni, e l'aveva amata intensamente dai quindici ai diciassette. Dopo però, come spesso accade, si erano lasciati senza una vera ragione. Lui si era innamorato di una donna piú grande, e aveva lasciato andare il ricordo di lei.

Eppure, quando anni dopo aveva rincontrato per caso Kaneko in fila davanti alla pasticceria Akebono di Ginza, mentre la ascoltava confidare alla commessa che doveva acquistare i *sakura-mochi* per il compleanno della madre perché lei ne andava ghiotta, Yōsuke si era scoperto nuovamente innamorato di lei. Anzi, mentre la osservava ordinare i dolci di riso, aveva capito che quell'innamoramento adolescente non si era affatto spento.

La donna con cui conviveva gli uscí dalla testa. Rientrato in casa dopo l'incontro con Kaneko a Ginza, fu quasi sorpreso dal ritrovarsela lí, come sempre. Trascinato da un'emozione che non conosceva, Yōsuke si scusò senza sentirsi veramente in colpa, raccolse in fretta le proprie cose e si trasferí in un ostello.

Tutto, per lui, era ovvio: un amore spingeva fuori un altro amore dal cerchio, come fanno i corpi immensi dei lottatori di *sumō* quando si affrontano all'interno del *dohyō*. Per conquistare Kaneko, Yōsuke mise in atto un corteggiamento serrato. Nei giorni seguenti si fece trovare sotto casa di lei, spese con incoscienza i risparmi di un mese per farle regali e dimostrarle cosí la serietà delle proprie intenzioni.

Dopo una settimana soltanto l'aveva chiesta in sposa. Trascorsi altri sei mesi si sarebbe trasferito a casa di Kaneko, entrando a tutti gli effetti a far parte della famiglia Yoshida. Al termine di una breve conversazione con il padre di lei, si decise che sarebbe stato lo sposo e non la sposa ad adottare il nuovo cognome nel matrimonio.

Fu cosí che Yōsuke Imai divenne Yōsuke Yoshida.

Con lo stesso sentimento di inesorabilità che lo aveva riportato alla ragazza che aveva amato da adolescente, il padre di Mio abbandonò l'officina dove era impiegato e, sotto la guida della nuova famiglia, apprese l'arte della tintura. Imparò cose verso le quali non aveva mai provato interesse: com'era fatto un *kimono*, le decorazioni che raffiguravano gru, tartarughe e fuscelli di bambú, gli accessori come il pugnale di stoffa che la sposa teneva sul petto. Le amò tutte dal primo momento.

La gente si stupí della rapidità di quelle nozze, ma Yōsuke continuava a ripetere che per lui non c'era niente di strano. Sapeva che quando un sentimento forte come l'amore ficcava i suoi denti nella carne di un uomo, poteva covare zitto anche decenni, ma prima o poi sarebbe riesploso.

Il tempo era una cosa che il cuore gestiva da sé.

Nonostante le certezze di Yōsuke, la prima a sorprendersi di quel suo improvviso ritorno era stata proprio Kaneko.

Lei, che nel frattempo era diventata donna e lavorava al fianco dei genitori nell'atelier di famiglia, era di natura leggera e insieme del tutto incapace di prudenza. Aveva riaccolto Yōsuke con allegria, lusingata da quell'amore che ai suoi occhi sembrava invece una nuovissima cosa.

Certo, ricordava il ragazzetto magro e nervoso con addosso la tuta dell'officina che l'attendeva fuori da scuola quando aveva quindici anni, il passo che s'inchiodava davanti al muretto della prima casa della via dove Kaneko abitava perché non voleva che la madre di lei lo vedesse vestito a quella maniera; sorrideva ripensando alla volta che era venuto giú un acquazzone tremendo e avevano trovato insieme riparo in un caffè, dove lui le aveva offerto il primo Irish coffee della sua vita e insieme il primo bacio.

Tuttavia, di quei momenti, Kaneko ricordava soprattutto se stessa, la coda stretta dietro la nuca, le mani che lisciavano a lungo la divisa bianca e blu della scuola, il cioccolatino rubato alla madre per donarlo a Yōsuke in un giorno di festa.

Di quel ragazzetto che passava le ore a guardarla senza quasi aprir bocca, non avrebbe saputo dire un granché. Era passato cosí tanto tempo che non le pareva nemmeno piú la stessa persona.

Ciò che adesso la seduceva era piuttosto la sicurezza naturale con cui Yōsuke si era fatto avanti, il diritto che si arrogava sulla sua persona, come a dire che lui la conosceva da sempre, che da sempre possedeva il pensiero di lei. Che da lí in poi le avrebbe perdonato ogni cosa.

Tutto si riassumeva nella frase che Yōsuke avrebbe amato sussurrarle all'orecchio, anche quando la passione avrebbe iniziato a svanire e la vecchiaia a erodere i corpi: «Kaneko-chan, l'amore per te è una malattia da cui non guarirò mai».

La consapevolezza che una volta malati lo si rimane per sempre, non solo degli acciacchi fisici ma anche dei sentimenti, Yōsuke Yoshida l'avrebbe trasmessa alla figlia. Non glielo avrebbe mai detto, e probabilmente non sarebbe stato neppure in grado di metterlo giú a parole, eppure Mio, tra i milioni di filamenti del suo codice genetico, avrebbe custodito anche quella certezza.

A differenza del padre, lei avrebbe sviluppato una certa cautela nel donarsi, proprio per via della certezza per cui, una volta accordato il permesso di entrare nella propria vita, quello sarebbe stato per sempre.

L'amore non era in nulla diverso da una malattia e se Mio amava, amava completamente.

A ventotto anni Mio era certa d'essere come un paziente immunodepresso, che non si deve ammalare perché ogni volta che lo fa mette a repentaglio la propria vita.

E sempre per questo, quando Mio conobbe Aoi, l'enormità di quel rischio le fu immediatamente presente. Seppe dal primo momento che quella relazione l'avrebbe travolta: se gli avesse teso la mano, Aoi l'avrebbe tirata a sé.

È questo il motivo per cui non accolgo piú nessuno, pensava Mio. Perché se lo accolgo arriva fin qui, e non ci sono porte, non ci sono segnali di stop, non ci sono filtri. Non riesco. Chi ha il lasciapassare arriva dove vuole. È come se il permesso di entrarmi dentro fosse una volta per tutte.

Se le avessero chiesto il perché di quella scelta, avrebbe sospirato. Forse si sarebbe commossa, parlando: «L'unica cosa che posso fare quando qualcuno, vagando dentro di me, mi trapassa un polmone o mi stringe anche inavvertitamente un'arteria, è ingoiare veleno, mettere due dita in gola. Anche a costo di morire un poco anch'io».

Non ho antibiotici, avrebbe detto un giorno Mio ad Aoi, *non ho cura*.

Sei

Tutto iniziava con un telefono nero.

L'apparecchio trillava e Aoi premeva il ricevitore sull'orecchio, pronunciando sempre la stessa frase: «Pompe funebri Morioka».

Si trattava di un vecchio telefono di bachelite che il padre di Aoi aveva portato con sé dalla casa dei genitori, insieme a pochissimi altri oggetti che gli erano stati lasciati in eredità.

Attraverso quell'apparecchio erano passate centinaia di voci, che esordivano tutte piú o meno alla stessa maniera:

«Buongiorno, mi chiamo Suzuki. È morto mio padre».

«Buonasera, mi chiamo Takeda, questa notte nel sonno è morta mia madre».

«Buonasera, scusi l'ora… Mi chiamo Ōno, sono all'ospedale universitario di Fujisawa… è appena morta mia figlia».

Mio avrebbe di certo saputo individuarne i colori mentre Aoi, che nei colori si confondeva, si limitava a classificare quelle voci secondo il grado di autocontrollo e confidenza.

C'era chi andava sveltissimo, come temesse che gli sarebbero venute meno le forze. Chi si trincerava dietro formule fisse, usando un linguaggio formale per proteggersi dall'emozione. C'era chi aspettava quella notizia da mesi o da settimane, soprattutto i parenti dei malati piú gravi: all'inizio la voce era tranquilla, parevano quasi sollevati, salvo poi capire che prepararsi non era possibile in alcuna maniera. C'era anche chi piangeva prima ancora di pronunciare il proprio nome, chi non dava neppure il tempo di formulare la frase di rito: «Pompe fun...» E infine c'era chi lo chiamava per nome («Aoi-kun, sei tu?»), e quello era ciò che piú lo metteva in allarme.

Il vecchio telefono nero di bachelite per Aoi era come un paio di scarpe che si usura col tempo, e finisce per adattarsi alla perfezione alla propria andatura. Era il punto di inizio di tutte le storie: quelle che aveva raccolto il padre, e quelle che ora lui raccoglieva. Il gesto stesso di alzare per la prima volta il ricevitore e sentirsi annunciare la morte, era coinciso con la consapevolezza di aver ereditato il mestiere dal genitore.

Ricordava ancora la grana dura della voce del suo primo cliente: «Mi chiamo Izumi. Questa mattina è morta mia madre».

L'apparecchio era nello studio che Aoi condivideva con la sorella.

Era solo lui, tuttavia, ad alzare la cornetta: Sayaka non amava parlare. Anche adesso, durante l'incontro concordato per discutere i dettagli di un funerale, restava defilata, lo sguardo basso per evitare le venisse rivolta la parola.

Aoi era seduto alla scrivania e davanti a lui c'erano due uomini di un'età indefinita tra i trenta e i quaranta. Spiegavano calmi come il padre fosse venuto a mancare per un attacco cardiaco mentre correva sulla spiaggia di Kamakura. Degli sconosciuti lo avevano soccorso, una donna aveva tentato un massaggio cardiaco ma all'arrivo dell'ambulanza era già morto. Aveva sessantaquattro anni.

Concluse le pratiche burocratiche, la scelta dei vari accessori per la cerimonia funebre, i figli avevano affrontato il discorso sulla preparazione della salma.

«Non entrerà nessuno tranne noi?» chiese a voce bassa uno dei due, sporgendosi sulla scrivania.

«Cosa intende? Entrare dove?» Aoi non capiva.

«A vedere nostro padre, nella cassa... prima della cremazione».

«Solo il bonzo che officerà il rito e il personale che si occuperà della salma. Oltre, ovviamente, alle persone che chiamerete per assistere alla cerimonia».

«Non è gente che parla?» domandò il figlio minore socchiudendo le palpebre a fessura. Le occhiaie erano profonde, la luce del sole lo infastidiva.

«La discrezione nel nostro lavoro è la prima cosa», li rassicurò Aoi.

«È che vorremmo indossasse un abito un po' diverso...»

«... da donna».

Aoi sapeva che qualunque sua reazione avrebbe potuto trasformare l'andamento della conversazione: «È una cosa che possiamo allestire senza il minimo problema, – disse con fare neutro, – nel massimo della discrezionalità».

«Nostro padre aveva una doppia vita...»

«... che abbiamo faticato a perdonargli», concluse l'altro.

Aoi si spiegò d'un tratto la scelta di incontrarsi in agenzia e non a casa del defunto, e soprattutto le loro emozioni. I due uomini gli erano apparsi tristi, ma qualcosa in loro pareva interrotto. Serviva probabilmente risolvere prima *quel* nodo, poi il pianto avrebbe trovato uno spazio.

«Abbiamo deciso di dargliela vinta, adesso».

«E di farlo vestire come voleva».

Come spesso accadeva durante quei colloqui, la conversazione si strappava mano a mano che procedeva. Dopo un affollarsi di formule uguali, si entrava nel particolare.

«Vorremmo anche che... lo truccaste...»

«... come una donna».

Aoi voltò lo sguardo lateralmente in direzione di Sayaka. Fu come una minuscola spinta d'aria verso la sorella.

«Certamente, nessun problema», disse lei.

Avevano per caso una fotografia che lo ritraesse truccato? Perché, aggiunse Sayaka in tono pacato, ognuno amava truccarsi in una certa maniera, e si vedeva bello nel modo che gli pareva.

I fratelli furono d'un tratto smarriti. Si guardarono, cercando nel volto dell'altro una risposta.

«Forse nel suo cellulare, – disse uno. – Potrei provare a guardare».

Sfilò da uno zainetto la custodia bianca di un telefono con un Doraemon in rilievo. L'uomo fece per accenderlo, poi si fermò. Espirò piano, la mascella contratta.

«La verità, – ammise l'altro, – è che non abbiamo avuto ancora il coraggio di guardarci dentro. Per questioni di privacy, sa... Non è detto che nostro padre avrebbe gradito che ficcassimo il naso nelle sue cose».

«Certo, è comprensibile», annuí Aoi.

«Eppure sappiamo che è importante farlo. Dobbiamo capire chi avvisare. Forse... no anzi, molto probabilmente, c'è gente che è stata importante per lui e che noi ignoriamo», disse il fratello maggiore.

Aoi li vide bambini. Chissà se avevano giocato ai pirati, si chiese, se avevano litigato per una macchinina della polizia. Chissà se quel padre li aveva abbracciati insieme, sollevandoli in aria. Se aveva cercato di difendere la sua vita privata, rinunciando a spiegarsi.

«Sicuramente qualche amico vorrà venire a salutarlo, – proseguí l'uomo. – Aprire però le sue conversazioni su Line, mandare un messaggio a chissà chi per dire che è morto, che il funerale si svolge domani alle tre... Insomma, capisce che è complicato...»

«... soprattutto se nelle conversazioni c'erano cose riservate».

Aoi annuí di nuovo. Piú che una questione di privacy, si trattava di proteggere loro stessi e il ricordo del padre che ognuno dei figli custodiva dentro di sé.

In quei momenti alcuni Rimasti facevano di tutto per mandare la memoria in frantumi; per affrontare meglio il dolore erano disposti anche a mentire. Non toccavano nulla del ricordo del genitore, come davanti a un orologio fermo che si preferisce non smontare perché non si saprebbe come rimetterlo insieme. Consci che, ormai, non ci sarebbero piú state occasioni per litigare e fare pace.

«Se volete posso guardare io tra le fotografie», si offrí Aoi.

I fratelli esitarono.

«E naturalmente potrei inviare ai contatti nella sua rubrica un messaggio standard per informarli e invitarli alla veglia. Sono convinto che a vostro padre la mia impressione di lui, e di quanto io possa trovare nel suo cellulare, sarebbe stata del tutto indifferente».

Questa volta annuirono con decisione, con quella gratitudine di cui Aoi intuiva le implicazioni profonde.

Congedati i due uomini, Aoi avrebbe trascorso l'ora successiva a scorrere su quel cellulare fotografie di pasti (perlopiú ciotole di *rāmen* e *katsudon*), boccali di birra (decisamente amava la Guinness), tramonti sul mare, un piccolo cane al guinzaglio, qualche ritaglio di giornale, e ancora il cane sul letto mentre mordeva una scarpa. Trovò qualche fiore, un cielo tagliato da un arco di luce. Isolò sei fotografie in cui il volto truccato dell'uomo si vedeva piú chiaramente: Sayaka ne avrebbe riprodotto l'eyeliner, lo spessore delle labbra, caricando le ciglia della giusta lunghezza.

Alcuni scatti lo ritraevano abbracciato, sempre di notte, a uomini e donne in un bar di cui Aoi – scorrendo la galleria – imparò a riconoscere l'illuminazione, i poster sui muri di vecchie dive del cinema muto, i sottobicchieri, l'esercito di bottiglie alle spalle del bancone. Entrò in confidenza con quel suo sorriso infantile, con due buchi nella dentatura. Le pose davanti all'obiettivo si assomigliavano tutte. Eppure Aoi notò che, nei quattro anni di immagini salvate nella memoria del cellulare, la gioia dell'uomo era progressivamente cresciuta. Si chiese come farlo sapere ai suoi figli, che il padre era stato felice, ogni anno un poco di piú.

Prima di spegnere il telefono, sulla cui custodia un grande Doraemon rideva mostrando la pancia, scrisse un messaggio formale in cui si comunicava la notizia, l'orario della veglia, l'indirizzo. Poi lo inviò ai contatti personali della rubrica.

Una brava persona, pensò, nient'altro che una brava persona.

12 aprile, uomo pigiato sul vetro della Yamanote

Per trovarlo, Mio avrebbe dovuto tornare indietro di quattrocentoventisei voci sul proprio taccuino.

Si sarebbe allora ricordata di un uomo che, suo malgrado, aveva osservato a lungo il 12 aprile di quell'anno. Erano le 7,47 della mattina, l'ora di punta, e Mio stava andando a Ueno per una consulenza. Il suo treno, cosí come quello sul binario parallelo, era rimasto bloccato per via di un incidente avvenuto sulla linea. Ecco il motivo per cui i due convogli, pur procedendo in direzione opposta (quello di Mio correva verso Ōsaki, quello dell'uomo rallentava in arrivo a Shinagawa), si erano trovati allineati in un tratto a metà strada tra le due stazioni.

Erano rimasti l'uno di fronte all'altra, a poco piú di tre metri di distanza in linea d'aria, per circa venti minuti. Mio non riusciva a scorgere la figura completa dello sconosciuto, nascosto com'era dai portelloni della carrozza, ma il suo viso era in primo piano, cosí come il busto e i palmi premuti sul vetro, all'altezza del petto. Intravedeva un completo da *salary-man*, e aveva immaginato che la borsa fosse stretta tra le gambe perché non toccasse terra.

La voce del capotreno ripeteva la consueta formula che raccontava di un incidente avvenuto nella stazione di Hamamatsu-chō. Nulla concretamente lo diceva, ma chiunque fra i passeggeri sapeva che qualcuno si era buttato sotto un treno. C'era da scommettere che anche l'uomo pigiato sul vetro davanti a lei – che adesso aveva chinato gli occhi sul cellulare – stesse ascoltando il medesimo annuncio, la frase di rito con cui il capotreno si scusava del ritardo e rassicurava una rapida soluzione.

Una volta scesa, dopo aver telefonato a una collega di Pigment per avvertirla del ritardo, aveva aperto il taccuino e lasciato un appunto veloce. *12 aprile, uomo pigiato sul vetro della Yamanote:* AMARANTO, *con ventate di arancio in profondità. Ha del* VERDE MOEGI 萌黄 *nel sangue. C'è qualcosa che cresce dentro di lui.*

E ora, senza che Mio potesse sospettarlo, quell'uomo incontrato mesi prima tra due carrozze parallele di un treno – e che adesso, immobile, aspettava di uscire dal mondo vestito di un abito nero con uno spacco alto sul ginocchio sinistro – entrava nei discorsi di Aoi. Non avrebbe mai potuto immaginare che Aoi avesse a lungo scorso le fotografie di quello stesso cellulare che lei, in una mattina di primavera, aveva visto in mano all'uomo pigiato sul vetro della Yamanote.

Se lo avesse saputo, avrebbe forse ricordato d'aver sorriso per lo scarto tra lo sguardo serio dell'uomo, il suo completo nero da *salary-man*, e la custodia con sopra il faccione allegro di Doraemon.

Da quando ebbe l'età per innamorarsi a quando smise volontariamente di farlo, se Mio iniziava a provare interesse per qualcuno, gli parlava innanzitutto dei colori.

Raccontava il mondo per come lo vedeva, convinta fosse quello a sedurre gli altri. E se ciò era senz'altro vero all'inizio di ogni relazione – per il semplice fatto che quando era *nel* colore, Mio si accendeva di una straordinaria passione – mano a mano che il tempo passava, diventava un intralcio.

A un certo punto i ragazzi si annoiavano a sentirla discutere del «*piuri* o *puree*, detto anche *euxanthin* e *euxanthine*», il giallo indiano ricavato dall'urina di vacche nutrite solo a foglie di mango, o dell'intento di Vincent van Gogh di esprimere le passioni dell'uomo attraverso l'uso del rosso e del verde («Guarda tutte le gradazioni ne *Il caffè di notte*, è come fossero in guerra!») Non appena finiva un ragionamento, senza neppure prendere fiato, Mio partiva con un altro, spiegando i toni attenuati delle donne romantiche di Fukiya Kōji, pittore del periodo Taishō («*La sposa* è forse l'opera piú bella: dovresti vederla!»)

Un giorno un fidanzato le chiese brutalmente di parlare anche d'altro, che lui di quelle cose era stufo. Cosa cambiava se una donna aveva un abito grigio topo o una maglia nero piume di corvo? Le disse che il colore la ingombrava, come un enorme vaso di fiori poggiato sul tavolino di una minuscola casa.

Ma se non era per via del suo dono speciale, allora perché mai quegli uomini l'avevano invitata fuori a mangiare?

Diventava cattiva, come avessero calunniato la cosa piú preziosa che aveva. Li metteva sul rogo, li cacciava via dalla finestra mentre quelli dormivano ancora. Era solo immaginazione, certo, ma cosí facendo riusciva a mettere della distanza. Nel taccuino li archiviava alla svelta: uno mancava di forza, la sua tinta era smorta; un altro eccedeva in tenerezza, macchiato com'era del blu delle sette di sera; un altro ancora sgranocchiava *senbei* con una fame oscena, sapeva di un nauseante giallo mostarda.

«Ma nessuno è perfetto», la redarguiva la madre, quando Mio ancora abitava con i genitori.

«Veramente è il contrario di quanto le hai insegnato tu», sussurrava Yōsuke alla moglie.

In effetti Kaneko l'aveva riempita di ammonimenti fin da bambina perché si impegnasse a diventare una buona sposa: «Amare è una fatica, e limarsi è il dovere di ogni donna».

Dunque era perfettamente normale che Mio pretendesse lo stesso. Ovvero che l'altro fosse perfetto.

Mio si svegliò all'alba, e non riuscí piú a prendere sonno. Nonostante mancassero ore all'appuntamento con Aoi, decise di prepararsi e uscire. Il treno da Tōkyō verso Kamakura era semivuoto.

Arrivò che erano appena le 7, per fortuna trovò una caffetteria già aperta. Prese posto a un tavolino del secondo piano, e attese. Quando Aoi la raggiunse teneva un chupa-chups tra le labbra. Erano trascorse ore, ma lei non lo disse. Lui si limitò a osservare le briciole sul piattino di Mio che, nell'attesa, si era ingozzata di biscotti e tartine.

Scesero le scale, nel passaggio strettissimo che portava all'uscita della caffetteria. Mentre attraversavano il tunnel che conduceva dall'altro lato della stazione, Aoi le raccontò della mattina in agenzia, dei due fratelli e del funerale, della loro scelta di accettare il genitore esattamente per quello che era. Di non piangere un padre in generale, ma il *loro* padre. Non era mai tardi per fare pace. La cerimonia, concluse Aoi, si sarebbe svolta il giorno seguente, ed era previsto l'arrivo eccezionale di circa quaranta persone. L'uomo aveva tanti piú amici di quanti i figli avessero potuto immaginare.

Camminarono a lungo per le strade di Kamakura, alternando dialoghi fitti a estesi silenzi. E mentre lo avvertiva al suo fianco, nella memoria di Mio il pensiero dell'amore prima di lui salí in superficie. Ricordò i ragazzi annoiati dal blu di Prussia, gli uomini stanchi di sentirla parlare del grigio foschia. Non le capitava da anni di immaginarsi dentro una relazione.

Osservando le scarpe da ginnastica di Aoi, i nei sulle braccia, sorridendo per la passione infantile che aveva per i chupa-chups, Mio riconobbe la sensazione che si prova nel far entrare qualcuno nella propria vita. Sapeva già che lo avrebbe amato, e le sarebbe aumentata la voglia d'essere viva, una gioia senza misura – tanto il respiro avrebbe superato la capacità della cassa toracica. E insieme ecco il nervosismo, la calma che si perdeva, il batticuore in attesa di una telefonata, le tattiche deficienti con cui amministrare un gioco di cui lei stessa, come chiunque in amore, ignorava le regole.

Sarebbe iniziata poi la scoperta graduale di chi fosse *davvero* la persona che aveva accolto senza troppa cautela. Perché innamorarsi, in fondo, è una cosa che c'entra soprattutto con sé. Per amare, invece, si ha bisogno di sapere l'altro chi è.

Si chiese se ce l'avrebbe fatta ancora una volta.

Quel pomeriggio fu un origami di sole.

Il mascara si sciolse per il caldo e una lacrima nero tenebra – uguale a quella del loro primo appuntamento – accompagnò a sinistra lo sguardo di Mio.

Aoi la portò ai piedi del Grande Buddha, e mentre si addentravano nell'enorme pancia di bronzo le sostenne la schiena col palmo; l'oscurità che li accolse emozionò Mio. In quello spazio cosí ridotto Aoi avvertí un'intimità che desiderò maggiore. La ricacciò.

A Hase smangiucchiarono morbidissimi *mochi* alla fragola, sfilarono pezzetti di carne dagli spiedini venduti sulla via; si sedettero a un tavolino sulla veranda di un ristorante alla buona, stapparono una birra e fecero di un fiume di gente la pellicola diapositiva di un film.

Risero di particolari idioti. Mio gli raccontò di quando, a tre anni, si era impuntata perché voleva portare al mare il loro pesce rosso per fargli fare una gita; venne fuori che anche Aoi aveva fatto la stessa cosa ogni estate, per anni, con le tartarughe di casa.

Entrambi maldestri, rovesciarono la birra sul tavolino. Li divertí moltissimo scoprirsi ridicoli insieme.

Mentre la guardava tamponare il disastro con dei tovaglioli, Aoi trattenne a fatica l'indice che avrebbe voluto allungarsi verso l'occhio sinistro di Mio, passare il polpastrello su quello sbaffo di mascara che gli pareva un invito a toccarla.

Tornando lungo il viale ondulato che sfociava a Geba deviarono di qualche metro a destra, verso l'oceano. Fotografarono l'arrivo dell'Enoden, il trenino giocattolo che tagliava l'abitato di Kamakura, Enoshima e Fujisawa. Mio rimase stupita dai passaggi a livello in miniatura, cosí piccini da non avere né una sbarra né un semaforo. Aoi si meravigliò piuttosto che Mio non fosse mai stata a Kamakura.

«I miei lavoravano sempre, – spiegò lei, – e le rare volte in cui si prendevano una pausa potevi star sicuro che c'era una sposa in affanno, un produttore di tinte, un venditore di stoffe o un contadino che veniva a trovarci, piombando nell'atelier anche quando era chiuso... La gente era sempre in ritardo. E poi bastava un litigio o una dichiarazione d'amore per ritardare o anticipare un matrimonio».

«Con i funerali è tutto piú semplice», rise Aoi.

128

Per prolungare la giornata, visto che entrambi avevano ancora fame, decisero di andare a mangiare il *tenpura* piú buono del mondo, quello di Ikeda-san. E quando sua figlia venne a riempire i bicchieri di tè, e quando Aoi le sorrise, e quando la ragazza gli disse che con i capelli tagliati cosí stava meglio di quando li aveva lunghi fin quasi alle spalle, Mio – senza volerlo, incapace di frenare il sentimento – si ingelosí. Nascose il proprio sconcerto chiedendogli come portasse i capelli di solito, e ridacchiò quando lui rispose che non lo sapeva: a un certo punto la sorella lo guardava tagliando l'aria con l'indice e il medio, e allora lui capiva che era il momento di andare dal barbiere.

Poi, nel suo modo disordinato e scomposto per cui saltava da un discorso a un altro, Mio gli chiese di raccontarle com'era stato.

«Cosa?»

«Prendere in consegna un corpo per la prima volta, organizzare un funerale da zero quando non l'hai mai fatto».

«Ah...»

Aoi non lo poteva immaginare ma, domandandogli di lui, in realtà Mio tentava di avvicinarsi faticosamente a dirgli di sé. Della sua famiglia ingoiata dal tempo, e di quanto distante da lei fosse quella che invece per lui era la normalità: non c'era forse lavoro che temesse di piú. Se Aoi lo avesse saputo, quella gli sarebbe parsa una dichiarazione.

«È stato impressionante. Ho capito che davvero nulla ti difende, – disse Aoi. – Che nulla si può prevedere: anche se ci sei cresciuto dentro a una cosa, non è detto che da adulto sarai ugualmente in grado di affrontarla».

Aoi ruotò il bicchiere, negli occhi di Mio il tè prese a oscillare di una miriade di sfumature di terra bruciata, zucchero di canna e cioccolata.

«Ricordo l'impressione che mi fece toccare il corpo del primo defunto: d'un tratto ero terrorizzato, – proseguí lui. – Ma che ti prende?, mi dicevo. È da quando sei nato che hai dei cadaveri in casa, possibile che adesso tu ne abbia paura? Gli accarezzavi addirittura la mano, gli raccontavi le storie... – Notando l'espressione stupita di Mio, rise: – Sí, facevo anche quello da bambino, ma appunto ero un bambino. E invece quando arrivò il momento mi bloccai».

«In che senso?»

«D'un tratto mi pareva di conoscerli intimamente. Come se fossero morti uno dopo l'altro degli amici, dei parenti. In qualche modo mi sembrava di sapere qualcosa del loro futuro che a loro invece era ignoto».

Quello soprattutto lo sconcertava, disse, che la gente morisse e che lui, pur senza conoscerla, la conoscesse. L'aveva vista magari per strada, attraversare di corsa mentre il semaforo lampeggiava; l'aveva avuta davanti o dietro di sé in fila alla posta; aveva sbirciato dentro i loro carrelli in attesa alla cassa del supermercato.

«D'un tratto mi sentivo pieno zeppo di morte. Mi sembrava di star diventando pazzo. In quel periodo sentivo un disperato bisogno di calore, un bisogno fisico di toccare le persone, le cose vive», riprese Aoi.

Gli era capitato di indugiare sulla mano di un bambino incontrato per strada, sul ventre di un cane, sull'istante in cui una commessa gli toccava inavvertitamente la mano porgendogli il resto.

«Aspettavo quell'istante in cui si verificava il contatto e poi *bam*, era come un'esplosione: ogni cellula del mio essere si concentrava in un secondo».

Aoi svuotò il bicchiere in un sorso.

«Non avevo relazioni in quel periodo, mia madre non era mai stata molto fisica, e nemmeno mia sorella. È stato allora che ho sviluppato un desiderio fortissimo di corpo, che non mi è mai veramente passato».

Mio reagí fisicamente a quelle parole. Ma preferí continuare a tacere.

Il dolore, disse Aoi, continuava però a sembrargli nulla a confronto dell'amore, quello era una maledizione. Incontrava ogni giorno mogli senza piú mariti, figli senza piú madri, padri senza piú un figlio, nipoti senza piú nonni. Strappati tra i due versanti del cuore, uno finiva di là (l'inferno, il paradiso, chissà dove), l'altro rimaneva di qua, e quel solo fatto – di esser divisi – li rendeva infelici.

«Fu un periodo molto cupo».

«E come lo ha superato?» chiese Mio finalmente.

«Non lo so. Davvero non lo so –. Le sorrise, come per consolarla. – Semplicemente un giorno è sparito. Come i brufoli da adolescente, o quelle cose che un attimo prima ci sono e poi non ci sono piú».

Yūyake-chaimu – la musichetta delle cinque della sera – scattò, e si sparse come un profumo per le vie della città. Il tramonto si sarebbe inghiottito la luce a momenti. Fu come un segnale di stop.

Aoi si alzò dal tavolo, si stiracchiò.

Mio lo seguí, si fece la coda. Spiegò in aria le braccia. Il pavimento pareva fatto di acqua.

Non era rimasto nessuno nel ristorante. Era quell'ora di mezzo in cui non è pranzo e non è ancora cena, e i turisti vagano per le strade della città.

Aoi si fermò a parlare con Ikeda-san e Mio scivolò in bagno.

Guardandosi allo specchio della toilette, si ritrovò a pensare a come, per quanto si cresca, per quanto ci si senta anche forti, il desiderio di essere protetti da qualcuno non passerà mai.

Uscirono nella sera che calava di botto. Eppure, non la notte ma un nuovo giorno pareva iniziare da lí.

Lista abbozzata di cose che un attimo prima ci sono e poi non ci sono piú

Secondo Tanaka Yukio: i soldi, dopo le corse.
Secondo Sara (la madre di Alma e di Rui): la solitudine, quando il marito Hiroshi le si sdraia accanto.
Secondo Rui: il buio, quando accendi la luce.
Secondo Alma: la paura di dormire da sola, prima dell'arrivo di Rui.
Secondo Kaneko Yoshida: un *kimono*, prima d'essere indossato da una sposa.
Secondo Yōsuke Yoshida: il suo cuore sano, prima di innamorarsi di Kaneko Yoshida.
Secondo Momoko (la cugina di Mio): Roma, non appena decolla l'aereo per Tōkyō.
Secondo Mio: la sua famiglia, prima che sparissero tutti.

Camminando per Kamakura di ritorno dal mare, s'imbatterono in un festival di quartiere nella zona di Ōmachi, appena oltre il passaggio a livello, dove si apriva un ampio spiazzo sterrato.

La festa aveva preso vivacità e alcuni degli anziani organizzatori li invitarono a restare. Aoi comprò da bere mentre intorno ai banchetti un nugolo di bambini correva con al polso braccialetti fosforescenti.

Presero posto, uno a fianco all'altra, su delle seggiole pieghevoli disposte sul prato.

Davanti a loro c'era un alto e sottile palco di legno, da cui partivano corde tempestate di lampade di carta *chōchin*. Sopra, una donna vestita in *yukata* mostrava a tutti i passi di danza.

I tamburi si fecero rapidi. Alcune anziane in *yukata* chiari danzavano intorno al palco, piroettando in aria ventagli. Mio era sbalordita dalla bellezza di quella luce, le strisce fluorescenti e disordinate dei braccialetti dei ragazzini, le mani nodose che accarezzavano la notte. Osservava gli chignon ornati da pettinini di ogni colore, le lampade rosse e il falò alle loro spalle.

Guardando il fuoco ardere sterpaglia e rametti Aoi le raccontò di come un tempo, quando qualcuno moriva, si incendiasse completamente la sua casa. La morte andava cacciata, e si credeva che il defunto contagiasse tutto quanto gli era intorno. Poi, per motivi di praticità, la morte era stata circoscritta. Il moribondo lo si spostava in una stanza che veniva costruita apposta; la si riempiva di tutto quanto gli apparteneva e alla sua morte le si dava fuoco.

Mio abbassò lo sguardo verso le mani di Aoi.

Una madre accanto a loro batteva i palmi del minuscolo bimbo che teneva sul grembo; quello era talmente concentrato che neppure rideva.

Aoi si accorse dello sguardo di Mio. Non sapendo che fare, raccolse da terra la bottiglia di birra vuota: «Ne beviamo un'altra?» le domandò.

Mio annuí, e quando lui ne portò altre due, lei afferrò il collo della sua bottiglia strozzandolo tra le sue piccole dita. Osservò stregata le contorsioni di una donna nel viola e smeraldo, peonie e rosso papavero. Si sentiva già un poco ubriaca.

Il *matsuri* richiedeva frenesia, perdita di coscienza. Dalla notte dei tempi decine, centinaia di individui in quei giorni abbassavano la guardia e si lasciavano andare smarriti e disordinati a sentimenti che non raggiungevano neppure la precisione di una parola. Mio si domandò se sarebbe successo anche a loro.

Di nascosto, abbassò di nuovo lo sguardo sulle mani di Aoi.

Ci pensava da giorni. A lui che massaggiava le guance dei morti. Le giunture allungate con delicatezza, gli arti di gesso che, come pongo nelle mani dei bimbi, tornavano molli.

Immaginò l'orrore e l'amore, tutto in una volta.

Del perché quella sera Tanaka Yukio era al matsuri *di Kamakura a Ōmachi e cosa vide*

Quella sera Tanaka Yukio si trovava eccezionalmente a Kamakura con suo figlio. Erano lí per festeggiare il compleanno del cuginetto, che compiva nove anni.

Tanaka Yukio, annoiato dalla serata, si era seduto tre file dietro Mio e Aoi. Guardava il figlio correre intorno al palco con il cugino poco piú alto di lui, entrambi con un braccialetto verde fosforescente al polso. Controllava le notifiche al cellulare.

Osservò distrattamente i profili di Mio e Aoi animati dai bagliori del fuoco, le ombre lunghe delle danzatrici che arrivavano ai loro piedi. Senza riconoscerli li vide bere la birra, ridere piano, non mescolarsi mai alla festa. Catturarono il suo interesse soltanto quando notò come lo sguardo della donna seguisse ossessivamente l'uomo mentre lui si allontanava, comprava un'altra birra, teneva in bilico due piatti di plastica con l'anguria appena tagliata, entrava nell'edificio al bordo dello spiazzo probabilmente alla ricerca di un bagno. Quella giovane donna, immersa nel buio, non gli staccava gli occhi di dosso, la sua testa restava fissa nella direzione dell'uomo. Pareva l'ago di una bussola rotta.

Tanaka Yukio immaginò sua moglie fare lo stesso, ricordò la fatica del corteggiamento.

Pensò che fosse una fortuna non essere piú innamorato come una volta.

La massima aspirazione di Aoi era piantare semi. Se gli avessero mai domandato quale fosse il suo piú intimo progetto di vita, avrebbe risposto cosí. Al potere simbolico, però, non ci aveva mai pensato. Quello che gli premeva era piuttosto conficcare i semi nella terra, quella cosa calda e umidiccia che gli sporcava le dita.

Il giardino segreto in cui si dedicava a quest'operazione non gli apparteneva: era di una villetta su cui si affacciava casa sua. Quando l'anziana coppia che abitava lí era morta, ogni cosa sembrava stesse andando in rovina. Nessuno annaffiava le rose, nessuno potava piú il ciliegio né raccoglieva i mandaranci che pesavano sulle braccia stanche degli alberi; resistevano soltanto le erbacce e i fiori piú risoluti. Finché un giorno, incapace di attendere oltre, Aoi aveva iniziato a prendersene cura. Ricordando le lezioni del padre nel loro orto tra i binari della ferrovia, appena poteva scendeva tra le piante e con pazienza restituiva il giardino allo splendore di una volta.

Eppure, Aoi lo sapeva. Sapeva che nell'arco di qualche anno i figli dei due anziani sarebbero venuti a demolire la casa, avrebbero ricavato da quel terreno una schiera di palazzine strettissime. Avrebbero distrutto per ricostruire, per trarne il massimo profitto possibile.

Pur non avendo il minimo controllo su quella cosa, Aoi sperava che in qualche modo il giardino sopravvivesse. Che la bellezza che lui pazientemente innestava da anni lo potesse salvare.

Quando da bambino aveva letto la storia di Elzéard Bouffier – l'uomo che depositava le ghiande nella terra, che piantava e cresceva una foresta con una tale lentezza da non farsi scoprire da anima viva – si era innamorato dell'idea di una persona in carne e ossa che potesse, senza mezzi tecnici, mostrare al mondo come essere, se non grandi come lui, perlomeno «altrettanto efficaci di Dio in altri campi oltre alla distruzione».

L'universo gli era apparso d'un tratto popolato da milioni di nuove forme di vita.

C'era da avere fiducia per anni.

Doveva essere trascorsa la mezzanotte, e la sbronza stava passando. Dopo lunghi discorsi impacciati su dove Mio sarebbe potuta andare a dormire, visto che l'ultima corsa del treno era ormai persa, si diressero verso casa di Aoi.

Seduti nella veranda, il giardino davanti, mentre Aoi le spiegava la crescita vertiginosa dell'edera e la fioritura delle camelie, Mio si domandò come si accordassero in lui quelle due cose: la fine del mondo e qualcosa di tanto esorbitante come un giardino segreto. Cosa aveva a che fare la morte con la vita sfrenata dell'erba?

«Conoscevi i proprietari? Ci andavi d'accordo?»

Scartando l'ennesimo chupa-chups fragola e panna, Aoi disse di sí, che in estate preparavano sempre gli *udon* e glieli lasciavano coperti sulla veranda, cosí che li ritrovasse per cena.

Avevano perso i rispettivi coniugi dopo i sessant'anni, ed erano il risultato – come tanti – di nuove addizioni. Il fatto eccezionale era che fosse avvenuto in vecchiaia, quando nessuno ormai lo prevedeva. La solitudine a una certa età è una miseria, ma inevitabile: chi si aspettava che potesse nascere una nuova storia?

L'uomo, che gestiva una boutique da signora su Wakamiya-ōji, aveva invitato piú volte la vicina a casa sua. Si sorridevano spesso dalla veranda, talvolta si incontravano sul vialetto che immetteva agli ingressi delle rispettive villette. Lei però aveva sempre declinato.

Lui allora aveva preso a parlarle attraverso il giardino. Cosí dialogavano grazie alle viole, ai bombi che popolavano con il loro ronzio le rose intricate dell'arco d'ingresso.

«Ma quindi lei dove viveva? Non ho capito...»

«Qui, esattamente qui».

Aoi abitava nella villetta che un tempo era stata della donna, e che dava sullo stesso giardino su cui si affacciava la casa di lui. Dopo tre anni di corteggiamento, lei aveva raccolto le cose piú care e quel giardino l'aveva attraversato.

Quelle due case si tenevano per mano da sempre, anche se ormai nessuno piú lo ricordava. Forse, ammise Aoi, la sua istintiva cura per quel giardino era dovuta a questo.

Con il passare degli anni la donna era diventata cieca: la sera Aoi li vedeva che mettevano a mollo le gambe nell'erba, e lui le faceva annusare le viole, il roseto che aveva ricavato da un angolo dell'ingresso, i cespugli di rosmarino su cui i bambini strofinavano le dita ogni volta che passavano di lí.

Le piante erano aumentate cosí tanto che ormai si azzuffavano per farsi posto. Pareva un'arca dove un Noè frettoloso avesse infilato quante piú specie possibili per metterle in salvo.

Quando Aoi aveva preso in affitto la casa, entrambi avevano superato gli ottant'anni e di una doppia abitazione non sapevano che farsene. Gliel'avevano ceduta volentieri a patto, però, che accettasse di non mettere barriere, reti o cancelli tra sé e il giardino, che non dividesse quelle due villette unite da sempre.

Aoi aveva amato la casa fin dal primo momento. Gli ricordava i discorsi appassionati del padre sulla botanica, la calma che infondevano all'uomo le piante, le metafore mai immediate che imbastiva tra la morte umana e la vita vegetale, e che aveva ereditato da lui.

Aveva firmato il contratto convinto che si trattasse della seconda scelta migliore della sua vita.

Di cosa pensava Aoi quando pensava che la bellezza salva la vita

Kyōto si salvò perché bella. Hiroshima lo era meno, e venne sacrificata.

Un uomo pianse descrivendo lo splendore di Kyōto, pregò venisse risparmiata: «Sapeste che meraviglia i templi invasi dalla luce dell'alba, le campane a sera che segnano l'ora. Il padiglione d'oro, quello d'argento e le foreste di bambú che cantano grazie al passaggio del vento».

Quando la bomba atomica fu sganciata, non fu sui templi di Kyōto. Perché Kyōto era bella.

Calmati, Mio! Calmati!

Il batticuore era fortissimo. La notte era andata cosí avanti che non c'era da stupirsi se da un momento all'altro fosse piombata tra loro la mattina. Ma era ancora buio e dopo aver parlato per ore, d'un tratto, adesso tacevano. Come avessero esaurito le cose da dire, il silenzio pareva a entrambi in qualche modo definitivo.

Aoi si alzò per andare in bagno. Tornando nell'ampia stanza da letto che dava sulla veranda, si fermò sulla porta.

Mio faticava a sostenere l'emozione. Avrebbe voluto parlare, ma non le andava di guastare con frasi di circostanza l'eccezionalità di ciò che provava. Innamorarsi, pensò, significava forse questo eccesso di materia, questo *troppo* nello spazio limitato del cuore.

Calmati, Mio!

Era un imperativo e insieme una preghiera. In gola sentiva ancora il rimbombo della festa lontana.

Respira!

Era un grande imboccarsi d'aria, come a cucchiaiate si trangugia una torta. E poi subito andare in apnea, perché qualsiasi rumore avrebbe potuto coprire le parole di Aoi.

Stare nel bel mezzo di un tifone, pensò, doveva essere piú o meno lo stesso.

Aoi le si avvicinò alle spalle. Lo fece perché lei, che aveva paura dell'abbandono, non si mettesse sulla difensiva e non lo lasciasse passare. Non avrebbe saputo dire come, ma aveva intuito quella resistenza.

Appena raggiunse i suoi fianchi e la tirò a sé scavando nell'oscurità, Mio avvertí nei polpastrelli di Aoi un inizio.

Fu come un flutto che partiva dalla caviglia, fulmineo si lanciava lungo le gambe e travolgeva e abbatteva ogni cosa. Le s'infranse sul petto, le bruciò la faccia. Mio sentí la pelle tirare, come un abito fattosi improvvisamente troppo stretto, che non bastava a coprirla.

Allora si voltò a guardarlo.

Le mani di Aoi scivolarono in basso, Mio si accorse di quel frugare tra le pieghe e si voltò ancora, di schiena, questa volta per farsi spogliare.

«Posso?»

Avvertí in lui un'esitazione. Come se stesse morendo dal desiderio ma ci fosse qualcuno che, nella corsa, lo trattenesse per la maglia perché rallentasse.

«Scusa», sussurrò ancora.

E lei di nuovo non disse nulla, rimase ferma, in attesa.

«Ti piace?» domandò Aoi.

Mio allora annuí. Il buio ingoiò la certezza. Ma Mio già ardeva e, come un serpente che coglie negli occhi il calore dei corpi, lui lo sapeva. Da lí in poi, Aoi non avrebbe chiesto piú niente.

Le sue mani si fecero strada sui fianchi, tra le mutandine. Le dita affondarono nell'eccitazione di Mio, lei rivolta alla natura silenziosa delle piante, di quel giardino che come lei tratteneva la voce.

Rimasero lí, assorti in quel movimento, per un numero di minuti che nessuno di loro, il giorno seguente e negli anni a venire, sarebbe stato in grado di dire. Il tempo era fermo, pareva aspettarli.

In quell'inizio di mattina Mio e Aoi fecero l'amore piú volte. Non appena finivano, riprendevano tutto da capo: come stessero imparando una lezione. Ogni volta fu diverso, e in un modo che all'altro apparve curioso, anche strano, ma mai spiacevole. S'imbarazzarono molto ma non risero mai, quasi stessero sbrigando tra loro una faccenda importante.

Si amarono nel modo cauto e insaziabile delle prime volte. Non ebbero neppure una volta il coraggio di chiamarsi per nome.

Uscendo da sola da casa di Aoi, Mio si sentí incinta di lui.

Avrebbe partorito una sirena di lí a poco, forse già camminando verso la scalinata del tempio che attraversò mentre le campane suonavano le sei della mattina. No, non era una sirena, il mare cosa c'entrava. Sarebbe stata piuttosto una Viverna, il mostro mezzo donna e mezzo serpente alato che teneva un rubino incastonato nella carne, sulla linea precisa che spacca in due parti la fronte.

Ricordò l'immagine stampata in un grande libro di mostri e di fate, uno *stupido uomo* che la trovava assopita e le rubava la pietra dai riflessi di sangue, e lei, la Viverna, di colpo perdeva il colore.

Inconsapevolmente, Mio si passò piú volte le mani sul ventre.

In treno, di corsa verso il lavoro, trovò un sedile libero. Era esausta, ma quella trance in cui alla fine era caduta l'aveva risucchiata talmente da affidarle, con una sola ora di concentratissimo sonno, il riposo di una notte intera. Sapeva che in un punto non meglio definito del giorno (l'ora di pranzo? il pomeriggio?) sarebbe crollata, ma adesso era ancora troppo eccitata per ritenerlo un problema.

Si svegliò che alla sua stazione mancava ancora tanto. Per impegnare il tempo trascrisse sull'agenda le attività di agosto e impostò la scaletta di un seminario sui colori dell'Italia del Rinascimento. Immerse le dita nel giallo veneziano, nello zaffiro di Raffaello. Sul taccuino annotò distrattamente il colore di un paio di passeggeri.

Il pensiero però faceva sempre un giro piú o meno largo, e poi tornava ad Aoi. Dormiva ancora? Alle tre si sarebbe tenuto il funerale di quell'uomo di cui le aveva parlato: come avrebbero reagito i figli all'ultimo saluto di quel loro padre cosí diverso?

Guardando fuori dal finestrino, ragionò a lungo sul modo di tirare Aoi verso di sé e farlo restare.

Appena superata la stazione di Kawasaki, di botto e senza nessuna ragione particolare, Mio ebbe paura.

Se ne andrà l'amore, si minacciò; no, anzi, l'amore ci sarà ma sarà normale: nulla di piú offensivo dopo la meraviglia di quella notte.

Scese a Tōkyō-eki in preda allo smarrimento. Agitava il cellulare come si scuote una confezione di mentine per capire se dentro è rimasto qualcosa: nessun messaggio.

La visione si fece alterata, il colore pareva colare giú dalle cose come se il verde degli alberi si staccasse da ogni singola foglia e il tronco restasse una sagoma bianca; cosí i palazzi, le strade, la gente che si disfaceva in ombre lattiginose su uno sfondo indistinto.

Calmati, Mio!

Non ebbe nemmeno il tempo di passare a casa a cambiarsi. Scese dalla Yamanote a Shinagawa e lí, in una profumeria della stazione, acquistò un fondotinta, un deodorante e un mascara. Si sciacquò furtiva nei bagni e indossò un abito di lino preso da una delle tante bancarelle nella zona antistante all'uscita est.

Rimestando nella borsa, vide che Aoi le aveva scritto: si era svegliato quando lei era già uscita, si scusava, e sperava che in treno avesse trovato posto a sedere.

Mio riprese la Yamanote con piú calma, giunse in tempo al lavoro. Appena arrivata dovette affrontare varie incombenze: un cliente che voleva un rosso che rosso non era, una confezione danneggiata di pennelli da restituire e un riordino di pinze da inserire nel database; poi ci furono una donna color del carbone con un bambino che pianse fino a farla star male e una coppia di liceali che, piantata davanti al muro dei pigmenti, con gli occhi faceva l'amore. Alle due del pomeriggio si sentí finalmente stravolta, come le fosse stata restituita tutta insieme la notte passata.

Cercando di dilatare il piú possibile il momento della risposta ad Aoi, la sera gli scrisse che in treno aveva trovato posto, che aveva fatto in tempo, che il giorno seguente avrebbe incontrato le due bambine di cui gli aveva accennato. E lui? Il funerale com'era stato?

Quella sera, preparando la zuppa di *miso*, le minuscole vongole, il *dashi* e il riso, Mio spense anche la radio, non accese neppure la tv.

Sapeva che per ogni persona che entrava nella vita di un'altra si creavano nella testa nuove sinapsi, e piú era grande il sentimento che restava impiastricciato a quei raccordi, piú a lungo sarebbe rimasto nella memoria.

Mio immaginò il proprio cervello scoperchiato, alla maniera dei cartoni animati. E quei capillari nervosi che custodivano il ricordo degli occhi grandi e tranquilli di Aoi, l'oliva bruna della sua pelle, le picchiettature di miele e caramello, la mascella in tensione e la gioia profonda che lo sollevava quando osservava il proprio giardino spiegandole i giacinti, il cerchio spezzato delle ore sotto le mani mentre lavorava dolcemente i volti dei morti. Ecco, Mio era convinta che in tutto quel garbuglio di fili che era la sua memoria, quelli che significavano Aoi, quelli soltanto, avrebbero diffuso una luce straordinaria.

Li si sarebbe potuti riconoscere immediatamente, come autostrade illuminate ricavate sul fondo di un canyon, di notte.

Titolo del libro illustrato in cui Mio trovò la descrizione della Viverna

Guillaume Duprat, *Dans la peau des monstres*, Saltimbanque Éditions, Paris 2019.

Mio lottò per giorni contro l'espansione.

Il pensiero di Aoi le mangiava le ore. Tutto pareva aver perso di urgenza.

Non sarebbero riusciti a vedersi fino alla settimana successiva, ma già sognava (no, pretendeva!) passeggiate, cinema, pranzi a base di *soup-curry* nel suo ristorante preferito di Ginza, cantare al *karaoke* alzando troppo la voce, sorbire leziosamente un tè in una saletta di Kōenji. Voleva tutto, e con una rapidità assoluta.

Questa fiducia, si domandò ossessivamente in quei giorni, questa fiducia da dove viene?

Ripensò alle lunghe confessioni che quella notte aveva fatto ad Aoi sulla sua famiglia, sugli svenimenti che qualche volta le capitavano ancora, il precipitare nel bianco, le crisi nervose della madre e quella rabbia e quell'amore che le venivano rovesciati addosso, mentre la piccola Mio continuava come se nulla fosse a lucidare i pettinini o aiutava a riporre gli *obi* dell'atelier. E poi la grande casa scricchiolante in cui era cresciuta, il tempo trascorso sotto la gronda a guardare il padre, il giardino dove riposavano mestoli e bacinelle, lei che scappava a nascondersi nell'armadio. Il suo costante avvicinarsi alla vita nascosta di quei colori di cui le pareva di non sapere mai abbastanza. A nessuno aveva mai detto della nudità della sposa tatuata e sfregiata, del disgusto sempre mischiato alla curiosità per i corpi delle persone, dell'ossessione sviluppata per il colore di ognuna di loro. Mentre Mio parlava, Aoi era rimasto in silenzio. Appoggiato al bordo del letto, avvolto dal profumo di menta e rosmarino che saliva dal giardino, si limitava a guardarla nel buio, aspettando con pazienza di amarla.

Ora, cucinando, camminando per casa, ordinando per tre volte di fila gli abiti, Mio si domandò con sorpresa perché mai in amore, persino in un amore giovanissimo come quello, ci si svelasse cosí tanto. E non era nemmeno una questione di fiducia, bensí di insensato stupore nel sentirsi parlare di cose talmente private che a chiunque le avesse origliate sarebbero parse incoscienti. Rivelare cosí tanto di sé era pericoloso: non per la paura che i suoi ricordi venissero dispersi nel mondo, ma per lo smisurato potere emotivo che ognuno di noi consegna agli altri, quando racconta la *propria* storia con le *proprie* parole.

Come le era capitato di pensare giorni prima di Aoi, che le diceva cose intime con una leggerezza inaudita, ecco che adesso si ritrovava nella sua stessa posizione, aggravata dal fatto che lei quella leggerezza naturale non la possedeva. Nel suo caso ad accelerare la fiducia erano i corpi, quasi la nudità fosse una forma di svelamento definitiva.

Solo della morte non aveva detto nulla. Aspettava, perché si trattava di confessare qualcosa che lei stessa temeva. E che rischiava di compromettere l'equilibrio che si era creato con lui, lui che l'aveva messa nel bel mezzo della propria esistenza.

L'unico momento di tregua in cui Mio riuscí a tenere a bada il pensiero di Aoi fu durante la lezione con Alma e Rui.

Arrivarono con un po' di ritardo, trafelate, per via del guasto di un semaforo sulla linea Chūō, in direzione di Chiba. Avevano corso dalla stazione per raggiungere Pigment e Alma, scivolando sull'asfalto, si era sbucciata le ginocchia.

Mio si affrettò a disinfettarla e bendarla con una garza che avevano in negozio per le emergenze e, rassicurando la madre sul fatto che avrebbero comunque avuto a disposizione le loro due ore, salutò Sara che si dileguò svelta verso le proprie faccende.

«Domani è Tanabata», disse mentre si accomodavano intorno al tavolo. Nonostante di lí al weekend le previsioni dessero pioggia costante, Mio pensò che inaugurare la lezione con un desiderio fosse l'auspicio migliore.

«Rui-chan, Alma, oggi cosa vogliamo colorare? – chiese alle bambine mentre preparava gli album e le matite. Le piccole, si fecero pensierose. Il loro sguardo si alzò verso l'alto e Mio, che da sempre si domandava cosa inseguano gli occhi delle persone quando frugano nella propria mente, continuò: – I vostri abiti sono verde lucherino e viola giaggiolo. Ditemi un po', di che colore vi sentite?»

«Io mi sento rossa come un pomodoro!» esclamò Alma.

«Il mio cuore invece è verde», aggiunse Rui.

Mio guardò Rui. Le vide spalmata addosso una sensazione di ferma distanza, e insieme il disperato bisogno di eliminarla.

«Ma il cuore non è rosso? – chiese Alma. – E l'amore?»

«Non necessariamente. E poi non c'è una sola specie di amore», replicò Mio.

«Tipo?»

«Be', c'è quello per i genitori, per gli amici, per i compagni di scuola, per le sorelle».

«Per gli animali!»

«Certo, anche per gli animali».

«E l'amore per la mamma, di che colore è?» chiese Rui lenta. Ogni parola in lei usciva con calma, come se anche con le parole servisse porre tra loro un po' di distanza.

«Sí, *sensei*, secondo lei di che colore è?» ripeté Alma.

Le bambine parevano eccitate al pensiero di dare un colore a qualcosa che non si vedeva.

«Mh… Io vi posso parlare dell'amore per la mia mamma, – disse Mio. – Vi va bene comunque?»

Le bambine annuirono forte.

«Per me era diverso a seconda del momento. La amavo

di un nuovo colore ogni volta. Quando mi parlava, prendeva il tono della luce di quel giorno, se c'era il sole o se era nuvoloso, se c'era il vento o pioveva. Poi ricordo che era piú squillante quando cucivamo insieme, e piú cupo e misterioso quando s'innervosiva. Sapete, credo che si possa amare di tantissimi colori, cosí come si possa sognare di tutti i colori del mondo. Ma scommetto che questo voi già lo sapete…»

«Allora mamma è un arcobaleno!» esclamò Alma.

«La mia mamma di prima era sempre arrabbiata», mormorò Rui.

«E di che colore ti sentivi?» domandò la sorella.

«Io con lei non mi sentivo di nessun colore, o forse ero di un colore ma non era bello. Ero sempre del colore sbagliato».

«E ora? Con la mamma di adesso?» fece Mio, introducendosi solo per continuare a farle parlare.

«Ora mi piace il rosa… e il giallo», disse Rui.

«Quando mamma si arrabbia però urla un sacco!» protestò Alma.

«Però non fa paura per niente».

«A me fa paura, invece!»

«Ma poi ti abbraccia», replicò Rui piano, convinta.

Le bambine stettero in silenzio un istante. Poi si sorrisero, come fosse accaduta una cosa bella e imbarazzante.

«Coloriamo, vi va? – Mio spinse con la punta delle dita la scatola delle matite verso Rui. – Alma, tu prendi gli album, iniziamo!»

Quando la scatola toccò la mano di Rui, si sorrisero ancora.

Fecero due grandi disegni: un *tanzaku* a testa da attaccare al bambú nel giardino di casa per la festa in arrivo e un altro di colori diversi, in cui ognuna sceglieva una tinta che esprimesse un certo sentimento e poi a voce spiegava, ad esempio, perché la noia fosse verde acqua e la tristezza grigia.

Mentre sul tavolo aumentava il numero di matite, tra loro si estendevano anche i discorsi, e la conversazione si protendeva verso argomenti piú delicati. Rui si rilassava, accennava alla scuola, ai *dango-mushi* che adorava appallottolare nel palmo, ai libri sui dinosauri. Alma invece era una creatura esuberante come Sara: aveva addosso la stessa fretta e la straripante passione che Mio aveva intuito in quella donna la prima volta in cui le aveva parlato.

Fece osservare alle bambine una serie di immagini e spiegò la sottrazione del colore nel confronto simultaneo di tavole, gli sfondi invertiti. Si sforzò di far loro intuire la discrepanza esistente tra i colori reali e la percezione visiva, la loro relatività assoluta. Ecco, a quello Mio proprio teneva: che comprendessero che ciò che si vedeva non era necessariamente la parte piú vera.

Quando arrivò Sara, le bambine corsero ad abbracciarla. La madre mostrò un sacchetto di *macaron* e fu felice di guardare i disegni delle figlie.

Mentre le salutava, Mio notò nell'aria un giallo molle, di quella varietà che cambia nell'arancio e nel rosso mano a mano che matura una pesca e lentamente, molto lentamente, si prepara a staccarsi dal ramo. Liscia la polpa, ruvida il giusto la buccia. E *poc*, si abbandona.

Il numero di volte che Mio pensò ad Aoi durante l'ora che seguí alla lezione

Ventisei.

Se in quei giorni un'amica l'avesse invitata a uscire o una collega l'avesse pregata di occuparsi di un nuovo cliente, Mio avrebbe risposto perentoria che non poteva, che era dannatamente occupata.

In effetti non smetteva un momento di pensare.

Tornava a casa dal lavoro, si metteva alla scrivania e accavallava le gambe, poi per le ore successive sfogliava i dizionari dei colori, prendendo rapidi appunti sui suoi quaderni.

In certi momenti le pareva di essere drogata di una sostanza insidiosa, di essere diventata dipendente da qualcosa che si era illusa di poter controllare. Ed ecco che, a forza di abusare di quella gioia sfrenata, l'amore aveva iniziato a bruciarle la testa e la stava trasformando in un'altra persona.

Si riconosceva a distanza di anni in suo padre, nella bottiglia di *sakè* che acquistava d'impulso ma che poi pregava sua moglie di chiudere nella credenza, in quell'unica scansia che aveva la serratura. Chiunque l'avesse aperta si sarebbe domandato, non senza un certo stupore, cosa mai accomunasse un oggetto a quello subito accanto. Vi erano custodite le cose piú preziose e insieme pericolose di casa: gioielli, documenti, alcolici, acidi e altri oggetti che a lei, bambina, era vietato toccare.

Ecco, lei era esattamente come il *sakè* di cui suo padre conosceva ogni goccia, e di cui sua madre segnava con un pennarello il livello sulla bottiglia, mentre di comune accordo dosavano insieme il grado di perdizione che lui ogni sera si concedeva.

A Mio nessuno aveva mai parlato del periodo precedente a quando era nata, dei giorni in cui suo padre beveva, si ubriacava, cadeva, si dimenticava se stesso. E tutto perché, secondo lui, la moglie non lo amava. Eppure era una narrazione muta che si era depositata in casa, e faceva intuire il *prima* di ogni storia.

Fu il giorno in cui Mio era diventata ufficialmente grande, in cui la prima mestruazione era stata celebrata in casa come una festa (si mangiò riso *sekihan*, venne consegnato alla bambina un gioiello di famiglia), fu allora che il padre l'aveva invitata a sedersi insieme al grande tavolo della cucina.

A distanza di anni, Mio continuava ad associare quel momento al dolore che le cresceva sotto la pancia. L'emozione di essere accolta in una fase nuova della vita si mescolava alla sorpresa con cui ascoltava le parole del genitore, di solito taciturno. Pareva aver atteso da anni quel giorno per dirle tutto.

Con parole confuse le aveva spiegato che l'ossessione era una tendenza ereditaria, e che da quel momento in avanti avrebbe dovuto farci attenzione anche lei, perché piú si cresceva, piú anche i pericoli diventavano grandi. Soprattutto, e in quel mentre aveva abbassato la voce, si era raccomandato che Mio nella vita diversificasse passioni e affetti: concentrarsi su una sola cosa, e affidare tutta la gioia solo a quella, era un rischio enorme.

«Meglio un po' di tutto, come quando si mangia».

Mio aveva aggrottato le sopracciglia.

«Lo so che adesso ti sembra difficile quello che dico, ma tu metti questo discorso da qualche parte nella testa e vedrai che salterà fuori quando ti servirà, come un cacciavite».

Lei aveva annuito perplessa, e intanto allungava di nascosto un dito verso la mutandina. Moriva dalla curiosità di sapere di che colore fosse quel sangue che, dicevano tutti, l'avrebbe resa subito adulta.

«Ci sono due emozioni cui dovrai sempre fare attenzione, Mio. A quando sarai molto triste, e questo probabilmente è piú facile da capire, ma soprattutto a quando sarai molto felice».

«Perché? Che c'è di pericoloso nell'essere felice?»

«Ci si sopravvaluta nella felicità, ci si sente piú forti. Ma la forza ha dentro un mucchio di debolezza che la gente di solito ignora. Ti senti fortissimo quando sei felice, pensi che potrai affrontare ogni conseguenza».

«Non è cosí?»

«No, non è cosí».

Poi l'uomo aveva portato una mano alla tasca, lí dove custodiva il portafogli. Con quelle dita macchiate di tintura che tanto orrore avevano fatto a Mio quand'era bambina aveva esplorato gli stretti scomparti, traendone fuori un foglietto di carta. Lo aveva spiegato sul palmo, mostrandolo alla figlia.

C'era scritto: *Solo perché hai l'antidoto, non diventare dipendente dal veleno.*

«Il giorno in cui sei nata l'ho visto scritto fuori da un tempio, affisso nella bacheca. L'ho ricopiato qui sopra, e da allora è sempre con me».

Mio aveva annuito, senza capire in fondo perché suo padre le stesse facendo quel discorso.

«Ricorda, – aveva concluso dandole un buffetto sulla testa, – l'ossessione è ereditaria. Cerca di tenerla a bada».

Dei quattro perché, *secondo il padre di Mio, sua moglie*
non lo amava

Perché lei lo tradiva.
Perché lui lo sapeva.
Perché anche lei sapeva che lui lo sapeva.
Perché, nonostante tutto, lei non la smetteva.

Seconda parte

納戸色 *Blu ripostiglio*

Ogni scoperta, anche minore, comporta una ridefinizione di tutto quello che fino a ieri avevamo comodamente accettato come l'unica possibile misura del reale.

LEO LIONNI, *La botanica parallela*

Poi per un istante il gioco si illuminerà (e crederemo di aver scoperto tutto, mentre non avremo ancora capito niente).

GEORGES PEREC, PIERRE LUSSON, JACQUES ROUBAUD,
Breve trattato sulla sottile arte del go

Uno

«Non appena si sa, non si è piú in armonia con niente».
Emil Cioran, scrivendo cosí, pensava alla conoscenza
che rivela all'uomo la vacuità del mondo, i pericoli tutti
filosofici della saggezza. Se qualcuno avesse recitato questa frase a Yōsuke Yoshida, di certo lui avrebbe pensato
a sua moglie. E ogni volta che lo faceva, soffriva.

Non avrebbe saputo concretamente spiegare cosa si
augurasse dalla vita, ma su una cosa era sempre stato
convinto: la scelta della compagna. Se il loro primo incontro era stato casuale, il secondo aveva in sé il germe
del desiderio e dell'ostinazione. In una parola: destino. E
Yōsuke Yoshida, nonostante la concretezza della propria
esistenza, credeva profondamente nei segni.

Era cresciuto prestando attenzione al semaforo che
diventava verde quando lui pestava il bordo del marciapiede, al fulmine che cadeva nell'istante in cui lui pronunciava una certa parola, al colore di una vettura che
arrivava mentre era al lavoro in officina. Credeva che il
mondo fosse una fitta distesa di simboli che restavano
lí, immobili e quieti, in attesa di qualcuno capace di in-
terpretarli. Non servivano chissà quali ricerche, ciò che
contava per lui era formulare le giuste domande, e stare
a vedere.

Il secondo incontro con Kaneko, quello davanti alla pasticceria Akebono a Ginza, fu per Yōsuke Yoshida
una delle massime dimostrazioni delle sue teorie: il caso
non solo esisteva, ma si ripresentava periodicamente in

attesa che l'oggetto della sua attenzione – lui stesso, in quella circostanza – se ne accorgesse.

Sarebbe stato solo con il passare degli anni, che gli si sarebbe svelato il lato tragico della faccenda.

Un sabato sera, nel cinema in cui andava a svagarsi una volta a settimana, proiettavano *Dolls*. Il titolo del film non gli diceva nulla, e della locandina non si curò. In generale, cosa vedeva era secondario. Cercava giusto di evitare le commedie romantiche e i film americani che, oltre a parergli tutti uguali, sentiva troppo lontani: c'era gente che urlava o piangeva per strada, che si baciava e ballava, colpi di scena spettacolari – tutte cose che glieli facevano indistintamente sembrare assurdi. Yōsuke Yoshida voleva riconoscersi nelle storie, pur sapendo che non vi avrebbe fatto mai parte.

Aveva già visto altro di Takeshi Kitano: i suoi film avevano sempre al centro un mondo distante dal suo, eppure plausibile. Cosí, rassicurato dal nome del regista, pagò il biglietto ed entrò.

Fin dalla prima scena, invece, le bambole *bunraku* che si muovevano misteriose sullo schermo di stoffa lo turbarono molto. E quando vide la corda rossa che il protagonista si trascinava dietro, un giovane uomo reso apatico dal senso di colpa e dall'idea di dover scontare con la propria vita il tentato suicidio della compagna, si paralizzò. Continuava ad attendere con il batticuore lo sviluppo della storia dei due amanti: ogni volta che comparivano sullo schermo si teneva forte sui braccioli della poltroncina quasi potesse crollare; pianse come un bambino esausto dal gioco, asciugandosi il volto prima col polso, poi con l'avambraccio e infine con i due palmi, tanta era la vergogna e la commozione di sentirsi infine capito.

Vedere *Dolls* di Takeshi Kitano fu un trauma di dimensioni tali che Yōsuke Yoshida ne comprese l'effettiva entità solo negli anni, e poco alla volta. Gli si spiegava infine l'inevitabilità della loro unione, sua e di Kaneko: la leggenda del filo rosso del destino voleva che si nascesse con il mignolo già fermamente legato a quello di chi ci era predestinato, e lui si sentiva esattamente a quella maniera, allacciato a lei per l'eternità.

Tornò a casa con gli occhi segnati dal pianto, era tardi, la casa affondava nel buio. Nessuno si accorse di lui. Yōsuke andò subito a letto e, stendendosi, allungò timidamente le dita verso Kaneko. Non ricevette risposta, dunque posò il palmo accanto al volto di lei, un attimo prima di cadere in un sonno profondo e tranquillo.

La mattina successiva si alzò di buon'ora, fece colazione, iniziò le attività della giornata. Di quanto successo la notte prima non fece parola. Apparentemente fu come se non fosse accaduto nulla. Nella realtà, la consapevolezza rimase: Yōsuke Yoshida ormai sapeva che, per quante delusioni e affronti potesse subire dalla moglie, lui sarebbe rimasto innamorato di lei.

Il filo rosso del destino davvero esisteva, e annodava saldamente Kaneko a Yōsuke e Yōsuke a Kaneko.

Eppure all'inizio le cose erano andate diversamente. Quando il fidanzamento dei due ragazzi era stato ufficializzato, per la giovane coppia fu il momento di domandarsi come spendere la piccola cifra che avevano a disposizione. Kaneko e Yōsuke avrebbero potuto allestire un banchetto dopo il rito matrimoniale, oppure organizzare un viaggio di nozze. Realizzare entrambi era fuori discussione.

La sola esistenza dell'atelier, con tutti i suoi collaboratori, clienti, fornitori e amici, rendeva ovvia la scelta: bisognava invitarli al matrimonio e poi al rinfresco. La madre di Kaneko, ferma nell'intenzione di non offendere nessuno, stilò una lista di invitati che superava le ottanta persone. Pur ricevendo da ciascuno di loro una quota di partecipazione, sarebbe comunque stato complicato anticipare la cifra necessaria. Il banchetto divenne la sua ossessione:

mentre sbrigava le faccende di casa o ricamava, mentre si occupava degli ordini e delle stoffe, la si sentiva mormorare un'unica parola: «Impossibile!» Non si poteva dire con chiarezza a cosa si riferisse, ma quell'«Impossibile!» risuonava di volta in volta affranto, convinto, neutrale oppure allegro. «Impossibile!» sussurrava tra sé e sé la donna osservando l'elenco mostruoso di invitati. Un po' alla volta, controvoglia, si vide costretta a cancellare dei nomi. Era combattuta tra il rammarico di non avere i mezzi necessari a realizzare una cerimonia di nozze in grande stile e, d'altro canto, l'intima soddisfazione di sentirsi al centro di una fitta ragnatela di rapporti che per la prima volta le si srotolavano davanti, nella forma di una lunghissima lista. Ormai lo si poteva dire senza il timore di suonare arroganti: l'atelier Yoshida era uno dei piú noti e apprezzati dell'intera città.

La madre di Kaneko ricordava ancora la povertà, i sacrifici, la paura. Durante i bombardamenti su Tōkyō aveva visto andare in fumo il proprio passato e, insieme, buona parte del proprio futuro. Essere riuscita a portare l'atelier a quei livelli dopo anni di lavoro la riempiva di un orgoglio tale che neppure si metteva a spiegarlo a Kaneko: almeno a parole voleva risparmiare alla figlia l'eredità di quella fatica. E comunque, pensava, nessun racconto sarebbe stato in grado di farle capire l'ampiezza del trionfo.

Il rischio di perdere anche solo una briciola di quel successo la rendeva nervosa: iniziava a pulsarle la palpebra sinistra, le mani erano preda di un lieve tremore. Questo perché, ogni volta che la madre di Kaneko spuntava un nome dalla lista, le si materializzava davanti il volto corrucciato di un fornitore, un tintore, un tessitore, un venditore di aghi, e si figurava le piccole o grandi ritorsioni che quello avrebbe messo in atto per non esser stato invitato alle nozze.

L'ultima sera d'estate, dopo la solita cena frugale, i futuri sposi e i genitori di Kaneko ripassarono con attenzione l'elenco che, nonostante tutto, non era stato neppure dimezzato. I nomi venivano declamati uno alla volta, accompagnati dall'ininterrotto e puntuale commento della madre di lei, che continuando ad asciugarsi la fronte replicava animata ai tentativi della figlia di spuntarne anche uno soltanto.

Yōsuke sapeva che il grosso della cifra l'avrebbero sborsato i genitori di Kaneko e che la sua vita in quella casa, a partire dall'apprendistato, iniziava con un debito enorme. Per questo, pur volendo, credette opportuno non mettere bocca. Il suocero, come al solito, restò defilato, con le gambe distese sul *tatami* e il ventre un poco sporgente; alternava uno sguardo distratto sulla scena che si svolgeva dentro la casa a uno su quella che animava il cortile, dove pezze di colore stavano al vento ad asciugare.

La discussione, a cui partecipavano esclusivamente Kaneko e la madre, le impegnò almeno due ore. Mentre il padre continuava impassibile ad agitare l'*uchiwa* per farsi vento, Yōsuke soffriva. Avrebbe voluto poter garantire lui stesso una via d'uscita, ma non aveva la minima idea di come tirare fuori quella cifra. Forse, accennò alla fine di un round particolarmente acceso tra madre e figlia, avrebbe potuto offrirsi per un secondo lavoro notturno in officina e guadagnare qualcosa in aggiunta. Le donne si voltarono a guardarlo con un tale stupore che c'era da credere che si fossero accorte solo allora della sua presenza.

L'*uchiwa* del padre di Kaneko si fermò. «Se non c'è riposo non c'è concentrazione, – intervenne fulmineo. – Il nostro lavoro non ammette neppure un errore».

Mentre Yōsuke abbassava il capo umiliato, Kaneko e la madre chiusero quella parentesi tutta maschile, e in fondo irrilevante, accennando a frasi vaghe sulla necessità di dormire la notte e sul fatto che non c'era da preoccuparsi, una soluzione si sarebbe trovata comunque.

Dopo tanto parlare, finalmente arrivarono a una decisione: concordarono che fosse meglio apparire eccentrici rinunciando al banchetto, e invece partire. L'idea era quella di godersi un piccolo viaggio tutti e quattro insieme. Sarebbero andati a Kyōto a incontrare dei parenti stretti del padre; poi, complice la rete di relazioni che tanto rendeva fiera la madre, sarebbero saliti verso Yamanashi e a Gunma, dove si estendevano a perdita d'occhio le piantagioni di indaco degli Ono, i loro fornitori di fiducia.

Nessuno chiese a Yōsuke se avesse preferenze, dando per scontato che non ne avesse. Lo avevano completamente assorbito nella loro famiglia, a partire dal nome, e lui ne era stato felice. Del resto, la prima volta che aveva incontrato i genitori della futura moglie si era limitato a dire che era orfano e che nella sua vita non aveva mai avuto il tempo di stringere amicizie: il lavoro era l'unico anello che lo legasse alla terra.

Alla cena privata che si sarebbe svolta in casa per festeggiare le nozze, Yōsuke chiese di invitare solo il proprietario dell'officina in cui aveva lavorato per anni e che – nel suo modo naturalmente scostante – gli aveva fatto da padre. In fin dei conti, nonostante il nervosismo di Yōsuke nel confessarlo, la cosa rese tutto piú snello e Kaneko fu lieta di non avere una nuova famiglia con cui confrontarsi.

Tutto iniziava con le premesse migliori.

Subito dopo il matrimonio – una celebrazione frugale in Comune, seduti su delle seggiole dure – Yōsuke Imai diventato Yoshida si sentiva il cuore scoppiare di gioia.

La prima notte di nozze cercò finalmente sua moglie.

Tra loro fino a quel momento non c'erano stati che baci, e anzi Kaneko aveva subito notato che Yōsuke, rispetto a quando si erano conosciuti da ragazzi, con l'età adulta era diventato piú trattenuto. Tuttavia, la proposta di matrimonio era arrivata con una rapidità tale che nessuno dei due si ritenne cosí impaziente da non poter aspettare.

Quella notte, per delicatezza, i genitori di Kaneko erano andati a dormire presto. Prima, però, avevano lasciato davanti alla stanza degli sposi un vassoio pieno di prelibatezze, «Perché in notti cosí, – aveva sorriso la madre alla figlia, – può anche capitare che venga fame».

Piú avanti negli anni, Kaneko, ultima della sua linea a porsi il problema, si sarebbe domandata a lungo se la madre avesse avuto una vita sessuale soddisfacente, e se dai rapporti con il marito avesse mai ricavato qualche piacere. Se quei sorrisini ammiccanti che si donavano alle giovani spose prima di lasciarle entrare nella stanza matrimoniale fossero insomma un incoraggiamento – la fiducia che alle figlie andasse meglio che a loro – o una semplice bugia che si sperava, se non altro, di buon auspicio.

Quando lui la toccò, però, lei non sentí nulla.

Yōsuke se ne rese conto, tanto che sfiorò in piú punti il corpo della moglie ogni volta con una diversa pressione, ma qualunque gesto pareva il *click* di un interruttore per accendere una lampadina che nessuno si era premurato di avvitare.

Alla fine dell'operazione, che fu assai laboriosa, quando lui si alzò per andare in bagno a lavarsi, Kaneko rimase immobile a osservare il soffitto. Lacrime lente le rigavano il viso, scivolando con calma lungo le guance. Non aveva provato dolore, ma la sua delusione era difficile persino da formulare.

Furono sufficienti due notti con Yōsuke perché la ragazzina esuberante che Kaneko era sempre stata cambiasse radicalmente. Le persone credettero fosse per via della maturità acquisita con le nozze, e Yōsuke stesso si chiese se la nuova serietà di Kaneko, la rigidità che ora la definiva, fosse dovuta al ruolo di moglie.

Lei e Yōsuke si incontravano in casa solo negli orari convenuti dei pasti, o quando si trattava di sbrigare faccende che richiedevano piú mani. Talvolta, durante la giornata, nascondendosi dietro una porta o accucciandosi nel cavo di un'ombra, Kaneko spiava il corpo del marito, teso nello sforzo di imparare il mestiere dal padre, la fatica di spostare le enormi bacinelle di colore, di mescolare le cupe misture. Lo trovava attraente. La notte però, a contatto con quel fisico muscoloso e asciutto, con quell'ansimare incomprensibile e osceno, le tornava addosso un disinteresse senza scampo che sembrava un insulto all'idea che si era fatta della passione.

Dopo una sola settimana, Kaneko iniziò a domandarsi quando sarebbe rimasta incinta. In fondo, pareva fosse l'unica maniera per riprendere possesso del proprio corpo. Aveva visto Ogawa-san, la donna del negozio di frutta e verdura, sfornare sei figli uno di seguito all'altro, tornare magra dopo il parto e ricominciare ogni volta da capo, finché la differenza sul corpo – tra i periodi in cui era incinta e quelli in cui non lo era – svaní. Ma soprattutto, se prima il marito le ronzava intorno, non appena le cresceva la pancia spariva.

Yōsuke, che in passato aveva avuto altre esperienze piuttosto soddisfacenti, si convinse che il sesso non fosse una cosa che si impara per sovrapposizione, ma che si reinventa tutta da capo con ogni persona. Forse era quello il nodo: lui non aveva fretta, lei invece sí.

Per la prima volta nella sua vita, Yōsuke non riusciva ad arrivare preparato all'incontro con una donna, che per di piú era sua moglie. Era eccitatissimo, eppure quando spegneva la luce e si avvicinava al corpo di Kaneko, ne avvertiva tutta l'assenza e falliva.

Giunse alla conclusione che fosse colpa dell'ampiezza del suo sentimento: doveva essere per quello che lei non lo trovava attraente. Pregò di riuscire ad amarla di meno. Se l'avesse amata di meno, si disse, forse sarebbe riuscito a fare meglio l'amore con lei. Nonostante l'intenzione, però, non ci riuscí.

Dopo un mese, quando Yōsuke entrava nel *futon* e le si accostava, Kaneko – che in fin dei conti non voleva avere un bambino – iniziò a fingersi addormentata oppure indisposta. Non serviva specificare. Lui si sentiva cosí umiliato che talvolta chiedeva persino scusa; l'esperienza del fallimento si faceva tanto consolidata che Yōsuke divenne presto incapace di cogliere il minimo spiraglio di disponibilità, anche quelle rarissime volte che, complice l'alcol o una certa, generosa, disposizione del corpo, Kaneko gli si sarebbe concessa.

Dopo qualche mese tornarono casti. E quando Kaneko fu certa che, pure mostrando benevolenza al marito, non avrebbe subíto altri assalti, riprese persino ad accordargli una carezza, un rapido bacio sulla guancia.

Due anni dopo, Kaneko capí che anche lei poteva amare. Che avrebbe potuto persino provare piacere, anzi: il suo corpo pareva nato per godere del corpo di un altro.

Fu certa che per farlo, però, servisse sbagliare. Serviva sbagliare innanzitutto moralmente, poi fisicamente. Prima ancora era essenziale sentirsi perduta, abbassando cosí ogni difesa al senso di colpa e alla paura di fare del male a chi, nonostante tutto, continuava ad amarla. In fondo, si disse che non era sua la colpa se con il marito non provava nulla, che aveva diritto a una sola vita e che non intendeva rinunciare alla pienezza di quell'unica esistenza perché, per un caso sfortunato, suo marito non la emozionava.

«A volte semplicemente non ci si trova», le aveva detto in confidenza una cliente che aveva accompagnato la figlia perché a sua volta scegliesse il *kimono* da sposa. Oltretutto, Kaneko sapeva dai racconti delle donne che frequentavano l'atelier che, anche quando in gioventú c'era stata un'immensa passione, con gli anni poi stingeva, come le pezze di stoffa che lasciava al sole e dopo un po' ritrovava sbiadite. Lo stesso valeva per il sesso, che era bello, persino importante, ma prima o poi scompariva: restava solo l'amore, che con il sesso non sempre aveva a che fare.

Una sera, in casa Yoshida arrivarono un vecchio amico del padre e suo figlio, un giovane uomo dell'età di Kaneko. Lavoravano entrambi nel grande mercato del pesce di Tōkyō, a Tsukiji.

Fu una cena gioviale. Tutti mangiarono e bevvero, finché non cadde la notte. Avevano finito entrambe le bottiglie di *sakè* portate in dono dagli ospiti, e si apprestavano a stappare le birre. Aleggiava un'aria molle, distesa, con quei rari scatti in avanti, quelle accelerazioni tipiche dell'ebbrezza.

L'unico che restava rigido e non aveva svuotato neppure il primo bicchiere era Yōsuke. Il figlio dell'ospite guardava sua moglie con una certa insistenza, e Kaneko, che indossava un abito nuovo e stretto alla vita, pareva esserne lusingata. Yōsuke se n'era accorto e sedeva impassibile e zitto, con la schiena diritta, come a dimostrare a un gruppo di ragazzini indisciplinati com'è che ci si comporta.

A un certo punto Kaneko cercò di alzarsi per andare in bagno, ma rovinò sul giovane uomo. Gli finí letteralmente tra le braccia, e tutti esclamarono un tondissimo «Oh» che rimbalzò per la stanza.

Alla vista della moglie cosí prossima a un altro, cosí a suo agio contenuta nel corpo di lui (gli parve, per un momento, che gli entrasse fisicamente nel petto), e sentendo scoppiare la risata di Kaneko – quella meraviglia che il matrimonio aveva spento e che gli mancava da matti – Yōsuke divampò di una collera senza scampo.

Scattò in piedi e abbandonò la stanza senza curarsi di nessuno, poi corse lungo il corridoio che attraversava la casa: gli pareva d'essere avvolto dal fuoco.

Mentre lasciava l'edificio si assestava violentissimi schiaffi in faccia, e quando l'emozione superava il contenitore del corpo, sbatteva la testa. Lo avrebbe fatto tutta la vita, cercare disperatamente di sovrapporre il dolore fisico a quello interiore: quando Mio avrebbe notato lividi e ferite sul corpo del padre, si sarebbe subito resa conto che aveva vissuto una delle sue crisi di rabbia. Per non rischiare di fare del male agli altri, rivolgeva i colpi verso di sé.

Quella notte Yōsuke uscí di casa che sua moglie ancora rideva, e la sua prodigiosa risata s'udiva dalla strada a mezzanotte inoltrata. Vagò a lungo per Tōkyō, da Kagurazaka percorse a piedi la distanza fino a Kudanshita: camminò per ore.

Tornò che la casa era immersa nel silenzio, gli ospiti coricati nelle proprie stanze. Kaneko era sdraiata nel *futon*, abbandonata a un sonno che pareva interiore, tanto era profondo.

Yōsuke le rimase accanto con un dolore sordo nel petto, le gambe che continuavano a pulsare come stessero proseguendo il cammino da ferme. Dormí solo un'ora. Quando giunse la mattina e la luce si diffuse come zucchero a velo nella stanza, Yōsuke notò con orrore che Kaneko sorrideva: sognava.

In quel momento fu certo che tra la moglie e l'ospite fosse successo qualcosa. Non vide nulla, tuttavia si convinse che Kaneko gli si fosse concessa.

Molto tempo dopo, ripercorrendo la propria vita, Kaneko avrebbe individuato in quel punto preciso l'inizio di tutto.

Fu proprio il sospetto del marito a innescare il tradimento. Perché, diversamente da quanto pensava Yōsuke, quella notte lei non aveva fatto nulla, aveva immaginato molto, sí, ma nient'altro. E tuttavia il fatto che Yōsuke l'avesse dato per certo, e attraverso commenti monchi e battute nervose avesse continuato ad alludervi per giorni, la liberò.

Come se la mancanza di fiducia del marito fosse stata la prima crepa, il presupposto al tradimento, di lí in poi Kaneko decise di vivere il proprio piacere fuori dal matrimonio.

Amava il marito? Ci fu un lungo periodo di rabbia in cui credette di no. Lo disprezzò, fu sgarbata e sprezzante: era colpa sua se in fondo era costretta a tradire e mettere in pericolo la propria reputazione. Kaneko si concedeva solo a persone incontrate occasionalmente e che non avessero legami di sorta con la famiglia o il quartiere. In quegli incontri c'erano esercizio, vitalità e passione ma mancava sempre un'adesione interiore. Il corpo si staccava dal cuore, che rimaneva invece saldo nelle mani di Yōsuke, e vi faceva ritorno.

Quando Kaneko capí che, se lo avesse lasciato, Yōsuke avrebbe perso il senno, in lei tornò la pietà, un affetto solido e raro che la portò a curarsi del marito come si fa con un figlio delicato e maldestro, a cui si sacrifica una parte di sé affinché sia protetto.

Fu cosí che, pur non rinunciando agli incontri con altri, Kaneko sviluppò un'attenzione maniacale nel non farsi scoprire: non perché temesse la rabbia del marito, ma perché ne temeva il dolore.

Diventò un'ape che si accuccia in un fiore, succhia il nettare e impollina campi interi di viole.

E dei fiori che ha esplorato, con intento e dedizione, non serba alcuna memoria.

Andò avanti cosí per quattro anni.

Poi, come era prevedibile, l'ape scelse un fiore. E si innamorò.

Takenori Okada era originario di una cittadina che si affaccia sulla baia del Kanagawa.

Nonostante fosse di bell'aspetto, aveva fatto fatica a trovare una moglie per via della carriera che lo assorbiva completamente; superati i quaranta, aveva infine accettato di sposare la figlia del direttore dell'azienda di elettrodomestici di cui era destinato a diventare dirigente. Per far sí che il futuro genero e la figlia si conoscessero prima delle nozze, il padre della sposa aveva imposto alla coppia di organizzare insieme la cerimonia, di occuparsi in prima persona del banchetto e di ogni altro aspetto, compresa la scelta del *kimono*.

Per questo motivo, Takenori Okada aveva preso appuntamento all'atelier Yoshida con la futura moglie, e una mattina di giugno aveva incontrato Kaneko.

Fin dal primo giorno, invece che la donna che gli era promessa, l'uomo si trovò a fissare la ragazza minuta che la vestiva di luce. Rimase colpito ma anche divertito da quel sentimento cosí fuori luogo. La voglia gli cresceva addosso come un rampicante, ma lui, convinto che non ci fosse modo di realizzare quella fantasia, preferí rilassarsi.

Ascoltava la piccola donna parlare del *kimono* pesante, e di come anche una figura esile si facesse imponente nello *shiromuku*. E spiegava, a lui che la tempestava curioso di domande, dei legacci e delle stringhe, e delle stoffe infilate le une nelle altre per riempire la silhouette della sposa, occultando la forma originaria del corpo. Gli raccontava di come per indossarlo non bastassero due mani ma quattro, servivano insomma due persone. Chinarsi di continuo per sistemare il *kimono* ti sbriciolava le ginocchia e ti rovinava pure le anche, ma era una tale meraviglia avvicinarsi alla vestizione completa: era né piú né meno come condurre per mano la sposa al santuario.

«Alzi le braccia, le abbassi per favore, sollevi il mento, guardi giú per piacere», diceva, e l'altra obbediva, docile e distaccata.

Abituato a donne che si affidavano a lui, Takenori fu turbato dall'indipendenza di Kaneko. Il pensiero di lei si sollevava in aria come una cicala che improvvisamente, dopo anni, buca la terra e si prepara a volare. Esigeva tutta la sua attenzione, e lui ben presto non fu piú in grado di trattenersi.

Prese a recarsi all'atelier Yoshida da solo, accampando ogni volta una scusa diversa: un ricamo che la promessa sposa forse avrebbe voluto diverso (salvo poi smentire la richiesta), la formula di pagamento che non aveva compreso fino in fondo, la curiosità che gli era venuta sulla natura del rito. Domande cui solo Kaneko aveva, a suo dire, una risposta.

Fece in modo di capitare sempre alla chiusura, quando sapeva che rimaneva da sola.

Scoprí con la tenacia di un ragazzino l'orario preciso in cui la madre di Kaneko lasciava l'atelier, come l'ambiente fosse separato dalla casa in cui abitava con i genitori e il marito, e come lei potesse, volendo, chiudere a chiave la porta per rivolgersi a lui. Si innamorò dell'odore di stoffa e camomilla che s'alzava ogni volta che lei si sistemava i capelli allentati dalla giornata e lo faceva accomodare, rispondendo con pazienza a tutti i suoi dubbi.

Il desiderio di rivederla divenne una febbre.

Un giorno in cui si sentí quasi infuriato da quella voglia disperata di lei, le si rivolse sfrontato e, insieme, col tono di una preghiera: «Yoshida-san, che ne pensa di andare a prendere un tè?»

172

«Dice che è opportuno?» replicò lei, divertita.

«Nulla di quanto è piú bello nella vita lo è».

Uscirono in silenzio dall'atelier, come fosse chiaro a entrambi che, con quel gesto, rompevano un patto. Non ci sarebbero state molte parole. Salí in macchina con lui e Takenori la portò a fare un giro per la città. Già da quando gli si era seduta accanto, mentre lui stringeva con forza eccessiva il volante, calibrando in quel movimento l'equilibrio che andava perdendo, Kaneko preparava la bugia. Scesa dall'auto cercò una cabina, e mentre parlava al telefono con la madre si accorse che la scusa che aveva inventato le avrebbe permesso di lí in poi, non una ma almeno tre volte a settimana, di ritagliarsi quattro ore per sé.

Takenori la condusse infine lungo le scale, a varcare l'ennesima porta: «Ecco casa mia, la cucina disfatta, e di qua, venga Kaneko, la posso chiamare cosí?»

Mi è entrato nel sangue, pensò Kaneko dopo una settimana.

Era seduta sull'altalena di un minuscolo parco a ovest di Shibuya e, alzando lo sguardo, vide Takenori venirle incontro. Lo guardava e le pareva di non riuscire a sostenere l'emozione.

«Innamorarsi significa forse questo eccesso di materia, – si disse a voce bassissima, – questo troppo nello spazio limitato del cuore».

Ed ecco lui che, come se niente fosse, teneva ferme le redini dell'altalena, la aiutava ad alzarsi, riprendeva le fila di tutto un discorso che aveva iniziato il giorno precedente, le stringeva la mano e la portava via di lí, prima verso un ristorante e poi verso un albergo, per avere piú tempo per fare l'amore.

Non parlarono mai delle nozze di lui.

Di lí a poco, Takenori avrebbe bussato all'ufficio del superiore, sarebbe rimasto con il corpo curvo per dieci minuti e, nonostante le proteste dell'uomo, avrebbe disdetto ogni cosa, il matrimonio con sua figlia e la carriera, convinto che la propria esistenza si andasse squamando e che bisognasse assecondare quella trasformazione. Era come una moria di pesci, nessuno che sapesse da cosa dipendeva o come salvarli, banchi di creature che scomparivano brutalmente dal mondo, e poi, d'un tratto, ecco la vita che riprendeva piú forte, un mare intero che moltiplicava il raccolto, le reti dei pescatori gonfie fino a squarciarsi.

Takenori decise di tornare a Hayama. Tōkyō gli era divenuta d'un tratto odiosa: gli pareva che la capitale fosse figlia di un mondo che di lentezza non voleva sentire parlare – la mano costantemente premuta sulla schiena, per circolare, lavorare, fare svelti *yoshi yoshi* – mentre lui in quel momento aveva bisogno soprattutto di calma.

Kaneko, che a Tōkyō era cresciuta, gliel'aveva spiegato, che in quella città c'erano anche conche di luce e dilatazioni infinite, che tanto avanzava la fretta, tanto speculare era la resistenza alla velocità. Si indugiava, ci si fermava addirittura.

«Come pensi siamo riusciti a conoscerci noi? – sorrideva lei. – In questa città c'è posto per tutto, anche per gli amori sbagliati».

Mentre organizzava il trasloco da Tōkyō a Hayama, disdiceva il contratto di affitto, si recava al Comune e smantellava pezzo dopo pezzo l'esistenza che si era conclusa mettendo piede in quell'atelier, Takenori provò a immaginare Kaneko lontana: si sentí soffocare. Si accorse che non era possibile delimitarla. Non c'era piú confine, si disse, ma c'era mai stato? Kaneko gli era entrata nel sangue.

Se in quei giorni si fossero mai confessati, si sarebbero curiosamente trovati a definirsi con le stesse parole: una cosa che entra nel sangue, una febbre che non passa.

Quanti collegamenti tra me e il mondo sta segnando quest'uomo, pensava Kaneko. Una volta che finirà, chissà quante cose mi saranno interdette.

Quante canzoni che non potrò piú ascoltare, pensava

174

Takenori, cibi che guarderò con sospetto, pezzi di città che non potrò piú visitare, parole che me la riporteranno sempre alla mente.

Continuavano ad amarsi furiosamente, ma era come se entrambi sapessero in fondo che quel loro tempo era destinato a finire.

La gravidanza le si annunciò con una certa insistenza.

Non appena lo intuí, Kaneko si affrettò a reclamare il corpo di Yōsuke. Non lo fece per ingannarlo, ma perché sapeva che suo marito un figlio lo desiderava come si desidera il cielo quando lo si guarda da sotto il mare, in apnea. Quella mancanza era iniziata da tempo a diventare un dubbio pendente, a tratti un'accusa, sulla loro famiglia. Cos'è un albero senza il suo frutto? Cos'è un melo senza una mela? Cosa una vigna senza un tralcio d'uva?

Kaneko amava Yōsuke, amava il padre della creatura che si preparava a venire al mondo e amava anche il mondo che l'aveva accolta ventisette anni prima, un mondo da cui non voleva essere cacciata per accedere a un Eden che non conosceva e che le sarebbe sempre parso meno attraente dell'atelier in cui era cresciuta.

Pur lottando con le fitte feroci al basso ventre, fece l'amore con Yōsuke. Lui non sospettò la gravidanza appena abbozzata della moglie, quanto invece l'ambizione di un figlio. Era sorpreso, intimamente appagato da quel sospetto, e l'amore fu inaspettatamente fluido e ben accordato nelle quattro volte che gli si concesse. Yōsuke pensò fosse una possibilità per riprendersi tutto: la gioia, la moglie, la passione.

Dopo alcune settimane, Kaneko riuní la famiglia sulla veranda. Parlò dei malesseri che stava patendo, ma rimase vaga. Li lasciò supporre ogni cosa, affinché si appropriassero fin dall'inizio dell'idea della creatura: voleva venisse accolta come un ospite che si invita sapendo che sarà una rivoluzione.

Con i toni minori di una festa in stile Yoshida, l'evento si celebrò, ma non prima di aver pianificato i mesi a venire, cosí come il pragmatismo della famiglia richiedeva: discussero dell'eventualità che Kaneko potesse non essere in grado di svolgere al meglio i suoi compiti nell'atelier, dell'ingombro del corpo nella vestizione, del luogo dove avrebbe dormito il neonato, dell'allattamento al seno, dello svezzamento. Di tutto quanto viene alla bocca, in quell'ubriacatura di futuro che sono un figlio o una figlia.

I primi mesi di gravidanza furono atroci.

Kaneko vomitava ogni giorno, rimaneva a ciondolare per casa, terrorizzata all'idea di assumere cibo che avrebbe restituito in poltiglia. L'odore delle tinte la disgustava e, reggendosi a fatica alle pareti per raggiungere il bagno, tratteneva il fiato quando incrociava il marito o il padre.

Dormiva da sola. Usciva giusto la sera per una passeggiata, quando la morsa allo stomaco la lasciava un po' in pace, e allora si trascinava fino alla cabina telefonica per chiamare Takenori. Restavano a non dirsi pressoché nulla per lunghi minuti.

Lui, nel frattempo, era tornato a Hayama. Si occupava del piccolo negozio di biciclette che era stato del padre. Si sentiva perduto, piú piccolo persino della creatura che aveva contribuito a gettare nel mondo. Ogni giorno, dopo il lavoro, andava a sedersi di fronte al mare e stava in silenzio: sentiva il bisogno di ricordare a se stesso che nulla di quello che lo riguardava era davvero importante. Usava l'oceano per misurare il proprio dolore e rimetterlo a posto. L'amore per quella donna non gli sarebbe passato in fretta. Sapeva, tuttavia, che se lo doveva far passare perché, nonostante la sproporzionata passione tra loro, Kaneko non aveva alcuna intenzione di lasciare la sua vita per lui.

«Posso aprire un atelier da sposa a Hayama, – le promise Takenori, – non dovrai lasciare il tuo lavoro se vieni con me».

Ma Kaneko neppure esitava: «Mi manca il coraggio, – replicò, – non voglio fare del male ai miei genitori».

Come si trattasse di pudicizia, in quelle conversazioni non nominava mai il marito; eppure era precisamente quel silenzio, secondo Takenori, il segno piú manifesto che Kaneko lo amasse, che a Yōsuke non avrebbe rinunciato.

«In ogni caso, che sia maschio o femmina, sarà uno Yoshida», diceva Kaneko.

E quella pareva essere l'unica cosa che davvero importava.

Si videro, però, un'ultima volta. Una sera in cui si trovava a Tōkyō in visita da amici, lui noleggiò un'auto e si fece trovare sotto casa sua. Kaneko scese in strada che era già notte fonda, si sedette in macchina accanto a Takenori e, come fanno i bambini molto piccoli quando giocano a nascondino, non lo guardò, illudendosi cosí di non essere vista. Si vergognava, aveva il ventre già grande, era emaciata e sofferente per l'insonnia.

«Sono bruttissima, mi dispiace», mormorò mentre lacrime lentissime le rigavano il volto.

In risposta, lui la baciò e la toccò con tutta la delicatezza, e insieme la fame, che gli riuscí.

Usarono il corpo per dirsi la mancanza, la nostalgia del tempo che era ormai piú dietro che avanti a loro. Parlarono poco, come avessero paura di dire le cose sbagliate, per l'impossibilità di riparare una discussione e di rimanere con quel ricordo per sempre.

Tuttavia, Takenori alla fine prese coraggio. «Dunque è una bambina... La potrò vedere?»

Era la prima volta che glielo domandava.

«Te la racconterò per iscritto ogni giorno, ogni settimana, ogni mese, mentre crescerà».

«Ma le dirai di me?»

«Se sarà necessario. Ma prego non lo sarà mai».

«Kaneko?»

«Avrà un padre e una madre, Takenori, sarà amata dai nonni. Riceverà tutta l'eredità della nostra famiglia, è una Yoshida. Il resto non conta».

Lui rimase in silenzio, con il sentimento nettissimo che ogni parola di Kaneko fosse definitiva. Si immaginava con i gomiti alzati, a difendersi da colpi invisibili. In fondo, se non le aveva mai rivolto prima quella domanda era perché dentro di sé conosceva già la risposta.

«E posso prometterti fin da ora che avrà il miglior padre possibile al mondo».

Takenori annuí.

Anche quella frase lo feriva, ma sapeva che Kaneko non sarebbe mai stata in grado di sradicarsi dall'atelier, dalla famiglia, dall'abitudine del quartiere in cui era cresciuta. Takenori la rispettava, rispettava le scelte, tutte le scelte, anche quelle minori di cui è fatta ogni vita. Se pure si fosse opposto, non sarebbe comunque cambiato nulla.

Per un attimo pensò alla bambina. Si chiese se avrebbe ereditato i suoi occhi, pregò di no.

Poi Kaneko sussurrò qualcosa di rapidissimo e oscuro, e uscí dalla macchina senza voltarsi. Fu un gesto deliberato, per evitare il saluto.

Lui non la inseguí, rimase fermo. La osservò rientrare in casa. Non mise in moto finché non la immaginò tornata al *futon*, arrotolata come una conchiglia intorno alla bambina che le galleggiava nel ventre.

Sapeva che Kaneko avrebbe mantenuto la promessa di scrivergli e di raccontargli della figlia. Ma era anche consapevole che non l'avrebbe abbracciata mai piú.

Due

In Aoi il pensiero di Mio progrediva a una velocità inaudita.

Lo associava alla crescita precipitosa dell'azalea a maggio, o alla fioritura del ciliegio tra marzo e aprile: una preparazione lunga, all'inizio cosí lenta da risultare estenuante. Ma poi accadeva, esplodeva. E lui si domandava se quella pianta in realtà non ci fosse sempre stata, nascosta dietro un cespuglio d'ortensia. Come spiegarsi altrimenti la rapidità, la caparbietà nella crescita?

Aoi sapeva che prima o poi avrebbe dovuto affrontare il discorso, raccontare a Mio perché si erano conosciuti. Spiegarle che il caso non c'entrava nulla e che, se anche c'entrava, era una storia successa *prima*, qualcosa di cui loro non avevano colpa. Era la storia dei padri, sí, dei padri e delle madri, che avevano deciso per Mio e anche per lui.

Doveva. Eppure, piú avanzava il pensiero di lei, piú in Aoi cresceva il timore di sbagliare.

Mio si sarebbe sentita ingannata, lo avrebbe infilato nello scomparto delle cose sbagliate della sua vita. E Aoi s'immaginava già fuori dalla porta di casa di lei, a rovinarsi le nocche a forza di bussare.

Quella notte le parlò a lungo. Voleva che Mio sentisse quanto era disposto ad aprirsi con lei, voleva che avvertisse il potere che deriva dal conoscere dell'altro le fragilità. Era la sola maniera possibile di spiegarle – quando avrebbe trovato il coraggio – perché quel giorno era andato a cercarla da Pigment.

Soprattutto, doveva farsi perdonare il vantaggio custodito in silenzio durante quelle settimane: lui sapeva tutto, lei niente.

«Dormi? Ti devo parlare...»

«Di cosa?»

«Ti racconto di mio padre, ti va?»

Erano a letto, lei guardava dalla finestra uno spicchio di cielo. Nei suoi occhi quella distesa di nero si trasformava di minuto in minuto, avanzando e piegandosi in decine di neri diversi, insieme alla luce lunare e a quella dei lampioni, dei *kōban*, degli ospedali.

«Certo, dimmi di lui, – sussurrò Mio, trascinando la voce, – dimmi una cosa bella che ti ha insegnato. Sono convinta che i padri restino negli insegnamenti che ci danno, per me almeno è stato cosí».

Lui ci pensò un istante: «Credo che la cosa piú grande che mi ha insegnato mio padre sia non temere la morte».

«Oddio, – esclamò Mio, tirandosi su. – Si può imparare una cosa cosí?»

«Diceva che la morte è come una pianta dentro ognuno di noi. Che nasciamo con quel seme all'interno e quello si sedimenta, spunta, cresce mano a mano che cresciamo noi», sussurrò Aoi.

Dalle vetrate s'insinuava quell'odore particolare che produce la notte, il sonno apparente del giardino. Papaveri, gigli, il profumo dolcissimo e caduco dei boccioli.

«Ripeteva che la morte era una cosa preziosa, che c'è un limite naturale all'esistenza e sapere che ogni giorno facciamo un piccolo passo verso quel confine ci serve a vivere meglio».

Mio appoggiò la testa sul cuscino e chiuse gli occhi, si fece attraversare fisicamente da quell'idea. Un brivido s'inerpicò lungo le gambe, scivolò oltre la curva delle ginocchia, sostò un secondo sul sesso, salí sulla pancia e infine si depositò sul palmo della mano destra. Riaprí gli occhi, nuotò nell'oscurità del letto: cercò il petto di Aoi, attenta a non far cadere quel brivido dalla mano. Infine, calibrate le distanze, gli premette il palmo sul cuore.

La sentiva? Adesso la sentiva? Sentiva tutta la sua paura?

«Dopo un lutto si impara da capo la vita», stava proseguendo lui.

Per alcuni era un ricominciare, per molti altri un disperato tentativo di compensazione. Di giorno in giorno si imparava ad avere di nuovo fame, ci si concedeva da capo la sete e pure il desiderio sessuale. Ma ci voleva del tempo, come ci si poteva abituare a vivere bene anche senza un piede, o un polmone. Non sarebbero ricresciuti, ma si sarebbe imparata la lezione del *fare a meno di*, che in fondo era tutto ciò che serviva sapere di un lutto. Imparare a *fare a meno di*. Anche crescere significava *andare avanti senza*, e ogni anno, a ogni svolta, bisognava lasciar andare qualcosa.

Ecco cosa gli aveva insegnato suo padre. Ecco cosa, nel pezzo di strada percorso senza di lui, aveva capito Aoi. La gente usciva dal tempo, lo faceva ogni giorno, nel modo irregolare ma continuo delle cose che appartengono alla natura. E Aoi era convinto, per il mestiere che faceva, di toccare la vita, non solo di parteciparvi, ma di affondarci dentro le dita.

«Lo vedi proprio nella capacità di sopravvivere alla scomparsa dei genitori, quanto è forte la vita, – le disse. – Sono stati loro a metterti al mondo, e cosí facendo ti hanno garantito di esistere anche dopo la loro scomparsa».

Il mondo poteva permettersi di dimenticarli, ma i figli avrebbero conservato nella propria memoria l'ombra lunga degli antenati.

Mio non diceva nulla. Era a un passo dal sonno: si preparava a precipitare nel colore preferito, quel blu che le ricordava l'infanzia e il mistero dei sei anni. Voleva stare sveglia però, perché le sembrava che Aoi parlasse proprio di lei, che la stesse guidando in un luogo dove sapeva che le avrebbe fatto bene sostare.

«Una volta ho letto una frase: "Quello che non so mi

trattiene ancora". Lo diceva un poeta, non ricordo il nome. Ogni tanto ho l'impressione che si muoia quando non si ha piú voglia, quando manca la curiosità di sapere dopo cosa accadrà».

«Vuoi dire che si muore per noia?» chiese Mio.

«Non proprio, ma quasi».

Con le spalle al giardino, Aoi le raccontò di una donna che, anni prima, aveva preso appuntamento in agenzia: voleva informarsi su come smaltire il suo corpo dopo che fosse morta. Aveva usato quelle esatte parole: «smaltire il mio corpo». Quella mattina le avevano diagnosticato un cancro alle ossa.

Quando lui aveva steso sul tavolo il catalogo dei servizi funebri per illustrarle gli oggetti, il processo e i costi, la donna aveva avuto un moto di stizza.

«Non sono al ristorante, – aveva replicato, – non voglio il menu».

Aoi aveva fatto un breve inchino, chiedendole scusa.

«Guardi, del funerale non mi interessa. Mi restano tre mesi. Mi indichi il metodo meno caro, quello piú veloce. Una cosa senza tanti fronzoli».

Pareva arrabbiata con la vita che le restava addosso, appesa al suo corpo come una busta che, in un giorno di vento, s'incastra a un ramo.

Dopo neanche venti minuti, la donna se n'era andata con un foglio. Aoi vi aveva annotato con precisione i costi, le modalità di prenotazione del servizio di raccolta della salma, il trasporto diretto dall'ospedale al crematorio.

Nei giorni seguenti, come spesso accadeva con chi si rivolgeva a lui per un funerale, Aoi prese a incontrare la donna per strada. La riconosceva per quel suo volto sempre chiuso, infelice. Finché una mattina era entrato da Maruyama, il caffè su Wakamiya-ōji in cui andava con sua sorella Sayaka, e l'aveva scoperta intenta in una conversazione animata: parlava con un uomo che doveva avere all'incirca la sua stessa età. Si era sorpreso per l'immagine completamente diversa della donna quando sorrideva. Trascorso un mese, per caso, vi si era imbattuto di nuovo: i loro sguardi si erano toccati appena. Camminava a fianco dell'uomo della caffetteria, che teneva un Jack Russell al guinzaglio – l'ennesimo prolungamento della loro esistenza. Aoi ricordava di aver notato il rossetto sulle labbra della donna. Chissà, si era chiesto, se lei aveva detto al suo compagno della diagnosi definitiva.

L'amore, però, alla morte non crede. Si sente piú forte.

«Mi restano tre mesi», aveva detto ad Aoi. Fu però solo un anno e mezzo piú tardi che gli venne effettivamente commissionata la presa in consegna della salma. Contrariamente a quanto aveva prospettato, la donna non era morta in ospedale, bensí a casa. Aoi e la sorella avevano fatto fatica a staccarle di dosso i peli del Jack Russell. Erano ovunque, intrecciati ai capelli fatti radi dalla cura: ne aveva tra le orecchie, persino uno tra le ciglia.

La cerimonia era stata intima e dolce. L'uomo che viveva con lei aveva predisposto ogni cosa: le fotografie, l'abito da indossare, una rosa del loro giardino, le bacchette che si portava dietro ovunque perché schizzinosa, i dolcetti preferiti da posare nella bara.

Aoi aveva scoperto che la donna amava la musica jazz, che un tempo gestiva uno snack bar, che non si era sposata né aveva avuto figli; aveva trascorso la giovinezza a occuparsi della madre malata. La sfiducia nella vita le era passata soltanto nell'ultimo periodo quando, contro ogni aspettativa, si era innamorata. La gioia di quel sentimento tardivo l'aveva irrobustita: voleva vedere, Aoi ne era convinto, come sarebbe andata a finire.

«Quello che non so mi trattiene ancora, – ripeté Aoi. Guardò Mio: – Capisci cosa intendo?»

«Sí, credo di sí», fece in tempo a sussurrare lei prima di sprofondare nel suo blu preferito. Il *nando-iro* 納戸色.

Nando-iro 納戸色, *il blu ripostiglio, nel modo in cui Mio lo spiegò ad Alma e Rui tre giorni dopo*

Il nome proviene dalla parola «ripostiglio».

Vi domanderete quale mai possa essere il color ripostiglio. Tuttavia, bambine, a volte è proprio da queste associazioni misteriose che hanno origine i colori piú suggestivi.

Questa tinta è catalogata tra i blu: mescola il grigio, un cobalto e un pizzico di verde.

Ci sono tante ipotesi sul nome.

Immaginate il fondo di un armadio di casa, di sera. Forse, si dice, il *nando-iro* era il colore dell'oscurità che s'intravedeva nel ripostiglio. O forse era la tinta della tenda che si usava al posto delle ante nei guardaroba di un tempo, una sorta di sipario. Forse, invece, il nome deriva dalla tinta della divisa che indossava l'addetto ai ripostigli nel Castello Edo.

Allora, bambine, quale ipotesi vi piace di piú?

L'argomento che ci fa piú paura è anche quello di cui parliamo di piú.

Mio rimuoveva la morte. La mandava ai matti pensare che una storia la si giudicasse solo dalla fine. Le pareva un affronto. Dopo che tutta la vita si era faticato perché la mente – limata con la scuola, le buone maniere, i viaggi, la manutenzione del cuore – avesse la meglio, ecco che il corpo prendeva il sopravvento.

Aveva orrore dei funerali. È ingiusto, pensava, che le persone le si ricordi cosí, tutte sbilanciate sul microscopico frammento della fine. E ora, dopo aver tenuto a bada per anni la sua paura, ecco che quella rientrava prepotente tramite Aoi.

Il mattino dopo i discorsi sul padre, Mio si svegliò che Aoi era già al lavoro, impegnato con una consulenza delicata. Lei aveva preso dei giorni di ferie: avrebbe fatto la turista tra Kamakura e Zushi, si sarebbe spinta fino alla penisola di Miura e verso Hayama, che Aoi diceva fosse stupenda. Avrebbe dormito a casa sua, e lui l'avrebbe raggiunta non appena il lavoro glielo avesse permesso.

La aspettava piú tardi in agenzia, le scrisse: ricordava la strada?

Mio arrivò che il portone era aperto, sembrava non ci fosse nessuno. Non chiamò, entrò senza fare rumore.

Dal corridoio semibuio dell'agenzia scorse una lama di

luce, proveniva da una porta accostata. Si affacciò appena, intravide una giovane donna con i capelli tirati all'indietro, lo sguardo completamente al servizio delle dita. Spennellava di cipria il volto di un cadavere, stringeva una sorta di tavolozza. Il tocco era delicatissimo, e Mio si perse nelle polveri, nell'olio, in quel *kit* speciale con cui la ragazza riposizionava sui lineamenti la vita.

Non avrebbe mai ricordato se il corpo fosse di un uomo o di una donna: la ragazza attirava la sua completa attenzione, aveva una precisione quasi sensuale. Emanava un grigio profondissimo, punteggiato di minuscoli punti di luce. Pareva tenesse stretta dentro di sé una qualche tristezza, e che non facesse nulla per allontanarla.

Eccetto loro la stanza era deserta, ma era come se Mio riuscisse a percepire la presenza dei parenti della salma. Ne avvertiva il fiato sospeso, l'impazienza, un sospiro lento, il cigolare ansioso delle sedie. Erano ancora a casa, o magari nella sala d'attesa, eppure il loro pensiero si trovava già lí.

Mio vide la ragazza porre rimedio alle ferite, riparare i lividi provocati dalle flebo, le iniezioni, coprire tutte le lesioni provocate probabilmente in ospedale, nell'estremo tentativo di trattenere il corpo alla vita. Poi, per evitare che fuoriuscissero i fluidi corporei, che colassero sul piano d'appoggio e macchiassero l'abito bianco e gli asciugamani, la ragazza infilò del cotone nelle narici, nella bocca, tra i denti. Usò un paio di pinzette, la mano destra si muoveva esperta mentre la sinistra faceva da scudo, come per nascondere i gesti piú concreti alla vista dei familiari.

Non c'era nessuno davanti a lei. Eppure c'erano tutti.

Fu in quel momento che la ragazza alzò gli occhi e la vide. Lo sguardo s'irrigidí immediatamente. Senza dire una parola, fece un piccolo inchino verso il pubblico assente, percorse i quattro metri che la separavano dalla porta e la chiuse.

Mio rimase impietrita. Immobile, nel corridoio restituito all'oscurità, udí i passi tornare alla salma, il bacino affondare, le mani ricominciare.

Quando poco dopo Aoi la raggiunse in corridoio, le strinse il polso e la tirò delicatamente verso l'ufficio, Mio disse soltanto: «Mi sono persa». Era turbata, si vergognava.

A bassa a voce gli raccontò cos'era successo. Cercò di essere svelta.

«Era mia sorella, si occupa lei di truccare i defunti. Te lo avevo detto, mi pare», rispose Aoi.

«Devo esserle sembrata spudorata, credo si sia infastidita. Mi dispiace».

«Non ti preoccupare, forse era solo imbarazzata, – la rassicurò. – Non è una persona di molte parole». Fu sollevato, tuttavia, al pensiero che Sayaka non avesse avuto il tempo di soffermarsi troppo sul viso di Mio.

«Mi dispiace, – ribadí lei. – Mi sembra di aver violato una cosa sacra».

«Non hai violato nulla, ma in effetti quello a cui hai assistito è uno dei momenti piú sacri del nostro lavoro. Mia sorella lo chiama il passaggio all'immortalità, – sorrise Aoi. – Sono le ultime ore di morte, se cosí si può dire».

Mio aggrottò le sopracciglia.

«Vieni, – disse lui, – usciamo».

La condusse all'aperto, in un piccolo cortile interno. In mezzo, una striscia di pietra che portava a un altare di legno chiaro, la miniatura di un santuario. Statuine di volpi popolavano i lati dell'architettura.

«Io e Sayaka al liceo abbiamo avuto lo stesso professore. Insegnava letteratura giapponese, ma da giovane si era specializzato nei Veda, le Sacre Scritture degli hindū. L'abbiamo rincontrato tanti anni piú tardi, quando lui era già in pensione e io avevo iniziato a lavorare da poco. Era morta sua moglie, e lui si preparava al funerale insieme ai figli e a un mare di nipoti. Anche in quell'occasione, mentre portavamo la salma all'interno, ecco che il professore tirò fuori di nuovo il discorso sui Veda... Era proprio fissato! – rise Aoi. – Gli facemmo le condoglianze, e lui ci rispose che c'era poco da addolorarsi: nella morte c'è l'immortalità, disse, e l'immortalità è fondata sulla morte. Purtroppo non ricordo tutto il discorso che fece quel giorno».

Mio non ebbe tempo di replicare che una voce dall'interno richiamò Aoi.

«Devo tornare al lavoro, scusami. Dove andrai questa mattina?»

«Vorrei camminare per Zushi. Magari visitare il santuario di Hayama».

Aoi non disse nulla, ma la fissò per un lungo istante.

Poco dopo Mio era di nuovo per le strade della città.

Mentre Aoi era impegnato con un funerale, il suo cellulare si riempiva di fitti messaggi su Line, in cui Mio riversava la gioia dei luoghi che vedeva, le fotografie che scattava, i colori che le si appiccicavano addosso e di cui gli spiegava la storia, l'uso, la composizione.

Allora lui cercava di appartarsi per qualche minuto, appoggiava la spalla a una parete come a farsi reggere un poco dal mondo, e leggeva del blu pavone che esisteva già dal 1598 ma che venne battezzato quasi trecento anni dopo, della diatriba per l'esclusiva dell'uso del nero piú nero del mondo (vantablack, ovvero *vertically aligned nano-tube arrays*), e del giallo soffione (*tanpopo-iro* 蒲公英色), un fiore a lungo ignorato in Giappone che, per questo, avrebbe acquistato un nome solo grazie all'inglese.

Aoi sorrideva di quel mucchio di cose che non sapeva, inviando brevi commenti che a lei parvero sempre acuti. Sorprendentemente, si disse, i suoi discorsi sui colori non lo annoiavano affatto.

Adesso Mio camminava verso il tunnel che l'avrebbe condotta a Zushi e di lí, in autobus, lungo la salita sinuosa che portava al santuario di Morito-jinja.

Rimase mezz'ora seduta sugli scalini di pietra a osservare il grande *torii* scarlatto fissato nel mare, immobile, alla fine di una lunghissima via sommersa dall'acqua.

Non sapeva che qualcuno, per anni, si era seduto su quella medesima pietra.

E che, ogni volta, l'aveva pensata.

Il brano dei Veda che il professore recitò al funerale della moglie

La Morte parlò agli Dèi: «Se cosí è, di certo tutti gli uomini diverranno immortali. Quale sarà dunque il mio destino?» E gli Dèi risposero: «Da adesso in poi nessuno diverrà immortale con il suo proprio corpo. Dopo che avrai preso il corpo come tua parte, solo a quel punto chiunque stia per diventare immortale, per opere o saggezza, lo diventerà. Ovvero, dopo aver abbandonato il corpo».

SB X,4,3,9

Nel pomeriggio Aoi la raggiunse e andarono a mangiare da Ikeda-san.

Ci furono cose pratiche, cose leggere. Un mare di gialli e di azzurri.

Si imbarcarono in conversazioni banali, sulle previsioni del tempo, su Aoi che nutriva una certa ossessione nel controllarle, e poi sul numero di turisti incontrati lungo la viuzza di Komachi-dōri, sulle specialità stagionali e su quale negozio avesse preso il posto del Lawson nella curva da cui partiva la salita verso il tempio Kenchō-ji. In ogni *konbini* e negozio di *dagashi*, Aoi lanciava un'occhiata all'angolo dei dolciumi per soppesare l'offerta dei chupa-chups, alla ricerca di nuovi gusti. Gli amici, disse, gliene portavano spesso di curiosi come souvenir di viaggio: alla patata, al miele caramellato, al frutto della passione.

Dopo le risate però – come svoltando inaspettatamente in una viuzza del centro, lí dove eri convinto si parasse un muro e invece scopri che l'acciottolato continua – ecco che tra loro sgusciarono fuori discorsi piú intensi. Erano conversazioni capaci di travolgerli cosí tanto che la voglia di baciarsi e di succhiarsi le parole di bocca divenne molesta. Ma restavano fermi, seduti al tavolo, a guardarsi giusto un momento di piú.

Finché, dopo una *tenpura* di seppia e una frittura di gamberi, venne fuori la teoria delle rette di Mio. Uní le bacchette e le posò sulla ciotola vuota: «Io le visualizzo cosí, come due rette».

«Che cosa?»

«Le persone in amore».

Per l'esattezza, erano due linee che partivano da versanti opposti del mondo. Capitava, continuò Mio, che in un punto grosso modo a metà quelle due rette s'incontrassero e procedessero vicine, toccandosi anche diverse volte. Piú di rado – anzi, era proprio un'eccezione – accadeva un collidere e un sovrapporsi. Cosí quelle linee, partite ai lati inversi dell'universo, non solo s'incontravano in mezzo, ma procedevano l'una sull'altra. Si inspessivano, acquisivano solidità. Era come un innesto.

Mio aprí il suo taccuino di stoffa, prese a disegnare una serie di linee rette. Aoi la guardava: la frangia le cadeva sul viso, le solleticava le ciglia. Poi girò il taccuino verso di lui: «Ecco, vedi?»

Aoi sorrise. «E chi arriva prima?»

«Chi arriva dove?»

«Dici che le persone sono come rette che si incontrano da qualche parte, e che l'amore è esattamente quel punto. E che poi si sovrastano, procedendo in avanti».

«Sí».

«Ecco, mi chiedevo chi arrivasse prima».

«Chi arriva prima… Nel mezzo, dici?»

Lui annuí.

«Non lo so. Che ci arrivino entrambi nello stesso momento è complicato, mi sa».

«Allora c'è sempre uno che ama di piú dell'altro», osservò Aoi.

«In una relazione credo lo si debba accettare, non trovi?» Mio pareva disinvolta nel dirlo. Era sempre stupita nel sentirsi pronunciare le cose piú giuste e nel ritrattarle non appena veniva presa dall'ansia.

Pensò d'istinto che avrebbe voluto essere lei quella che amava di meno, si sarebbe sentita piú tranquilla. Subito dopo si chiese se non fosse quella stessa insicurezza – amare piú di quanto si era amati – a essere la migliore garanzia dell'amore.

Sí, doveva essere cosí. Amare era nell'intenzione. Nel farlo senza stare a vedere a che punto si era arrivati, a che punto era l'altro.

Oltre le pareti, tra le vie di Kamakura, si diffondeva la musichetta delle cinque di sera. Si annunciava la discesa dell'ombra, il ritorno a casa dei bimbi.

«Andiamo?»

Mentre Aoi pagava, fermandosi come sempre a parlare con Ikeda-san, Mio rimuginava sul fatto che in ognuna delle sue fasi l'amore assumesse delle sembianze completamente diverse, che *l'amore di adesso* non fosse *l'amore di dopo*. Chi le aveva detto quella frase? Forse un'amica di scuola, forse un ragazzino con cui si era baciata. Forse lo aveva letto in un *manga*.

Piú tardi, mentre percorrevano a piedi la lunga distanza che separava Kamakura da Ōfuna, in uno *shōtengai* comprarono pesce e verdure, pesche grandi un palmo e una torta al formaggio che catturò tutta l'attenzione di Mio. Aoi disse che quella sera voleva cucinare per lei, per festeggiare i giorni che si era concessa per loro due. Al ritorno, in treno, si abbandonarono stanchi agli schienali.

Da quella mattina non si erano toccati neppure una volta, se non nel momento in cui Aoi l'aveva tirata verso l'ufficio, quando dal corridoio Mio aveva spiato Sayaka mentre lavorava sulla salma. Eppure l'aria che scorreva tra loro in calmi blocchi compatti pareva piú densa, impregnata del desiderio dei corpi.

Anche l'aria tra noi, avrebbe scritto piú tardi Mio sul taccuino, *possiede un colore*. E quel colore le sfiorava la pelle, lo poteva percepire. Era come se i corpi degli innamorati subissero una sorta di espansione, e aumentassero di un volume invisibile agli occhi degli altri.

Scesero dal treno che il cielo era una macchia bluastra. I turisti occupavano per intero il lato opposto della banchina, dove i treni caricavano centinaia di persone conducendole verso Tōkyō e Yokohama.

Si fecero strada nella folla, navigando in direzione contraria a una corrente robusta.

Usciti dalla stazione, si avviarono lentamente verso casa di Aoi. La sera avanzava, i palazzi vestivano le strade di ombre sempre piú lunghe, i parchi sfiatavano bimbi e tornavano buchi disabitati. Di che colore era quel momento? Mio se lo chiese. Tutto le apparve bianco meringa, intriso di quel tono speciale che lei attribuiva alle cose svuotate di senso, nel momento particolare in cui vanno arricchendosi di un significato proprio.

Vestita di brace, Mio attraversava la notte con Aoi.

L'odore del mare li raggiungeva. Aoi allungò la mano e toccò inavvertitamente il dorso di Mio. Ardeva anche lei, ardevano entrambi.

Immersi nel dedalo di viuzze che conduceva a casa, ci fu un momento in cui lei fu sopraffatta dalla paura che gli potesse accadere qualcosa.

Si bloccò, ammutolita.

Smetti di fumare anche quell'unica sigaretta!

Cammina col verde, guarda per bene a destra e sinistra!

Non morire Aoi! Non morire, per cortesia!

Lo pensò cosí forte che anche lui si fermò.

Il viso di Mio era contratto, e lei stessa era incapace di spiegare la propria paura.

«Stai bene?» le domandò.

«Sí, forse».

«La birra? Ti gira la testa?»

«Forse...»

La sua volontà, stava pensando Mio, solo la sua volontà di salvare Aoi l'avrebbe protetto davvero. Le persone pensavano sempre troppo poco a se stesse, era cosí faticoso tenerle in vita.

Era talmente turbata che sentí l'urgenza di raccontargli una cosa, qualunque cosa. «Vedi, questa cicatrice», si piegò sulla gamba sinistra.

«Come te la sei fatta?»

Mio allora gli raccontò di quella volta che, da bambina, per rincorrere una farfalla era precipitata nel canale di scolo dietro casa. A tirarla fuori dall'acqua non era stato un adulto, né una delle donne che si erano messe a urlare dal bordo, con i loro piccoli in braccio. Era stato invece il ragazzo demente del quartiere, quello che faceva boccacce ed era preso da spasmi improvvisi, quello verso cui Mio provava un ribrezzo e un terrore inauditi: il ventre rigonfio, lo sguardo vacuo, la maglietta attillata che gli lasciava fuori una striscia di addome e l'ombelico ritorto. Non si separava mai da un cappellino su cui appuntava ogni giorno decine di fiori e di foglie raccolte per strada.

E d'improvviso il colpo di scena: lei fradicia e terrorizzata che gli stringeva forte il collo tozzo da animale, lui che con gesti precisi, senza neppure un tentativo andato a vuoto, la restituiva alle braccia di qualcuno che Mio non ricordava.

All'ospedale avrebbero individuato contusioni alle gambe, il braccio da ingessare, graffi e tagli da medicare un po' ovunque. Dopo due settimane trascorse a casa le sarebbe stato accordato il permesso di uscire, e di lí in poi la bambina avrebbe ripreso la vita di sempre.

Lo sguardo del ragazzo, quella figura ancestrale di bestia che attende, lo avrebbe incontrato ancora nel quartiere. Sarebbe rimasto, come sempre, a vagare con gli occhi in un punto che la superava, che superava chiunque.

«Gli hai piú parlato?»

«No, mai. Eppure da allora qualcosa cambiò».

«Cosa?»

«Quando lo incrociavo lui guardava sempre altrove, tranne che per un momento. Un solo momento in cui abbassava di pochissimo gli occhi. E io restavo concentratissima, aspettavo...»

Come una tavola che si apparecchia per un ospite che potrebbe fermarsi a mangiare, ma non se ne ha la certezza – si dispongono i piatti del servizio migliore, si scelgono i fiori piú profumati della terrazza – la bambina che era Mio preparava il sorriso.

«E in quel momento, che doveva durare non piú di un secondo, il ragazzo mi vedeva. Pareva che mi sorridesse a sua volta, – sussurrò. – È bello sbagliarsi sul conto della gente, cambiare idea».

Aoi annuí ma non disse nulla. Capí che quel ricordo era un segreto.

Fu convinto che Mio non lo avesse mai raccontato a nessuno, e si chiese se non fosse arrivato il momento di dirle che sí, era effettivamente bello capire di avere sbagliato, darsi la possibilità di riparare a un errore.

Ecco, pensò cercando il coraggio, di lí a poco le avrebbe parlato di sé, e dei padri. Non in generale, ma del padre di Mio: quell'uomo che lui, Aoi, aveva avuto vicino per anni. Solo che non sapeva ancora fosse il padre di lei.

*Il numero di linee che Mio tracciò sul taccuino per spiegare
la teoria delle rette ad Aoi*

Dodici.

La sera prima Aoi aveva cercato di condividere con lei quel pensiero che si faceva sempre piú insostenibile: c'erano stati i discorsi su come ciò che non sappiamo ci trattiene in vita, alla fine però Mio si era addormentata e dopo un po' anche lui.

Il giorno dopo Aoi si era svegliato presto. Non aveva voluto disturbare il sonno di lei. In ogni caso aveva pensato che la mattina non fosse il momento piú opportuno per dirle ciò che doveva dirle. Come un passaggio segreto che si rende accessibile solo in ore speciali, sotto l'incantesimo di determinate parole, si era detto fosse necessario individuare il momento migliore.

Aveva pensato servisse il buio.

Rientrati a casa dopo il pomeriggio in giro, Aoi preparò un *donburi* con verdure locali e i pesciolini argentati tipici della baia del Kanagawa. Mio sfogliava assorta il suo taccuino, gonfio di persone incontrate per caso e dei colori che in ognuna aveva individuato diversi.

«Ma io, quindi? Io di che colore sono per te?» le domandò Aoi divertito.

«Non lo so ancora, – gli aveva risposto sincera. – E mi piace cosí».

Mangiarono con calma, senza fame, in attesa del momento in cui la distanza sarebbe andata in frantumi.

Fu mentre lavavano i piatti, Mio che li sciacquava e Aoi che li asciugava, fu passandosi le cose di mano che i corpi si fecero accanto. Ed ecco la misura dell'io sfaldarsi in centinaia di lamelle, nell'oro dei quadri di Klimt, lasciando spazio al noi e a quel giallo *yamabuki-iro* 山吹色 che, nella mente di Mio, erano il lusso e la passione.

Si amarono di nuovo, e a lungo.

Mio aveva notato ancora una volta lo slancio inatteso di Aoi, che durante il giorno calibrava passi e parole con parsimonia e la notte diventava un'altra persona. Non ne aveva mai abbastanza del corpo di lei. Sembrava lo ricevesse come un insieme di parti, un'unione originata da una remota disgregazione e che lui, proprio lui, avesse il compito di ricomporre con lentezza, con quel gusto concentratissimo che a tratti pure la imbarazzava. Era come se volesse studiare la peluria fine delle gambe di Mio, l'incavo delle sue braccia, la cartografia delle vene piú gonfie, la linea ossuta della spina dorsale, le increspature ondulate del sesso. E di ogni pezzo amava prendere possesso un po' alla volta, conoscerlo come un neonato: con la bocca, col naso, maneggiandolo a lungo.

Mio ne ricavò l'impressione di un uomo che entrava e usciva dal sesso come quando, in una sala cinematografica, ci s'immerge in un film e durante la proiezione talvolta ci si guarda attorno, per ricordarsi dove si è, cosa si sta facendo.

Quello che restava, soprattutto, era la sensazione costante che Aoi le misurasse la temperatura come un serpente, che ricercasse in lei il calore.

Trascorse due ore, si ritrovarono in un mondo ridotto al livello elementare della parola.

La porta della stanza era socchiusa, la luce spenta. La televisione, lasciata accesa in cucina, illuminava uno spicchio ristretto di pavimento all'ingresso.

Aoi si rivestí, scartò un chupa-chups, lo succhiò. Poi prese una torcia e andò in giardino a controllare le rose. Stringeva le cesoie cercando polloni, e intanto perlustrava tra le piante la propria gioia. Aveva paura, ma era soprattutto appagato, di quella specie di felicità che fa grandi promesse.

Mio si fece una doccia, andò in cucina ed estrasse dal freezer il gelato alla vaniglia che aveva comprato al *konbini*. Lo fece per avere in bocca qualcosa che non si consumasse immediatamente, qualcosa che la facesse star zitta. Aveva bisogno di riflettere su quella cosa enorme che stava accadendo dentro e fuori di lei.

Si sedette sulla veranda e rimase a guardare la silhouette scura di Aoi, la luce troppo forte della torcia che colpiva a turno le piante. Lo cercava con gli occhi, con la difficoltà che si prova nel desiderio, quando si è presi da una forma di cecità per l'oggetto d'amore che pare sempre troppo lontano da sé e si vorrebbe già dentro al petto. Finché lui rientrò, si lavò le mani, si accovacciò accanto a lei. Con il palmo spinse la testa di Mio sulla propria spalla, le dette un bacio sui capelli mentre lei continuava a infilarsi sovrappensiero il cucchiaino in bocca.

Rimasero cosí per un tempo che parve infinito.

«Vado a dare un'occhiata alle previsioni del tempo», esclamò Aoi a un certo punto, alzandosi per andare in cucina.

«Allora ti interessano sul serio», lo schernì Mio.

«Voglio sapere se domani, prima che torni a Tōkyō, riesco a portarti al mare».

S'infilò la maglia a maniche lunghe e si affrettò verso la porta, mentre scorreva la musica del notiziario della mezzanotte.

Mio ripensò al discorso sulle rette, alle invasioni di campo di chi ama di piú. Si girò, e i bagliori della tv che intravedeva sul pavimento furono coperti per un attimo dall'ombra di Aoi. Ebbe paura che il proprio cuore fosse andato molto piú avanti del suo.

«Non ti ho mai sentito parlare con tua sorella. Quando siete soli parlate di piú?» chiese Mio.

200

Erano sdraiati sul letto, lei teneva le gambe dritte in aria, lisciando i polpacci.

«Sayaka è di poche parole».

«Da sempre?»

«Forse, non ricordo. Probabilmente siamo cambiati entrambi».

«Se avessi avuto una sorella, credo le avrei parlato tutto il giorno, dalla mattina alla sera», esclamò Mio, e subito si sentí molto infantile, e insieme felice di averlo detto.

Stese le gambe, iniziava a sentire addosso la stanchezza della giornata.

«Dopo la morte di nostro padre, quando ho deciso di occuparmi dell'azienda di famiglia, è stata proprio lei a guidarmi, pur nel suo millimetrico modo di comunicare».

Fin da bambina, Sayaka aveva avuto poca voglia di dire. Rimaneva taciturna per mesi, poi stringeva amicizia, e dentro quella relazione ogni volta esplodeva. La si vedeva ruminare ininterrottamente parole con l'amica del cuore. Capitava a ogni cambio di scuola o di classe: tornava zitta e se ne stava in disparte, almeno finché non trovava di nuovo un unico interlocutore – sempre uno alla volta – capace di farla sentire abbastanza incosciente da aprirsi.

La persona a cui era piú legata in famiglia era lo zio, il fratello maggiore della madre. Aveva vissuto buona parte della sua vita a Tōkyō, poi, poco dopo la nascita di Aoi, era tornato senza preavviso nel Kanagawa e da allora aveva abitato nella casa appartenuta ai nonni, dove la madre di Aoi andava talvolta a trovarlo.

Lo zio compariva in tutte le fotografie che celebravano i capodanni, le ricorrenze importanti e i compleanni della loro infanzia ma, curiosamente, nessuno di loro due ne serbava memoria, tanto che, una volta cresciuti, Sayaka e Aoi si erano chiesti se per caso non fosse stata colpa dell'assenza di regali, che di solito lui non faceva, eccezion fatta per le biciclette. Ne aveva donata una a ogni membro della famiglia, sostituendole nel tempo con altre, a seconda dell'età dei nipoti o dell'uso che ognuno di loro ne faceva. Architettava le marce, la leggerezza del telaio, l'ampiezza del cestino o dei seggiolini. Il suo volto si illuminava soprattutto quando poteva esaudire un desiderio speciale: il sellino di una marca straniera difficile da reperire, il sostegno per la tavola da surf nel periodo in cui Aoi si era fissato con le onde e andava a cavalcarle ogni mattina prima dell'università.

Crescendo, la presenza dello zio nelle loro vite si era fatta piú robusta: con Aoi era sempre affettuoso, ma con Sayaka sembrava mosso da una profonda curiosità.

Non interveniva per parlarle, la osservava con fare paziente, interessato a vedere cosa accadesse al corpo e allo sviluppo della sua mente. Pareva un entomologo di fronte a un uovo poco prima della schiusa: il bruco che spinge fuori il corpicino e lo assottiglia, si trasforma in crisalide e in fretta espande le ali prima che si facciano dure. Finché si sviluppa in farfalla.

Annotava tutte le fasi della crescita della bambina con lo stupore dello scienziato dinnanzi a una grande scoperta. Negli anni, isolò con acume i suoi tratti principali: l'intelligenza cupa, la cura per i dettagli, quella sua difesa dal contatto con le persone, la prudenza straordinaria che la salvava indistintamente dalla volgarità, dal successo, dalla felicità.

«La capiva piú di chiunque altro, – disse Aoi. – Sayaka ha sempre tenuto un metro di distanza dalle persone, è nella sua natura, ma lo zio si impegnava ad accorciarne la misura. A differenza dei miei genitori, che lasciandola in pace lasciavano in pace se stessi, loro due erano inseparabili».

Andava con lei a catturare i granchi sugli scogli di Marina Zushi e poi a liberarli sulla spiaggia solo per guardarli tornare subito al mare, raggiungevano in bici Enoshima poco prima del tramonto e si arrampicavano fino al tempio della Dea Benten per una preghiera. Senza quasi parlare, affrontavano scarpinate di ore per trovare i *kiridōshi*, gli antichi accessi sparsi sulle montagne lí intorno che un tempo conducevano a Kamakura i pellegrini.

Mio ascoltava i racconti di Aoi, le piaceva il modo che aveva di scegliere le parole: era capace di farle vedere le cose.

«Ero persino un po' geloso, ma sapevo che Sayaka riusciva ad aprirsi in quella maniera solo con lui. Comunicavano fisicamente, standosi a fianco, in silenzio, a guardare ciò che c'era di fronte. Lasciavano parlare i paesaggi, le esperienze che facevano insieme. Mi ero già reso conto che in fondo c'era poco da essere gelosi, che le persone si scelgono, anche all'interno della stessa famiglia».

Mio annuí. Pensò immediatamente a suo padre, a quando la sollevava afferrandola per le ascelle e la immergeva nell'*ofuro* accanto a sé. Ai libri illustrati, alla calma e a quei pochi discorsi con cui riscattava anni di silenzio: *Mio, sapessi che bella che era tua madre quando era in fila in quella pasticceria a Ginza, il destino si sente, è come uno sfrigolio nell'aria, vedrai, anche tu lo sentirai.* A quell'amore che aveva intuito sempre enorme.

«Lo zio non passava mai in agenzia, – continuò Aoi. – Con Sayaka si dava appuntamento direttamente sul mare oppure in stazione, o all'ultimo semaforo di Wakamiya-ōji. Lui provava una forte diffidenza per il lavoro di mio padre, quasi un fastidio».

Mio non faticò a capirlo.

«In famiglia lo avevamo intuito da tempo, ma in qualche modo si teneva l'argomento lontano. Papà ripeteva che ciò che non si comprende fino in fondo fa paura alla gente, e credo includesse anche lo zio nel discorso. Non gliene aveva a male, si rispettavano, ma tra loro c'era poca confidenza».

Eppure, quando il padre di Aoi era morto, lo zio aveva chiuso da un giorno all'altro il negozio di biciclette e, in quel modo stupefacente con cui cambiano talvolta le cose, aveva preso a lavorare insieme a loro all'agenzia di pompe funebri. Si era reso utile come poteva, aveva imparato da capo un mestiere. Non si era mai lamentato, camuffando il piú possibile lo sbigottimento che di certo provava.

«Un negozio di biciclette?» domandò ridestandosi Mio. Fu turbata dalla sensazione che quello fosse un discorso che era già iniziato altrove, mentre lei era assente.

«Sí, mio zio aveva un piccolo negozio di biciclette», rispose Aoi, d'un tratto nervoso.

Ecco, pensò lui, ecco da dove serviva partire. Dallo zio speciale che era stato per loro; dal secondo padre che era stato per Sayaka, l'unico amico adulto che si fosse permessa. Dalla capacità di quell'uomo gentile di farsi contaminare dalla vita, dal consenso che accordava a priori, perché, come diceva sempre, «un sí non viene mai solo, ne implica un altro, tutta una serie di sí, finché la vita non si impone come un'affermazione definitiva».

Sí, solo *sí* diceva lo zio. L'unico *no* gliel'aveva sentito pronunciare quando Aoi insisteva perché si facesse vivo con sua figlia, che le scrivesse per dirle quanto l'aveva pensata negli anni, quanto anche da lontano la avesse amata.

In fondo, era stato proprio venendo a sapere la sua storia privata che Aoi si era spiegato quella predilezione tutta femminile dello zio per la sorella, il rapporto che doveva apparirgli tanto simile a quello tra un padre e una figlia.

«Aoi, – lo interruppe Mio. – Come si chiamava tuo zio? Come faceva di nome?»

Come faceva di nome lo zio di Aoi

Takenori Okada.

Tre

Certe domande si fanno quando se ne ha già la risposta.
Talvolta per gioco, talvolta per il piacere di sentirsi ripetere una storia di cui si conosce a memoria ogni riga o di cui, se non altro, si intuisce il finale.

Quando Mio chiese quel nome, Aoi lo disse velocemente, certo che lei già lo sapesse.

Ebbe fretta di spiegarle come avesse avuto tutta l'intenzione di dirle la verità, se non il primo giorno già il secondo, ma anche come poi fosse stato travolto da una forza imprevista, un sentimento che fino a quel momento non aveva considerato possibile.

Quel pomeriggio di fine giugno, uscendo da Pigment, Aoi aveva attraversato le strade di Tōkyō di buonumore. Era incredibilmente sorpreso e felice che la giovane donna, che si era immaginato fredda e ostile, fosse invece buffa, gioviale. Chi lo avesse incrociato avrebbe scommesso che quel ragazzo doveva aver appena ricevuto una bella notizia. E che quella notizia fosse importante.

Aoi l'aveva sentita adagiarsi fin da subito dentro di sé, in un numero incalcolabile di minuti di ogni sua giornata. All'epoca ignorava ancora che Mio da sempre praticava l'incendio, che mescolava una nuova lingua con la benzina e dava fuoco alle cose. Se non amava piú qualcuno era pronta a bruciare anche le persone, terrorizzata al pensiero di soffrire. Alla fine di ogni relazione, per evitare la tentazione di tornare, Mio appiccava un rogo e gettava lí dentro tutto ciò che le ricordava quell'amore. Aoi non poteva

206

ancora sospettare che un giorno avrebbe avuto paura lui stesso di finire nel rogo. Avrebbe allora immaginato Mio a braccia conserte, con quella sua bellezza vischiosa, intenta a osservare le volute di fumo perdersi in aria, un pezzo di Aoi che si snodava nel cielo sopra di lei.

Adesso erano seduti sulla veranda. Il giardino davanti, la finestra aperta ma filtrata dalla zanzariera.

Dopo averla conosciuta da Pigment, le sussurrò guardando il buio di fronte, era convinto che le avrebbe parlato, magari appena conclusa la sua consulenza, davanti al *tenpura* di Ikeda-san. Le avrebbe mostrato una fotografia dello zio e le avrebbe raccontato di quell'uomo speciale, della sua eredità tutta di carta. Sarebbe nata un'amicizia, pensava. Sí, era bello immaginare Mio parte della famiglia. Sayaka all'inizio sarebbe stata gelosa, ma poi l'avrebbe accolta: guardandola in viso avrebbe individuato la somiglianza, e quella soltanto gliel'avrebbe resa cara. Osservarla ruotare il polso nell'esatta maniera in cui lo faceva anche lui, o alzare le sopracciglia con la sua stessa movenza, avrebbe finito per conquistarla.

Presto, però, Aoi si accorse che il pensiero di Mio cambiava di ora in ora dentro di lui, come una soluzione chimica che si deposita in laboratorio e di cui si vanno annotando le alterazioni. Con uno sconcerto ormai indistinguibile dalla gioia, di notte si era scoperto eccitato a vagare per casa, cercando rimedio in una bottiglia di birra, in un *senbei*, in una cosa qualunque da mettere in bocca.

Quando alla fine era arrivato il sesso, il lato sleale di lui ci aveva visto un collante, la dimostrazione che ogni cosa spingeva per tenerli accanto. In quel momento, voleva soltanto convincere Mio che la loro relazione forse era nata su fondamenta sbagliate, ma meritava una chance.

Mentre Aoi affrontava quella conversazione durissima, pensava a cosa c'era lí in mezzo e che non si vedeva. Con un impulso di sopravvivenza, ricordò il primo mese con Mio, pensò all'ossessione con cui aveva iniziato a ripetersi fra sé e sé – quasi per rendersi conto del pasticcio in cui si stava mettendo – che ne doveva valere la pena, di amare in quella maniera, disperata, prematura, incompleta. Pensò all'attimo in cui aveva capito con terrore che, comunque fosse andata con lei, la sua vita stava per spezzarsi in un prima e in un dopo, e che anche se di lí in avanti ci fosse stata molta piú gioia nulla sarebbe rimasto com'era.

«Mio?»

«Vai avanti, dimmi cos'è successo *praticamente*».

«Praticamente…» ripeté Aoi. Intorno a sé non vedeva che ombre. Doveva essere passata l'una di notte. Raccolse insieme i pensieri, iniziò: «Praticamente mio zio ha tenuto per oltre trent'anni una corrispondenza con una donna, una donna che ha amato moltissimo ma che non ha potuto avere con sé. Aveva già piú di quarant'anni quando l'ha conosciuta, però era sposata. Alla fine lei è rimasta a vivere a Tōkyō, lui è tornato ad abitare a Hayama».

Rallentava, e intanto guardava quel profilo immobile e zitto sulla veranda. Se Aoi non fosse stato certo del contrario, avrebbe pensato che stesse dormendo.

«Mio?»

«Vai avanti, ho detto».

«Hanno avuto una figlia».

Lei chiuse gli occhi, inspirò tutta l'aria che le riusciva.

«So che tua madre è morta, Mio, che nella tua famiglia sono morti tutti. Lo so soltanto perché era qualcosa che ci riguardava. Ho saputo dell'incendio della casa a Gunma».

Mio si portò le mani alla faccia come per pulirla dai lineamenti, quindi tirò indietro i capelli e li annodò intorno alle dita: «Erano andati a trovare degli amici, – disse a voce bassissima. – Era, dopo anni di lavoro, la loro prima vacanza».

A scandire quelle parole ci mise del tempo. La frase veniva fuori a fatica, come una creatura afferrata per la coda da un bambino.

Nella memoria di Mio la scomparsa della famiglia tornava insieme all'immagine brusca di una bacinella svuotata, il tappo tolto per sbaglio: una brevissima giravolta intorno allo scolo del lavandino e poi giú, tutti ingoiati dal buco nero del mondo.

Quando l'avevano chiamata al telefono era appena uscita dalla doccia, i capelli bagnati sulle spalle, il vapore che appannava lo specchio del bagno. Una voce le aveva chiesto se parlava con Yoshida Mio, e l'immediato riconoscersi in quel suono cosí distinto le aveva fatto capire che era successo qualcosa. Poi, come un battesimo oppure un'accusa, erano stati scanditi i nomi di suo padre e sua madre, del nonno e della nonna.

Perché mai in quest'ordine?, si era chiesta mentre rispondeva e ascoltava e annuiva, l'acqua che lentamente andava formando una pozza sul pavimento. Durante la telefonata si era fatta un mucchio di domande di quella natura, come cercasse una divagazione costante che potesse tenerla al riparo dalla descrizione dell'incendio («è scoppiato con buona probabilità per un malfunzionamento della stufa») e, insieme, come se riflettendo sul colore dello smalto delle unghie («lo stato dei corpi non permette un riconoscimento»), sulla voce stridula del poliziotto («ci sono altri parenti con cui prendere contatto?»), sull'odore di brodo che saliva dalla finestra socchiusa («entro quante ore potrebbe raggiungere Gunma?»), stesse tentando di restare appigliata ancora per un po' alla natura concreta del mondo.

Poche ore dopo era salita su un treno per Gunma, una poliziotta le era andata incontro in macchina alla stazione, gli autobus passavano solo nei giorni feriali, ogni quattro ore. Generalità, documenti esposti sul palmo, Mio era salita in auto e si era seduta accanto a lei. Il percorso era una discontinua linea di colore, campi e poi sparute case dai tetti blu, fattorie, piantagioni fino a toccare l'orizzonte. La poliziotta guidava e taceva, Mio guardava e taceva.

Arrivata a destinazione, era stato quell'enorme ammasso di colore a riempirle il cuore. O meglio, era stato precisamente ciò che non c'era piú. La casa degli Ono, innanzitutto: lo splendore di un rudere appena nato, poi le mura screpolate come carta d'oro e argento di un cioccolatino. Il fuoco ormai spento mostrava la maglia strettissima delle assi di legno, l'impalcatura nera del secondo piano, il tetto che, come un cappello volato lontano in un giorno di vento, era sparito.

Fino a poco prima aveva ospitato del cibo, dei *futon* e delle bacchette usurate, paia di scarpe, cappelli stinti dal sole, persone. E tra quelle persone, le uniche che di Mio sapessero riconoscere tra mille altre la voce, che ricordassero il colore su cui era nata: *hai-zakura* 灰桜, grigio cenere e rosa ciliegio.

Mio aveva fatto tutto quello che le avevano chiesto di fare, da brava. Documenti, firme, risposte, ripetizioni, da capo, documenti, firme, seduta, in piedi, indirizzo, risposte, poche domande. Si era lasciata aiutare su tutto, non fingendo neppure una volta di sapere.

Era tornata a Tōkyō il giorno seguente. Aveva perso i ricordi d'infanzia, e non vedeva piú nessun colore.

Seduta accanto ad Aoi in veranda, Mio fissava il giardino fatto di grigi e di blu abissali, il bianco stantio del lampione che aggrediva le foglie del giardino della casa di fronte.

Ripensò ai giorni che erano seguiti alla perdita della sua famiglia, le piccole crepe, la sensazione che quando accade qualcosa di tragico si entri in un regime di tale fragilità che, da lí in poi, potrebbe succedere qualsiasi cosa: dopo la lavatrice si è certi che si romperà la maniglia di una porta, poi si discuterà con qualcuno di caro, poi si rischierà di rimanere investiti a un incrocio.

Aoi, che era rimasto in silenzio, consapevole che serviva una quota di vuoto perché Mio potesse riportare in superficie il ricordo, riprese a raccontare.

«In quei giorni mio zio era sconvolto, ripeteva in continuazione che il fuoco era una cosa maledetta, non smetteva di piangere. Fu allora che mi parlò per la prima volta di te. Sapevo da anni che esistevi, ma non come ti chiamassi, dove abitassi, né che cosa facessi. Voleva incontrarti, aiutarti... Quando gli dissero che una cugina era tornata dall'estero per starti vicina si tranquillizzò. Chiese l'aiuto di un legale per poterti incontrare, voleva evitare di piombare nella tua vita in un momento cosí... Non sapeva se tua madre ti avesse parlato o meno di lui. Lei gli aveva scritto di no, ma chissà, magari tu avevi intuito qualcosa. Comunque, non voleva essere lui a parlartene. Non in una circostanza simile...»

Che cosa grottesca, ricordava di aver pensato Mio alla morte dei nonni e dei genitori. Chiudi una casa pensando che tornerai dopo qualche minuto, la lasci nel normale disordine di tutti i giorni, gli spinaci a mollo nell'acqua, le vongole dimenticate a spurgare, e invece passano giorni e non fai piú ritorno: la frutta nella cesta ormai è piena di vermi, sullo spazzolino si è depositato uno strato di polvere spessa.

«So che, tramite l'avvocato che ti ha seguita, hai scoperto comunque dell'esistenza dello zio, ma non l'hai voluto incontrare. Lui ti capiva, non ha mai insistito».

Mio continuò a guardare le ombre. Ricordava vagamente una mattina molto fredda, un palazzo fatto di vetri e uno sconosciuto in abito blu che le parlava. Il nome dello studio legale si reiterava sulla carta, sul biglietto da visita, su ogni porta. E lei che si ripeteva ossessivamente: *Dimenticherai tutto, Mio, calmati, non importa, è una bugia, un'informazione che non serve a nulla, la dimenticherai, tranquilla.*

Non era che non lo sapesse, né che l'avesse considerata un'informazione che si potesse ignorare. Era piuttosto che Mio aveva deciso consapevolmente di eliminare l'idea di avere un altro padre.

Aveva risolto quel nodo dicendosi che alle persone non serviva certo conoscere il proprio albero genealogico per sapere chi fossero veramente. In fondo, si era detta, le cose che non sappiamo saranno sempre superiori a quelle che sappiamo. Anzi, le cose che *non sappiamo* sono ben piú importanti di quelle che invece *sappiamo*. Sono parte di quel punto vuoto dentro ognuno di noi, quello intorno a cui si forma l'identità di ciascuno. È molto piú importante un evento minuto che viviamo in prima persona e che curiamo con devozione, rispetto alla grande storia che non ci tocca per niente.

«Una piantina in un bicchiere, annaffiata ogni notte con amore, vale piú di un bosco in fiamme», le aveva detto una volta suo padre, e Mio aveva vissuto benissimo fino ad allora senza conoscere da chi avesse ereditato il naso o la linea delle labbra. La somiglianza, se c'era, era innanzitutto interiore.

Certo, il modo in cui aveva appreso dell'esistenza di quel secondo padre aveva favorito il rifiuto. Le pareva che il torto fosse ancora piú grande: che suo padre, quello appena scomparso, diventasse vittima di un doppio affronto, e in un modo talmente irreparabile che la morte sembrava il problema minore. E che sua madre perdesse, al contrario, tutto il diritto alla nostalgia e alla dolcezza, per diventare l'infedele, la cattiva della storia. Sarebbe diventato tutto cosí gretto e incolore che decise di cancellare quell'informazione.

E allora quel giorno, mentre l'avvocato parlava, cercando di usare una sensibilità che suo malgrado non possedeva («Suo padre si chiama Takenori Okada. Abita a Hayama, nel Kanagawa, dove gestisce un negozio di biciclette. Ha espresso il desiderio di incontrarla e di aiutarla, nel caso lei ne avesse piacere»), Mio annuiva. Eppure non c'era.

Visualizzava tutto il bianco nella stanza, lo attirava a sé come una calamita, e quello, docile, le si depositava nei palmi. E lí dentro Mio si tuffava. Il trampolino era la poltrona dello studio legale in cui sedeva composta, ma eccola in punta di piedi, poco meno che nuda, i capelli pigiati nella cuffia. *Tuffati, Mio.* E lei si tuffava, alzando schizzi di latte e ostrica, che precipitavano sul pavimento lucente.

Parlatemi pure, non sono piú qui. Non mi troverete neppure se mi cercaste cent'anni. Io sono altrove.

Nel buio, Aoi continuò a parlare. «Anch'io volevo conoscerti, sai? Ma lui mi disse di no, aveva paura che ti turbassi… Mi ha detto di farlo, di cercarti solo quando fosse morto anche lui».

«È morto, quindi?»

Fu la prima cosa che Mio chiese da quando Aoi aveva nominato lo zio. Non avrebbe nemmeno voluto farlo, convinta che parlare equivalesse ad autorizzare quella *cosa*, a farla accadere. La frase però le uscí spontanea. Sciocca, per altro, si disse ripensando alla conversazione, ai verbi tutti coniugati al passato. Era ovvio che fosse morto. Nonostante ciò, se ne accorse davvero solo in quel momento.

«Un mese fa. Era malato da molti anni… Era piú grande di tua madre».

Mio pensò alle rinunce. Alle rinunce che pesano su noi stessi e sugli altri. Perché quando accade qualcosa di irreparabile si ha sempre bisogno di un responsabile per addossargli tutte le colpe. Lei aveva rifiutato l'incontro, lui non le aveva detto di avere poco tempo a disposizione.

«Lo zio ci manca molto, – disse Aoi, – a Sayaka probabilmente anche di piú. Però ha avuto un'esistenza felice. Se ne è andato soddisfatto di com'era stata la sua vita. Una volta mi disse che aveva sofferto per non aver avuto vicino tua madre e te, ma che tutto in qualche modo si era allacciato a meraviglia… Sí, disse proprio cosí: la tristezza si era allacciata a meraviglia all'allegria e che, in fondo, non aveva rimpianti».

Gli occhi di Mio si gonfiarono di lacrime, come quando guardava un film e senza preavviso, per una scena magari banale, si commuoveva.

«Di te diceva che, pur avendoti vista solo in foto, eri bella come tua madre, che avevi i suoi lineamenti ma eri piú alta. Ripeteva che eri intelligente, una donna speciale con un dono straordinario negli occhi, che ti piaceva studiare, e rideva dicendo che in questo non avevi preso da lui. Quando gli chiedevo perché mai non insistesse a incontrarti rispondeva che tu un padre lo avevi già, e che era un grand'uomo, un uomo con una tempra che lui non aveva mai avuto, e che tua madre aveva scelto il padre migliore per te».

Mio vide nelle pupille cosa le stava accadendo nel cuore. Il colore arretrava da tutte le cose, si allontanavano i rossi, la scala dei verdi e dei blu, le picchiettature del giallo e dell'arancione. Era successo lo stesso al ritorno da Gunma, dopo aver visto la casa incendiata: aveva perso per giorni la visione del colore. Allora non lo aveva confessato a nessuno, del resto non c'era piú nessuno con cui parlarne. Sapeva che quel fenomeno non aveva a che fare con gli occhi ma con l'anima offesa, la quale senza amore non sa che farsene della bellezza.

Talvolta, quando si sentiva disperata e confusa, i colori sparivano ancora, tutto si faceva un'unica distesa di grigi, un mondo tremendo in cui l'unico appiglio rimanevano il contrasto e le linee.

«Mio, ho sbagliato a non parlartene prima, – mormorò Aoi. – Mia madre diceva che i nostri unici remi sono gli errori che facciamo, e che per andare avanti e migliorare serve usarli al meglio. Spero che il mio sia uno di quegli errori che si possono riparare… – s'interruppe, poi alzandosi aggiunse: – Aspetta».

Tornò poco dopo, stringendo tra le mani una grossa busta di carta. Ne estrasse blocchi compatti di fogli dalla forma e dal colore diversi.

«Sono le lettere che negli anni tua madre ha scritto a mio zio. Il mittente è sempre lo stesso, Kaneko Yoshida».

Mio annuí, ma solo perché Aoi continuasse a parlare.

«Mi hai parlato della fissazione di lei per il tuo modo di vedere, di quanto ti abbia fatto soffrire. Io ho letto quella corrispondenza, Mio, ho letto le parole che tua madre sceglieva per raccontarti».

«Non dire nulla…»

«No, non ti dirò nulla, vorrei fossi tu a leggerle, se e quando te la sentirai. Ma questo pezzo mi serve per dirti di me».

Mio rilasciò un impercettibile «mh» di assenso.

«Tuo padre era…»

«Non chiamarlo cosí».

«Hai ragione, scusa. Mio zio non vedeva i colori come li vedono gli altri».

«Che significa?» lo interruppe Mio.

«Era daltonico, ed era esattamente per questo che tua madre era impensierita: temeva che lo potessi essere anche tu. Per il lavoro della tua famiglia sarebbe stato un disastro e, sebbene lo zio le assicurasse che il daltonismo era quasi sempre maschile, lei era preoccupata per i tuoi occhi. Non lo faceva per cattiveria».

«Daltonico», sillabò Mio, come pronunciando una parola straniera.

«È un dono immenso questa tua visione straordinaria».

«Non è affatto straordinaria», replicò lei.

«Lo è, – ribatté Aoi. – Lo sai anche tu che lo è».

Mio alzò le sopracciglia, infastidita. Le pareva che qualunque cosa bella, infilandosi adesso in quella conversazione, ne sarebbe uscita ustionata.

«Il punto però è un altro, – spiegò lui. – Il daltonismo

è un difetto di famiglia, anche mio nonno paterno era daltonico, e...»

Mio attese, percepí come un piccolo dosso, una curva dietro cui iniziava una strada completamente diversa.

«Lo sono anche io. È una cosa che si eredita, Mio».

«Daltonico», sillabò ancora lei. Non era neppure una domanda, ma una parola che restava in piedi da sola.

«Non vedo il rosso. Il verde mi pare sbiadito, il rosa sembra grigio e confondo spesso altri colori».

«Non me lo hai mai detto». Fu un'altra frase senza domanda, pronunciata con voce spenta.

«Lo so, mi dispiace».

«Un'altra menzogna», sussurrò lei piano, come per non farsi sentire, ma Aoi avvertí la tristezza che le s'insinuava nel corpo. Avvertí il rifiuto, immaginò la fine: fu l'idea piú vicina all'intuizione di cosa significasse sentirsi privati di qualcosa di cui non si può immaginare di fare a meno. Eppure quella sterzata improvvisa, quasi sbadata, quell'aggiunta incredibilmente non pianificata che era l'amore per Mio, aveva mandato all'aria ogni cosa. Come avrebbe fatto d'ora in avanti senza di lei?

Aoi scacciò via quel pensiero angosciante, si concentrò sui suoi occhi, anche se lei non lo guardava.

«Sapevo che non sarebbe stato un dettaglio per te. Niente che abbia a che fare con il colore lo è. Però non ho mai creduto di nasconderti una cosa fondamentale, non l'ho mai visto come qualcosa capace di mettere distanza tra noi».

«Io ti parlavo di come vedevo le cose, tu sembravi capire».

«Ti capivo, Mio, – la voce si era fatta implorante. – Ti capisco *sempre* quando mi parli. È il tuo amore per la vita che passa, la bellezza che vedi, anche quella nascosta nelle cose meno sicure. Adoro ascoltarti mentre descrivi il tuo mondo. Ti capisco perché, in un certo senso, vivo anch'io in un mondo diverso da quello degli altri –. Aoi prese fiato, tentò un sorriso. – È come se i miei occhi parlassero la lingua di una minoranza, di una piccola comunità che percepisce i colori in maniera diversa».

Mio provò tenerezza per quella frase che, ci avrebbe scommesso, Aoi aveva imparato da bambino per spiegare agli altri il proprio difetto di vista. Ricordò la gioia spossata e misteriosa della prima volta con lui. La sensazione d'essere rimasta incinta d'una creatura leggendaria, una Viverna che, senza il rubino incastonato sulla fronte, vedeva probabilmente come vedeva Aoi. Le parve uno di quei segni che il destino elargisce per scherzo, troppo prima del tempo, e che l'anima scarta perché ancora impreparata a capirlo.

«Sei arrabbiata?»

No, Mio non era arrabbiata, ma si sentí sciocca. Ripensò alla cura morbosa con cui aveva selezionato gli abiti e il trucco prima di ogni incontro con Aoi, alle spiegazioni arditissime sui sette azzurri del cielo, alla descrizione della scala estesa dei bianchi dello *shiromuku*.

«Mi hai lasciata parlare dei colori senza dirmi nulla –. O forse sí, era rabbia. Come poteva pensare di capirla senza capire il colore? – Sei venuto a incontrarmi, sapevi chi ero, non mi hai messo a parte di niente, mi hai tirato dentro la tua vita, mi hai reso difficile uscirne, hai finto di essere quello che non sei».

«Eppure, Mio, non sono mai stato tanto sincero con una persona, non mi sono mai aperto cosí. Quello che provo è una cosa del tutto nuova per me».

«Mi sento comunque ingannata, – replicò Mio con tono assente. – Sono certa che lo capisci».

Si sentiva parlare con una bellissima calma che non le apparteneva. Si stupiva a ogni parola, interrogandosi sul senso di quella notte che, ora dopo ora, le si posava come ruggine addosso.

Aoi le porse una mano, insicuro, ma Mio d'istinto si ritrasse.

Ecco, questo era proprio ciò che andava evitato.

«E ora cosa si fa?» si chiese Mio alzandosi in piedi. In quel momento avrebbe voluto eliminare Aoi, fingere non ci fosse mai stato. Nella sua vita di prima aveva negato cose molto piú grandi di lui, ci sarebbe riuscita anche questa volta: bastava preparare un nuovo rogo. Eppure sentí che il costo sarebbe stato enorme. Non una relazione superficiale che si smonta con poca fatica, ma l'innamoramento tenace delle volte definitive, quelle in cui è forte il presentimento di essere giunti finalmente a casa.

Mentre si rivestiva, lottando con la stoffa e con l'ira che le montava nel sangue, pensò che l'unica cosa che avrebbe voluto sapere era come fare a non sapere piú nulla. Dimenticare tutto.

Se suo padre fosse stato lí accanto, avrebbe probabilmente avvicinato la bocca all'orecchio di Mio e, con quel suo odore di foglie d'indaco e mela, con quella dolcezza arrendevole che lo aveva segnato tutta la vita, avrebbe sussurrato alla figlia che ci sono dei momenti in cui non appena si sa non si è piú in armonia con niente.

Poi però le avrebbe sorriso, aggiungendo che, ad ogni modo, alla fine tutto va a posto. *Davvero, Mio, te lo garantisco*, le avrebbe detto. *Tutto si aggiusta. Basta armarsi di coraggio e pazienza*.

Quattro

Fu un giorno di completo rifiuto.

Mio non aveva voglia di parlare, di incontrare nessuno. L'amore involontario, che dell'amore è la parte piú grande, la sopraffaceva.

«Serve un giorno per tacere, – si disse, – per non dire nulla, per non compiacere nessuno».

E allora rimase in silenzio, completamente zitta, fino alla sera.

Inviò una mail al lavoro per comunicare che non stava bene. Al *konbini*, quando andò a comperare qualche *onigiri* e del tè per il pranzo, annuí senza parlare, si limitò a chinare la testa per ringraziare.

Piena, all'interno, di quell'amore che la invadeva, Mio era incapace di riaffacciarsi all'esterno. Il cuore era preso. Riavvolgeva e svolgeva ossessivamente il ricordo di lui, certe frasi che aveva pronunciato, il modo in cui da un semplice passarsi un piatto per riporlo nella credenza si era giunti nudi nel letto, o come la sua gonna fosse miracolosamente planata su una ciotola sporca senza macchiarsi.

Si svegliò alla stessa maniera anche la mattina seguente, e quelle dopo ancora. Non sentiva la fame, non sentiva il suo corpo: non avrebbe saputo dire dove fosse finito il suo centro, dubitò per un istante di averlo mai avuto.

Appena si alzava le veniva istintivo arieggiare la stanza, per cacciare via le notti insonni e i pensieri nero inchiostro 墨色 che l'avevano accompagnata. Faceva una colazione distratta, poi si preparava per uscire di casa. Mentre si lavava e vestiva, come stilando un conto al ristorante, recuperava con precisione tutte le confessioni fatte ad Aoi, gli svenimenti, l'uomo che l'aveva salvata nel canale, la bellezza abbagliante delle spose nell'atelier di famiglia, il senso di fuga negli occhi di alcune, le urla della madre, la volta in cui si era nascosta nell'armadio per evitare le botte e aveva scoperto quel blu straordinario: il *nando-iro*, il padre – sí gli aveva detto persino del padre – che ogni sabato scompariva per andare a guardare al cinema le vite degli altri. E poi l'amore, quello detto e quello fatto, i pensieri straordinari dedicati solo ad Aoi, tutti gli episodi e le piccole felicità che ora le davano l'esatta misura dell'abbandono che si era concessa con lui. Era precisamente il ricordo di quella completa fiducia a farla sentire tradita.

Capitava che nel tragitto verso il lavoro incontrasse un collega. Gli sorrideva, faceva un inchino, eppure era distante, come se il suo saluto arrivasse dal riquadro di una finestra di un palazzo lontano. L'altro restituiva il sorriso, forse intuiva qualcosa, chinava il capo. Quando Mio varcava la soglia di Pigment, già non ricordava piú di aver visto qualcuno per strada.

Portava con sé il pensiero di Aoi oltre le porte scorrevoli del negozio, fino allo spogliatoio sul retro, dove infilava nell'armadietto le sue pochissime cose e indossava il grembiule con le iniziali ricamate sul petto.

Al lavoro era sbadata. Sbagliava ma non se ne curava, quasi si sentisse protetta dalla tragedia in cui era affondata. Quei giorni maneggiò foglie d'oro con le bacchette e dovette ripetere almeno tre volte di seguito l'operazione, a un cliente che cercava un kit per l'acquerello indicò l'angolo delle tempere a olio. Persino il tour dei pigmenti, che d'abitudine teneva con entusiasmo per le comitive di studenti delle scuole d'arte, fu un completo disastro.

C'erano giorni in cui Mio si sentiva sull'orlo di una crisi

di pianto, altri in cui all'improvviso le veniva il singhiozzo ridendo davanti a un programma televisivo, o per un
gioco di parole di una collega. E la vita, che il giorno prima le era sembrata una tragedia, ecco che si trasformava
in una commedia.

Era altrove.

«Yoshida-san, sta bene?» le chiese un giorno il direttore.

«È pallida, si sente bene? – le domandò anche Sara quando, il mercoledí, portò a lezione le due bambine. E poi,
riflettendo a voce alta: – I giapponesi lavorano troppo».

Dalla loro ultima notte, Mio aveva ricevuto numerosi
messaggi da Aoi.

Una volta soltanto lui aveva provato a chiamarla, ma
lei non aveva risposto. Con una mail cosí asciutta da non
consentire ulteriori domande, aveva affidato a una collega il lavoro di consulenza per l'agenzia di pompe funebri.

Dei giorni che seguirono, la colpí soprattutto l'alternanza: la rabbia e la voglia, il desiderio di mandare tutto all'a-
ria e insieme la cocciuta certezza che le sarebbe passata.

Allontanava il pensiero di Aoi come si scaccia un men-
dicante insistente che ti segue anche se non hai nulla. Poi,
d'un tratto, era lei che lo cercava, quasi stessero giocan-
do a nascondino, e lui si era nascosto fin troppo bene, e la
cena era pronta, e lei doveva stanarlo a ogni costo, maledizione!, e pure di fretta.

Mio si sentiva confusa. Ma soprattutto incoerente.

Anche il suo rapporto con il cibo subí un avvicenda-
mento feroce: c'erano giorni in cui era presa da una fame
stupefacente – entrava nel *konbini* e caricava il cestino di
panini dolci, morbidi *mochi*, sandwich, budini stagionali,
carote – e ce n'erano altri in cui invece non apriva la bocca
se non per bere qualche sorso d'acqua e mandare giú una
pasticca per il mal di testa.

Per altro, sia che digiunasse sia che si ingozzasse, Mio
dimagriva, come se il cibo si disintegrasse dentro di lei. Il

dolore usava molte energie, ma quali? Bruciava proteine? Zuccheri, grassi, carboidrati forse? Quale parte del corpo usurava di piú la sofferenza interiore?

Eppure, come sempre succedeva con lei, fu negli occhi che avvenne la metamorfosi piú straordinaria. Talvolta, uscendo di casa la mattina, ogni dettaglio le appariva avvolto da colori abbaglianti, altre volte invece la realtà come la conosceva era schiacciata da inspiegabili opacità. E poi c'erano le distinzioni perentorie dei toni: un giorno il rosso metteva a ferro e fuoco il paesaggio, quello successivo c'era un blu che colava ghiaccio da tutte le parti, quello dopo ancora il colore si staccava letteralmente dalle cose e Mio precipitava in un bianco senza confini che le rendeva indistinguibile il mondo.

Solo quando insegnava a Rui e Alma viveva una pausa: il mercoledí entrava da Pigment, incontrava i volti delle bambine e tutto tornava oggettivo. Finiva la lezione, usciva dal negozio ed ecco che ancora una volta veniva travolta dai colori di Tōkyō, dalla luce capillare del cielo, le insegne brillanti, e poi dai *kanji* melmosi che invitavano a entrare indistintamente in un *host club* o in un negozio di giocattoli in legno.

Mio aveva sempre amato Tōkyō proprio per le sovrapposizioni continue, l'affastellamento delle sagome che si riflettevano ovunque, le infinite conche d'ombra nei tanti quartieri della città, quell'improvviso smorzare di tinte che si mescolava con il luccicare dei neon. Le bastava alzare lo sguardo verso i fili che vibravano in aria colmi di elettricità e tracciavano linee bluastre sull'asfalto perché le apparissero come strade parallele tracciate in cielo, spartiti che accompagnavano il buio nascosto nei passi delle persone.

Eppure, in quei giorni, Mio era arrivata a detestare anche Tōkyō: era troppo per lei.

Tornando verso casa, se vedeva sulla via un ristorante di *tenpura* o qualcos'altro che le ricordasse Aoi, le saliva il nervoso. Entrava in stazione ed ecco che controllava senza volerlo a che ora sarebbe partito il treno della Yokosuka: percorreva mentalmente la strada per arrivare a Kamakura, in tempo per cenare con lui.

Una sera, per calmarsi, aprí il taccuino di stoffa e pensò di scrivere onestamente come si sentiva, se non nei confronti della propria famiglia, perlomeno nei confronti di Aoi. Di riassumere in due righe (non piú di due!) ciò che provava.

Ebbene, scrisse che non voleva che Aoi le fosse lontano.

E, nella frase seguente, che non lo voleva neppure vicino.

E allora cosa vuoi?

Senza trovare rimedio a quell'ennesima contraddizione, Mio ripose il taccuino.

Si convinse di come il contrario di una cosa non fosse sempre il suo contrario.

Roland Barthes sul contrario di una cosa che non è il suo contrario

1° settembre 1979

– Sono infelice, triste a Urt.

– Ma sono forse felice a Parigi? No, è questa la trappola. Il contrario di una cosa non è il suo contrario, ecc.

Lasciavo un luogo in cui ero infelice, e ciò non mi rendeva felice di lasciarlo.

Aoi la aspettava.

Sapeva che si era sentita ingannata, in fondo era d'accordo con lei.

Il giorno dopo il loro confronto notturno passò dalla sorella. Voleva spiegarle cosa fosse successo e, soprattutto, inginocchiarsi davanti all'altare casalingo e parlare col padre. Sayaka, infatti, abitava ancora nella casa che era stata dei genitori: una villetta a due piani in cui erano cresciuti e invecchiati tutti e quattro, fianco a fianco, per oltre vent'anni.

La ragazza ascoltò il discorso di Aoi, ma non replicò. Intuí l'amore del fratello verso quella donna, e si prese del tempo per capirne fino in fondo la portata. In silenzio, mentre preparava la cena per sé, Sayaka immaginò cosa sarebbe successo di lí in poi. Le previsioni che fece su Mio e Aoi si sarebbero rivelate tutte esatte, ma non disse nulla.

Si diedero la buonanotte, e Aoi entrò nella stanza dove era posto l'altarino domestico. Si chiuse la porta alle spalle, giunse le mani davanti al *butsudan*. Accanto ardeva il filo di una candela, tutta la luce assorbita veniva bruciata dalla fiamma.

Accese il bastoncino di incenso e posò le offerte, poi il suono gentile del gong si propagò per tutta la stanza. Sorrise alla fotografia della madre, che gli restituí il sorriso a sua volta. Era stata una donna allegra, che delle cose scovava sempre il lato migliore. Guardandola Aoi pensò che ora serviva recuperare quella parte di lei dentro di sé.

Si concentrò sul volto severo del padre, dietro cui riconosceva quell'esitazione che lo aveva torturato tutta la vita. Si domandò quale fosse la piú autentica delle due versioni che aveva conosciuto di lui: se l'uomo che si muoveva senza tentennamenti davanti alle salme, facendo migrare la disperazione dei parenti verso un dolore riconosciuto e prezioso, oppure quello che aveva pulsioni di morte e che talvolta la sera aveva sentito singhiozzare – puzzolente di alcol e di sigarette – sul grembo della moglie.

Pensò alla fragilità dei padri. A quanto avrebbe voluto che Mio gli fosse accanto, per chiacchierare di quel vuoto che è al centro di ogni essere umano, e di come ognuno a modo suo cerchi di riempirlo da sé.

Guarda, le avrebbe detto, allungando il dito verso una terza fotografia che ritraeva un uomo anziano ma ancora forte, le ciglia spesse come quelle di Mio. *Guarda: anche questo era tuo padre, non il solo, forse non il piú importante, probabilmente neppure il migliore, ma anche lui era tuo padre. Era un uomo molto divertente. Amava moltissimo i giochi di parole. Aveva una bella ironia, sai? Credo ti sarebbe piaciuto.*

La gente continuava a morire, lo faceva ogni giorno. Proprio non le riusciva di smettere di uscire dal tempo.

Aoi fu grato del grande carico di lavoro in agenzia. Da sempre pensava che l'unico modo di venir fuori da una cosa fosse entrare in un'altra: lavorare, non pensare a Mio.

Il primo giorno di *tomo-biki* le scrisse un breve messaggio. Aveva riflettuto sul fatto che forse era il suo lavoro a far sí che per lei fosse difficile abbinarlo a un colore, perché lui si mischiava al dolore e all'amore altrui, si adattava all'emozione di chi aveva di fronte. O forse aveva ragione lei, forse davvero non possedeva un colore. Sarebbe stato bello, però, se Mio lo avesse inventato per lui, magari un colore artificiale come quelli di cui gli aveva parlato una volta, un colore che fosse stato visibile anche a lui... No, non serviva per forza. Bastava che lei glielo descrivesse

226

alla sua maniera: sarebbe riuscito a vederlo attraverso le sue parole.

Non ricevette risposta. Continuò invece a rivolgerle pensieri ogni giorno, come quando si tira fuori dall'armadio l'abito migliore e gli si fa prendere aria, pur non avendo idea di quando e se mai lo si indosserà.

Del modo di venir fuori da una cosa

Secondo Aoi, entrare in un'altra.

Secondo Mio, concentrarsi su un colore, nuotarci dentro e percorrerne tutta la storia.

Secondo Sayaka, non fare nulla, neppure pensare. Aspettare.

Secondo Takenori, andare al santuario Morito-jinja, sedersi sugli scalini di pietra, osservare il grande *torii* scarlatto issato nel mare.

Secondo Kaneko, ripetere il proprio nome e cognome innumerevoli volte.

Secondo Yōsuke, andare al cinema, immaginare di entrare in altre vite. Poi camminare.

Una settimana piú tardi cadevano le celebrazioni dell'*o-bon*, e nell'agenzia di Aoi venne una famiglia per chiedergli di organizzare il funerale di una anziana che non era del posto. La donna era venuta a Kamakura per incontrare un'amica, e nella notte aveva avuto un infarto.

Il figlio della defunta era un giovane uomo dal volto calmo e gioviale, la moglie era invece molto seria e asciutta, nel corpo quanto nelle parole. Avevano con loro due bambini. Ciò che colpí Aoi, e che avrebbe voluto tanto raccontare a Mio, fu che nessuno di loro pareva scomporsi troppo di fronte alla morte. Negli anni avevano vissuto molti lutti, aveva spiegato il padre: la loro famiglia era a tutti gli effetti il risultato di due nuclei precedenti.

Ascoltandoli, Aoi pensò subito all'anziana coppia che un tempo abitava nella casa vicino alla sua, al giardino nel mezzo che li aveva allacciati. E ricordò il discorso di Mio sui pianeti, le supernove che nei libri illustrati esplodono in cielo e la materia che si raggruma organizzandosi per dare vita a una cosa mai vista prima.

Osservò le quattro persone che aveva di fronte con una nuova attenzione: notò solo allora come la bambina – che non smetteva di fissare il telefono nero – assomigliasse poco alla madre, eppure come allo stesso tempo si fosse *fusa* con lei. Succedeva probabilmente in ogni famiglia, che si finisse per assomigliarsi o che, nell'abitudine di vedere le persone affiancate, si desse talmente per scontato che i lineamenti coincidessero che, alla fine, l'occhio trovava raccordi impossibili e ci credeva.

«Vorremmo che all'ingresso, – disse l'uomo, – insieme alle fotografie di mia madre venissero proiettate anche quelle delle altre persone importanti della nostra vita. Quelle scomparse prima di lei. Mio padre, innanzitutto, e Akiko, la mia prima moglie, e anche la figlia e la madre di Yui, che sono venute a mancare molti anni fa».

Sua moglie, composta, annuí.

Aoi trovò molto bello che il funerale venisse concepito come un momento di raccoglimento della memoria, che attraverso la morte di quella donna si richiamassero le morti dei molti che l'avevano preceduta. Evocava il pensiero di come ogni dolore fosse stato accolto e superato, e prometteva che anche quella volta sarebbe stato lo stesso.

Negli anni, aveva assistito a ogni tipo di reazione di fronte alla morte di un familiare. Conosceva l'anima cauterizzata di fretta che si apriva a fatica, conosceva chi dopo una perdita restava convalescente per tutta la vita o chi si chiudeva a doppia mandata negandosi persino l'elaborazione del lutto. Come in apnea, soffrivano nel ricordare, il volto si contorceva nella fatica.

Eppure lí era diverso. Quella famiglia era consapevole, soffriva, ma nel modo normale di chi sa che anche questa è la vita.

Scelsero il legno della bara, il servizio di trasporto della salma, consegnarono la busta con dentro l'abito di lino bianco con un tulipano stampato sul petto da farle indossare («È sempre stato il suo preferito»), le foto della defunta e degli altri parenti scomparsi, firmarono i documenti mentre il piccolo già scalpitava e tirava la mano della mamma.

«Le andremo a parlare lí?» chiese d'un tratto la bambina piú grande, indicando il telefono nero.

Il padre si voltò e parve capire qualcosa che Aoi invece non colse: «Sí, Hana, ci andremo in primavera».

L'uomo accarezzò i capelli della figlia, e raccontò di un luogo a Iwate, sul fianco scosceso di una montagna, dove in un giardino privato era installata una cabina telefonica. Le persone vi si recavano per parlare con i propri defunti, attraverso la cornetta di un apparecchio non collegato che trasportava le voci nel vento.

«È un luogo molto speciale, per noi. È lí che ci siamo conosciuti io e mia moglie».

«E il Telefono del Vento è proprio uguale a quello lí», esclamò la bambina indicando l'apparecchio nero di bachelite sulla scrivania.

Aoi lasciò che gli parlassero a lungo di quel posto in cui ciascuno di loro pareva aver depositato sentimenti importanti. Si appuntò qualche nome, in modo da fare una rapida ricerca piú tardi.

«Chissà, – aggiunse l'uomo, – magari potrebbe essere di conforto anche a qualcuno di sua conoscenza».

A fine giornata, predisposta ogni cosa per il funerale, Aoi si diresse al supermercato per fare la spesa: non cucinava dall'ultima sera con Mio. Si era cibato per giorni di *bentō* preconfezionati del *konbini* e iniziava a soffrirne.

Per strada, per caso, vide ancora quella famiglia. Per evitare l'imbarazzo di un saluto ravvicinato, fece in modo di non farsi notare. Apparivano talmente tranquilli che nessuno avrebbe mai immaginato che il giorno seguente avrebbero assistito al funerale di una persona cara.

Ma Aoi lo sapeva, che il dolore è una cosa che aspetta, che concede piú di una tregua; all'inizio non sconfina dal suo piccolo spazio, da bravo, ma superato un certo livello di consapevolezza scoppia, esonda, e alla fine si fa un'enorme fatica a delimitarlo. Il dolore è come un bambino che non ascolta e tu dietro che arranchi, sempre piú schiacciato dalla stanchezza. Se non vince per forza, vince per debolezza. E tu, in qualunque caso, ne esci perdente.

Ora erano davanti al negozio di Floresta, il banchetto gonfio di ciambelle di tutte le forme e colori. I bambini erano completamente sedotti dai pinguini di glassa e dalle volpi di caramello e vaniglia. Il padre rideva: «Ancora? Ma quanto mangiate voi due?»

Un attimo prima di abbassare definitivamente lo sguardo, Aoi osservò la bambina alzare l'incarto di un nuovo dolce per portarlo alla bocca e in quell'istante chiudere gli occhi, come per concentrarsi il piú possibile su un senso alla volta.

Continuò a camminare spedito verso il supermercato, ma si concesse la fantasia di prendere il posto dell'uomo, di essere per un momento il padre di quella bambina, e in quel momento di sentirsi appagato. Sperò, un giorno non troppo lontano, di avere una famiglia anche lui. Gli pareva la prova definitiva della propria pulsione verso la vita.

Poi, con tutto l'ottimismo che possedeva – e che davanti al negozio di riso e liquori si trasformò in tristezza, per poi ritentare il salto verso la gioia una volta di fronte al *konbini* –, Aoi si spinse addirittura a pensare che sarebbe stato bello avere una famiglia con Mio.

Quel pensiero era la dimostrazione incontrovertibile di quanta strada avesse già fatto quel desiderio mai detto dentro di lui.

Fu allora che tentò di chiamarla al telefono: lei non rispose. E tuttavia lui si sentí pronto ad attenderla ancora di piú.

*Il nome e l'indirizzo di quel luogo speciale di cui parlava
la bambina*

Kaze no denwa. «Il Telefono del Vento».
Da qualche parte a Iwate.
Sul fianco scosceso della Montagna della Balena, Kujira-
yama.

Tōkyō dilagava di spettri.

Luoghi precisi in cui si avvertiva la presenza di creature dell'aldilà mescolate alla folla. E da quando Aoi era entrato nella sua vita, Mio sentiva il calore delle cose e insieme percepiva correnti estranee attraversarla improvvisamente. Si accorse solo allora di quanti cimiteri ci fossero in città: erano come ferite minuscole, una miriade di taglietti sulla pelle del braccio.

Un giorno, passando a Yanaka, fu attirata da una deliziosa pasticceria di *taiyaki* e si avventurò lungo un sentiero che costeggiava la ferrovia. Iniziavano i dorsi d'istrice, le pale conficcate nel cemento che segnalavano la presenza di tombe al di là del recinto. I ciliegi d'estate erano verdissimi, e guardando la schiena ricurva di un'anziana, che si affaccendava con il secchiello colmo d'acqua e il mestolo su un blocco di pietra, le venne in mente una domanda assurda da rivolgerle: se i suoi defunti stessero bene. Mio aveva pensato allora ai suoi morti, a quanto li amava.

Per distrarsi si intossicò di internet e serie tv. Ingollò tutta la filmografia di Ōzu che aveva a casa, semplicemente perché il bianco e nero la rilassava. Osservò con una curiosità diversa la scena del funerale di *Tōkyō monogatari*, e nello scaffale dei vecchi dvd appartenuti al padre trovò anche un film intitolato *O-sōshiki* («Il funerale»), che non aveva mai attirato la sua attenzione.

Senza neppure immaginarlo, quello era il suo modo di restare vicina ad Aoi. L'anima aderiva ancora a lui attraverso una rete di riferimenti che si erano moltiplicati durante i loro incontri, e finché quell'aderenza persisteva, probabilmente Mio non avrebbe troppo sofferto la sua mancanza.

Nonostante questo, e nonostante ancora non si concedesse di essere completamente onesta con se stessa, era solo questione di giorni, forse di ore, perché le sue scorte di resistenza si esaurissero e si verificasse la deflagrazione: la ripresa totalizzante dell'amore, che pretende l'oggetto del suo desiderio (subito! ora!) oppure minaccia di morire.

«L'amore piú forte è l'amore contro, – si era trovata qualche giorno prima a dire a una collega. – Anche quando a mettersi di traverso sei tu».

L'amore contro. Valeva anche per lei.

Piú contrastava quel sentimento, piú esso prendeva forza.

L'anima è nuda e tutto la invade.

Lo sapeva Mio, che ogni giorno rientrava a casa e trovava la busta gonfia delle lettere di sua madre. Rimanevano lí per terra, all'ingresso, come non fosse convinta né di farle uscire né di farle entrare.

Ci furono mattine in cui non le guardò, certe concentratissime sere in cui riuscí persino a dimenticarle, ore in cui l'occhio le scansava automaticamente.

Con la stessa, estenuante alternanza con cui aveva affrontato il pensiero di Aoi, talvolta si affacciava all'ingresso, allungava le dita per sciogliere il nodo che chiudeva la busta e, poco dopo, le ritirava. Si lavava ossessivamente le mani, dicendosi che era per evitare di macchiare le lettere. Dedicava cosí tanto tempo all'operazione che si accorse ben presto di mentire a se stessa, e di voler soltanto tergiversare: non aveva timore di sporcarle, aveva soltanto paura di leggerle. In fondo, non era sicura di essere pronta a sapere.

Mio era sempre stata bravissima a eliminare il pensiero delle cose che le facevano male: ne restava in balia per settimane, l'ossessione la faceva ballare come se un paio di scarpette rosse le fasciassero i piedi. Poi, da un giorno all'altro, sprangava una casa, in quattro e quattr'otto confezionava scatole e pacchi e li spediva lontano, verso una destinazione sconosciuta anche a lei.

Per piú di un anno, dopo la tragedia accaduta alla sua famiglia, aveva evitato la musica che la emozionava, aveva evitato la notte di stare sveglia, aveva evitato i film tristi, i discorsi profondi. E ora l'idea di riprendere tutto da capo le dava la nausea.

Eppure accadde. Una sera, alla fine di una giornata bruttissima in cui tutto fu negazione.

Piú avanti si sarebbe domandata come mai fosse successo proprio quella volta e non un'altra. Si sarebbe giustificata dicendo a se stessa che quel giorno era stato un completo disastro, e che il cuore era occupato a pensare ad altro. La stanchezza probabilmente le aveva abbassato le difese.

Allora Mio fece tutto insieme, senza preavviso: affrontò l'amore privato di sua madre, la busta di lettere che riposava da settimane all'ingresso. E si mise in cerca di una soluzione per gli occhi di Aoi.

I fotogrammi preferiti di Mio tratti da O-sōshiki (*«Il funerale», di Juzo Itami, 1984*)

(1)
La figlia del defunto, stretta nella perfezione del *kimono* nero da cerimonia, il colletto orlato di bianco, la capigliatura gonfia e circolare che mostra la luminosità del volto; lei che, tra una fase e l'altra della cerimonia, sale su un tronco fissato a delle solide corde, sulla veranda, e tenendosi salda oscilla nella foresta, come tornando bambina nella casa d'infanzia. Il marito intanto fa l'amore con un'altra donna.

(2)
L'affollarsi dei volti sulla salma del capofamiglia e il cerchio di passi nel quale i parenti, bambini compresi, si passano il sasso con cui premere il chiodo che avrebbe fissato definitivamente la chiusura della bara: i colpi diversi dei bimbi e degli adulti, in quel rapporto invertito di forza per cui chi è piú piccolo preme piú forte la pietra. Il *toc toc* che pare un addio, una ninnananna.

Tornando dal lavoro, la borsa a tracolla e i sandali ai piedi, Mio si chiuse la porta alle spalle. Indossava un cappello di paglia a falda larga, l'abito lilla con una cintura color cioccolato e vaniglia, un rosa fenicottero steso sulle labbra. Si sedette nell'ingresso, le gambe distese lungo quel poco che la separava dalla porta.

Fece tutto di fretta, per evitare che intervenisse il pensiero e quindi la paura: soppesò la busta con le lettere, ne sciolse la cordicella e ne prese una a caso. La grafia di sua madre si schiuse con lentezza. Le parve il movimento di un piccolo animale che fino a un attimo prima era raggomitolato nel sonno e adesso si stiracchiava al sole.

Kaneko raccontava a Okada-san che era arrivata la primavera, l'aria era piú tiepida e una sposa aveva cancellato d'un tratto l'ordine dello *shiromuku* e pure le nozze, perché la madre era morta e non voleva festeggiare nulla fino all'anno seguente. Continuava scrivendo che Mio all'asilo aveva imparato a tracciare l'1, il 2 e lo 0. Gli raccontò che a casa aveva fatto scoppiare tutti a ridere dicendo che, quando fosse stata alta venti (venti cosa non lo aveva specificato), avrebbe finalmente potuto mangiare piccante. *Piccante*, scriveva a Okada-san, *per Mio è una conquista dell'età adulta. Perché quando si avvicina al nonno e gli chiede di assaggiare quello che lui ha nel bicchiere, di solito alcolici, lui risponde che è piccante, qualcosa da grandi, e che di sicuro non le piacerebbe.*

Mio chiuse la lettera, ne sfilò subito un'altra. Adesso

era inverno, lui le mancava immensamente, ma quella mancanza le faceva compagnia – diceva lei – come una presenza che lo sostituiva e che le era accanto, costante. Parlava degli occhi di Mio, che non si capiva perché usasse tutte quelle parole per dire una sola cosa. Gli prometteva che avrebbe avuto pazienza, ma gli confidava che stare cosí vicino a una bambina era difficile, e che lui probabilmente aveva idealizzato il ruolo del padre e della madre. *Non avevo mai immaginato quanta paura provocasse mettere al mondo qualcuno. Mi pare d'essermi condannata alla paura. Mio è spericolata: corre, salta dalla sedia, si sbuccia i gomiti e le ginocchia in continuazione. Sgridarla non serve a nulla.*

Mio chiuse la lettera prima di arrivare alla fine. Ne sfilò un'altra ancora.

La carta era piú usurata delle precedenti, come se fosse stata letta molte volte. Ne capí subito la ragione, e fu travolta dalla stessa emozione che doveva aver provato Okada-san leggendola la prima volta: non l'aveva mai sentita cosí vicina.

Era un venerdí 16 agosto. E in quel giorno particolare, in quell'ora che immaginava già buia, Kaneko aveva impugnato una penna per scrivere a quell'uomo che lo amava, senza dirgli però che lo amava. Parlava di ingressi, di un labirinto dai mille ingressi, di lui che era precisamente quel labirinto in cui lei si perdeva, in cui era cosí facile entrare ma di cui era complicatissimo individuare l'uscita.

Mio rimase senza fiato, leggeva e il cuore le batteva all'impazzata, come quando si scopre un segreto che non si sarebbe mai dovuto sapere. Da qualche parte c'era stato quel tempo, un tempo lontano a cui Mio non aveva assistito e che nessuno le aveva mai raccontato, ma c'era stato davvero. Era cosí che amava sua madre.

La ricordò ritta in cucina, il grembiule su cui si asciugava le mani, lo sguardo severo su di lei, i gesti svelti e un poco sgarbati. Tutta quella voglia di vivere che esprimeva scrivendo, quando era in casa, dove finiva?

Mio sfilò un'altra lettera dal mucchio, quasi volesse sostituire un'emozione con un'altra.

Il tempo era afoso. La piccola Mio aveva mangiato l'anguria e per vantarsi, invece di sputare i semi, li aveva ingoiati: quando aveva sorriso gliene avevano trovati due appiccicati ai denti, e le avevano scattato una fotografia molto buffa. La bambina amava il lilla, in quei giorni voleva che fosse tutto lilla nella sua vita.

Mio uscí dalla lettera e fissò il proprio vestito; sorrise, perché quel periodo lilla non lo ricordava.

Passò alla lettera seguente.

Fu allora che scoprí con enorme stupore come, nonostante amasse lo *shiromuku* quasi con abnegazione, Kaneko Yoshida lo avesse indossato una sola volta: non era stata al suo matrimonio, e soprattutto aveva odiato quell'esperienza.

Un giorno di maggio sua madre scriveva a Okada-san di come, avuta la certezza che la cerimonia di nozze al santuario non ci sarebbe stata, e che quindi lei non avrebbe avuto mai modo di vestire il *kimono* da sposa, le era venuta comunque voglia di vedere come sarebbe stato il suo volto circondato da quella montagna di stoffa. Nella lettera raccontava della sera precedente: la cerimonia nell'ufficio comunale, le ultime ore prima di quella semplice firma che avrebbe fatto di lei una donna coniugata, e di Yōsuke non piú un Imai ma uno Yoshida.

Fu quella sera che aveva chiesto alla madre di vestirla. Aveva scelto uno *shiromuku* tra quelli in affitto, dopo aver seguito tutta la procedura Kaneko aveva notato con malinconia i gesti invecchiati della madre, ancora efficaci ma sempre piú secchi. Eppure, non era andata come si aspettava. *Ero sconvolta. In quel* kimono *che avevo sempre adorato mi sentivo a disagio, a ogni stretta sempre piú prigioniera nelle stoffe che mia madre continuava a tirare con concentrazione, ad annodare, ad avvolgere intorno a me. Mi pareva una gabbia, fui inquieta tutta la sera.*

Quella sera, pensò Mio riponendo la lettera nel mucchio, la madre doveva aver percepito tutto il peso del matrimonio. La immaginò ragazza, impaurita. Come le spose che Mio nell'infanzia aveva spiato nell'atelier, anche lei doveva avere avuto addosso un gran desiderio di fuga, una spinta inconfessabile a uscire di casa e sciogliersi nell'oscurità dell'autunno, dell'inverno, della primavera, dell'estate che sempre avanzava.

Si domandò se sua madre lo avesse percepito come un presagio.

Mio continuò a leggere per tutta la notte. Non sempre arrivava fino in fondo alle lettere: quando trovava qualcosa che la disturbava – una confessione troppo intima, una frase sgarbata che la riguardava, un resoconto di un litigio casalingo di cui Kaneko non si attribuiva mai la colpa – passava a un'altra lettera. Poi, assalita da una voracità tutta nuova, riprendeva in mano quella precedente, leggeva qualche riga e di nuovo la abbandonava per passare a un'altra.

Ricavò di sua madre l'impressione di una donna appassionata e infantile, che l'amore ce l'aveva sempre in bocca, eppure pretendeva di stare da sola e bastarsi. Finí per sembrarle egoista, nell'arrogarsi con Okada-san il diritto alla scelta, quello alla forza, persino quello alla debolezza. Quella notte, Mio si domandò diverse volte cosa mai ci avesse trovato in lei non solo suo padre, ma anche quell'uomo che non conosceva.

Poi però spianava un altro foglio di carta, sempre per caso, ed ecco che emergeva una donna diversa, premurosa, acutissima, che nel lavoro ritrovava e ricompattava le proprie fragilità.

Era quella la parte migliore di lei, pensava Mio, quell'altalena tra forza e debolezza, quell'afferrare il polso del compagno, imperiosa, e subito dopo rilasciarlo, quasi stupita di quanto si era creduta capace di fare. Innamorarsi di lei doveva essere un'esperienza simile a un'ubriacatura.

Mio fu travolta dall'interiorità della madre, le venne quasi da gridarle contro, come se anziché dei fogli di carta sparsi sul pavimento ci fosse stata lei in persona. Leggendo le confessioni di Kaneko a Okada-san le tornavano in mente quelle frasi insopportabili sull'essere mogli degne, sull'iniziare e finire la propria vita entro il cerchio di un matrimonio, sulla devozione che si deve al marito. Il mucchio di incoerenza che ora la ricopriva era insieme tragico ed esilarante: Mio stessa, in fondo, era la dimostrazione concreta di come la madre non avesse mai dato retta a quanto diceva.

Poi però la perdonava. Capiva che c'è un margine immenso tra ciò che si ritiene giusto e ciò che si riesce a fare. E, in fin dei conti, ciò che rimaneva di ogni lettura era un senso indicibile di nostalgia. La consapevolezza d'aver perduto in quell'incendio persino piú di quanto credeva.

Smise di guardare la televisione, abbandonò internet e le serie tv, lasciò i libri da parte.

Ogni giorno Mio tornava a casa, si lavava le mani e prima di preparare la cena leggeva sua madre. Divenne uno dei momenti preferiti della sua giornata. Finí per mangiare sempre piú tardi, poi prese a comprare un *bentō* sulla strada di ritorno per non perdere piú tempo in cucina.

Clandestina del passato, rubava i segreti alla madre: «Mamma, cos'hai fatto quel giorno? Chi eri?»

Trovò tra le sue lettere una leggerezza e un'ironia sconosciute. Fu combattuta tra la gioia di saperla tanto contenta e il dispiacere di non averla conosciuta per niente.

Un martedí di aprile di ventisei anni prima scriveva a Okada-san che avrebbero dovuto insegnare al tempo, quello che scorre uguale per tutti, il loro tempo particolare. Che bisognava insegnare al mondo a contare piú lentamente, perché non fosse costretta a salire su un treno per raggiungerlo in quella cittadina lontana in cui si era trasferito, e convincere la realtà ad aprire uno squarcio in cui loro due un giorno potessero ritrovarsi.

Se la immaginò timida tra le braccia di uno sconosciuto,

felice all'idea di incontrarlo di nuovo. Eppure quell'appuntamento lo andava rimandando di volta in volta: gli spiegava quanto fosse occupata, quanto difficile era ritagliarsi anche soltanto un secondo per se stessa. Gli diceva di essere dispiaciuta, ma che neppure quell'autunno avrebbe potuto incontrarlo. E lui doveva aver smesso di farvi cenno, perché a un certo punto da come sua madre scriveva pareva ovvio che fosse soltanto quello, esattamente quello scriversi, tutto ciò che rimaneva di loro.

Nelle lettere, però, Kaneko parlava soprattutto di vita quotidiana, e soprattutto raccontava a Okada-san della sua bambina. Quando nominava la figlia, tuttavia, era quasi sempre nell'ordine di grandi preoccupazioni: l'idea che potesse essere diversa, l'idea soprattutto di non riuscire a capirla.

Non parla, la bambina non parla. So che mi diresti di essere positiva, ma ho bisogno di sapere che è sana. Non potrei mai tollerare fosse malata. Come farei?

Mi sono confezionata un abito azzurro con la tecnica shibori, lasciando che i chicchi di riso definissero la fantasia. Ne ho fatto uno uguale per Mio, che mi ha aiutata. Mi è parsa molto felice dell'esperienza. Dovrei riuscire a mandarti una fotografia il mese prossimo, è proprio carina. Mi auguro però che non diventi vanitosa, sarebbe un disastro.

A volte la vedi che sta ferma, si fissa su una cosa che vede solo lei e pare sorda. La chiami e non ti sente. Spero non abbia qualche disturbo all'udito.

Mio si emozionò leggendo una lettera in cui Kaneko scriveva: *Ho paura non veda i colori, che faccia finta per sembrare uguale a noi.* Guardò con attenzione la data. Risaliva a quando Mio aveva cinque anni. Ricordò l'accenno di Aoi, e per quel solo motivo la lettera le fu particolarmente cara.

Dal modo in cui sua madre rinforzava i motivi della propria ansia e ribatteva colpo su colpo all'ottimismo di lui, Mio immaginò che Okada-san tentasse ogni volta di rassicurarla. Lei non possedeva il pacco di lettere che l'uomo aveva spedito a Kaneko, ma con buona probabilità sua madre le aveva bruciate o nascoste, per evitare che qualcuno venisse a sapere. Quando rifletteva sull'enormità del segreto che la madre le aveva nascosto, dentro di lei l'incredulità e la sorpresa lasciavano spazio alla rabbia. Le parevano un sopruso. Perché la nostra storia è sempre tramandata: il racconto della vita di ognuno di noi è talmente remoto ed eroso dal tempo che siamo in balia del ricordo degli altri, di chi ci ha allevato o conosciuto quando eravamo bambini. E ognuno di noi dovrebbe avere il diritto di conoscere per intero la propria storia, qualsiasi essa sia.

Davvero Mio era stata quella precisa bambina che diceva sua madre? C'era da fidarsi di lei? Quando poi fosse subentrata un poco di calma, cosa avrebbe dovuto fare Mio di tutto quello che adesso sapeva? Quanto poteva far convogliare, senza troppi pericoli, dentro di sé?

La lettera di quel venerdí 16 agosto

Venerdí, 16 agosto

Șei un labirinto dai mille ingressi, per me.

È facile entrare dentro di te, mi tendi in continuazione la mano. Una volta che sono dentro di te poi mi perdo. E allora resisto, chiudo gli occhi, riprendo i miei passi e in qualche modo ne esco.

Cosí, magicamente, sono fuori dal labirinto, e sento di essere di nuovo per strada, con le mani sul *kimono* delle spose che ho davanti, mia madre che mi chiede di preparare la cena e pretende sia piú gentile con lei e mio padre, Mio che domanda a Yōsuke se mangiare abbia un colore speciale, se i colori delle cose che mangiamo ci entrino dentro oppure se la saliva e i denti lo sciupino subito e che quindi il colore lo si distrugga cosí.

Cammino per Kagurazaka, saluto Takeda-san, mi spingo fino a Kudanshita, prendo la bicicletta di mia madre e taglio la città in salita e discesa. Sono completamente nella mia vita.

Ma ecco che scorgo uno dei mille ingressi del tuo labirinto, e allora indugio, osservo la tua mano che tende verso di me e che io, senza ammetterlo, cercavo nella folla già da ore.

Non accumulo alcuna esperienza con te. Non riesco a evitarti. Perché i tuoi sono ingressi che cambiano posto di notte, e quando la mattina ne schivo uno – perché ho pau-

ra di perdermi ancora nel labirinto, di non riuscire di nuovo a uscirne, che tutte le strategie adottate finora possano
non bastare –, ecco che con la coda dell'occhio scopro che
quel preciso ingresso non è già piú lí. Quindi il nemico, il
bellissimo nemico che sei tu, non ha piú novecentonovan-
tanove modi di accedere a me, ma di nuovo mille. Ancora
una volta, da capo.

Sei un labirinto dai mille ingressi.

Kaneko

Mio trascorse un pomeriggio intero a spiegare la scala
dei blu e la coordinazione dei bianchi a un uomo recato-
si da Pigment per rinnovare gli interni del suo ristorante
di pesce.

Aveva tentato invano di consigliarlo, ma quello non
sembrava disposto a cedere il controllo su nulla. Esausta,
dopo quasi tre ore, domandò a un collega di sostituirla: la
situazione non migliorò. Il cliente andò via scontento, con
il suo album sotto l'ascella e uno sguardo infelice. Mio si
domandò se ciò che voleva quell'uomo saccente non fosse
soltanto la conferma di non sbagliare. Perché la gente si
intestardiva ad avere ragione?

Arrivò a casa sconvolta dalla stanchezza. Sul treno il
taccuino di stoffa era rimasto chiuso, ultimamente nessun
volto colpiva tanto la sua attenzione da spingerla ad an-
notarne il colore.

Chiuse la porta alle spalle e accese la luce.

Il sangue scorreva per inerzia, il respiro annaspava. Capí
che il bianco si stava avvicinando, ne ebbe paura.

Si stese sul letto, e fece qualcosa che non faceva da tempo: contò con le dita le ore di fuso orario che separavano
Tōkyō da Roma. Chiamò la cugina.

Nell'istante stesso in cui sentí la sua voce, Mio fu accolta da una vampata di un colore caldo e profondo, dal
marrone Verona che le aveva individuato addosso molti
anni prima e che, non appena la cugina si era trasferita in
Italia, le era parso il segno incontrovertibile di come nel

tono che sprigiona il nostro corpo sia inscritto anche il destino che ci attende.

Momoko era l'unica persona che avesse sentito abbastanza vicina da permetterle di aiutarla quando la sua famiglia era scomparsa. Nonostante il marito e la figlia ancora piccina, e nonostante abitasse dall'altra parte del mondo, quando Momoko aveva ricevuto da Mio la notizia si era presa due settimane di pausa, era salita su un aereo ed era arrivata lí da lei.

Quella sera, durante la loro chiamata, Mio non fece mai cenno alle lettere della madre, non nominò Aoi né riferí a Momoko della morte di Okada-san. Del resto, neppure quando qualche anno prima era venuta a sapere della sua esistenza, Mio ne aveva fatto parola con la cugina né con nessun altro.

Quell'omissione rientrava nel suo modo di negare quanto non voleva o non riusciva a capire. «Se di una cosa non parli, quella cosa non c'è, – si diceva Mio. – Se a una cosa non pensi, quella cosa non c'è».

Chiese a Momoko di lei, come stava, se fosse felice. Se contava di tornare presto in Giappone a trovarla.

Quando Mio aveva incontrato Aoi si era domandata se non fosse troppo presto.

Fin da subito il loro rapporto le era parso in qualche modo definitivo, e quel pensiero l'aveva turbata. Ricordava le parole della cugina, divenuta madre quando ancora non era pronta. L'aveva colpita soprattutto un suo discorso sull'importanza di non farsi sorprendere ancora bambina dalla neonata: «Serve che cresca in fretta pure io», aveva detto un giorno Momoko.

Lei aveva riso davanti al viso serissimo della cugina.

«Davvero Mio, non scherzo. Le vorrei chiedere di avere pazienza, di aspettare che mi senta un poco piú adulta, per poter ricambiare e farla crescere come si deve; da solo nessun bambino ce la può fare –. Sembrava preoccupata soprattutto all'idea di non poter usare all'estero nulla di quanto sapeva dell'infanzia che aveva vissuto in Giappone: – I miei insegnamenti non varrebbero nulla».

Sbagliava, ovviamente Momoko sbagliava. E tuttavia rassicurarla non era servito a nulla.

Quando mesi dopo quella conversazione aveva riabbracciato la cugina – tornata a Tōkyō per una breve vacanza con il marito e la figlia – Mio le aveva trovato ancora addosso quella gioia arginata, la paura di non essere pronta. C'era però anche tutta un'altra felicità, un sentimento di cui probabilmente neppure lei si accorgeva, ma che illuminava di un colore splendente la nuova famiglia.

Adesso Mio sapeva che quella paura di non essere pronta non si accompagna soltanto a una gravidanza, ma che si manifesta anche con le persone risolutive, quelle che chiudono il cerchio. Era pronta, lei, a quel tipo di amore?

In quel momento, mentre parlava a Momoko e sullo schermo del computer intravedeva la piccola intenta a giocare con un grande bruco di peluche con le ali – i cui suoni improvvisi coprivano la voce della madre –, Mio le chiese come fosse stato, prima ancora che diventare madre, innamorarsi.

«L'ho capito immediatamente, al primo incontro, – rispose Momoko, divertita dalla domanda improvvisa. – Se non sembrassi superba ti direi nell'arco di cinque minuti».

«E non ti ha fatto paura?»

Momoko puntò gli occhi nello schermo: «Mio, non è che hai conosciuto qualcuno? Ti sei innamorata per caso?»

Lei cambiò argomento, frettolosamente. Parlò di tutt'altro, e dopo poco chiuse la telefonata.

Era fuori discussione che non lo amasse. Perché lo amava.

E si erano incredibilmente trovati.

Con Mio era da sempre un gioco al rilancio. L'amore, per come lo viveva lei, iniziava e finiva in un giorno. In quelle ore doveva esserci tutto: la seduzione, la conquista, la rassicurazione. Serviva essere instancabili per stare con lei, ripetere le cose fino allo sfinimento. Parlare chiaro: «Mi piaci Mio, mi piaci da morire». Probabilmente sarebbe stato estenuante per chiunque.

Nei giorni trascorsi insieme, però, Aoi non si era lasciato turbare. Mio gli era parsa fin da subito un piccolo insetto nascosto nella terra, di quelli che, quando muovi un sasso, da sotto viene fuori un'intera famiglia. Aoi le era sembrato sorpreso, certo, ma mai minacciato da quella costante richiesta d'amore. Forse era esattamente la sua fermezza che faceva sentire Mio al sicuro.

Le mancava. Aoi le mancava.

Un giorno, parlando con Alma e Rui dell'immagine residua teorizzata da Goethe, Mio si commosse pensando a quanto quella metafora fosse esatta per lei: come un timbro, il suo sguardo aveva sostato cosí a lungo su Aoi che ora Mio ne era intrisa, e lo vedeva dovunque.

Una lacrima le rigò la guancia. Alma e Rui se ne accorsero e, preoccupate, le chiesero di che colore si sentisse: «Sembra stanca, *sensei*. Ha la faccia di mamma quando non dorme –. Quando le bambine, davanti al silenzio di Mio, insistettero: – *Sensei*, si sente bene?», lei rispose di sí. Che non solo quelle brutte, ma anche le cose belle a volte fanno piangere.

Mentre ascoltava il chiocciare di Alma e di Rui che ripercorrevano a turno l'ultima volta in cui era capitato loro di piangere di gioia, Mio sorrise alle bimbe: scansando con il polso quelle lacrime lente che, senza saperlo, aveva ereditato dalla madre.

«Si chiama commozione. Ecco, secondo voi, la commozione di che colore è?»

L'immagine residua di Goethe, come Mio la spiegò ad Alma e a Rui

Goethe scriveva che le tinte forti tendono a generare nel campo circostante un'impressione del loro colore complementare, una sorta di aureola di una tonalità diversa... Immaginate un luogo del vostro corpo che ha subíto un colpo, e il dolore pare pulsare non solo in quel punto preciso, ma tutt'intorno. Accade lo stesso, secondo Goethe, nel caso dell'immagine residua che si produce quando si fissa a lungo un colore e poi si distoglie lo sguardo... Vi ricordate i giochi con le illusioni ottiche? Anche se non c'è piú, per un po' continuate a vedere l'immagine che stavate fissando intensamente poco prima. Quando pensate tanto a qualcuno è probabile che poi, qualunque cosa facciate, ovunque guardiate, vi sembri di vedere anche lui. Ci sono anche i colori complementari. Goethe li chiamò addirittura «necessari», quasi ognuno richiedesse il proprio opposto... Goethe credeva che ogni colore forte esercitasse una certa violenza all'occhio, e lo costringesse a opporsi in qualche maniera, magari usandone un altro per bilanciarlo. Per lo stesso motivo, un colore sembra piú vivido se accostato al suo complementare: *si esaltano a vicenda e generano una specie di vibrazione reciproca.* Come due persone che sono molto diverse, e che proprio grazie a questa loro differenza risaltano di piú quando sono vicine. Conoscete qualcuno cosí?

Dalla prima lettera erano trascorse due settimane. Nel frattempo Mio aveva imparato a conoscere sua madre abbastanza da essere in grado di creare *un'altra lei*, una donna che prima non esisteva. Come madre continuava a essere complicato accettarla, come donna invece iniziava a capirla.

A un certo punto, piú semplicemente, Mio comprese che non le sarebbe bastato fare indigestione di tutte le lettere. Servivano mesi per far sedimentare quel dolore, e per quanto si fosse sforzata non avrebbe mai decifrato esattamente cosa fosse successo tra sua madre, suo padre e Okada-san.

Era comunque già molto piú calma. Tanto che, come se l'apertura di una porta fosse la condizione necessaria per aprirne un'altra, una notte prima di andare a dormire inserí la parola DALTONISMO nel motore di ricerca del cellulare: fu come scoperchiare un vaso di Pandora.

Nei giorni seguenti scaricò una stupefacente applicazione che permetteva di vedere come vedono i daltonici. Scattavi una foto e il programma te la riproduceva sottratta nei toni: il rosso spariva, il verde le veniva dietro, mescolandosi in modo quasi imperdonabile al giallo. Si stupí lei stessa di trovare grande bellezza in quella sottrazione, le pareva un mondo molto ordinato.

Dal sito dell'Università di Waseda venne a sapere di un incontro che si sarebbe tenuto il sabato successivo. Senza troppo curarsi dei dettagli, scrisse subito una mail al professore che organizzava l'incontro. Nell'arco di un'ora ricevette risposta.

Se l'emozione non riusciva a tirarla fuori da quel labirinto, si disse Mio, l'impegno avrebbe accorciato la strada.

La notte prima dell'appuntamento all'università, Mio ripose definitivamente la corrispondenza tra sua madre e Okada-san. Restituendo alla pila l'ultima lettera, si domandò per la prima volta una cosa: avrebbe reagito diversamente alla notizia dell'esistenza del suo vero padre se solo fosse accaduto in un tempo lontano, precedente alla tragedia? Mio si chiese se il proprio rifiuto a incontrare quell'altro genitore, persino a sapere qualcosa di lui – che nulla di male in fondo le aveva fatto e che anzi, non arrogandosi nessun diritto l'aveva lasciata crescere nella famiglia che la madre aveva scelto per lei –, ecco, si chiese se quella sua negazione a priori non fosse nata dall'abitudine tutta umana di paragonare sempre ogni cosa, di cercare sempre ciò che in assoluto si preferisce. Di ragionare secondo gerarchie, sottovalutando lo spazio per l'amore dentro di sé. Perché l'amore è una cosa che si moltiplica, e soprattutto è capace di moltiplicare anche le altre emozioni. Si domandò quindi se – nel caso il destino ci avesse permesso di incontrarli – non si potessero avere anche sei padri, otto madri, dieci fratelli, dodici nonni. E amarli tutti.

Quando la sua famiglia era scomparsa da un giorno all'altro, per Mio l'idea di un padre era ancora talmente dolorosa che aggiungere un'altra figura le sarebbe parsa un'offesa. Aveva dato per scontata la gelosia che il padre, quello con cui era cresciuta, avrebbe potuto provare per Okada-san. Aveva creduto giusto difenderne la memoria. Il ricordo, del resto, tende a diventare assoluto nell'esatto momento in cui la materia prima viene a mancare.

In quei giorni si era chiesta tante volte se il padre sapesse di Okada-san. E se anche sapeva come aveva reagito all'inizio, cosa sentiva.

In certi momenti, a Mio pareva di dover gestire un litigio tra bambini molto piccoli, che vogliono giocare in giardino ma pretendono anche il gelato, che hanno sonno ma di smettere di correre non se ne parla. Lei allora era lí, a sbrogliare quelle emozioni, a dire al padre che lo avrebbe sempre amato, che non ci sarebbe stato nessuno come lui, alla madre che l'avrebbe perdonata, nonostante tutta l'incoerenza e la rabbia. Mio non odiava affatto Okada-san. Se solo avesse potuto parlargli gli avrebbe detto che purtroppo aveva dovuto fare una scelta, tra lui e l'altro suo padre: si scusava, ma non era stata capace di includerlo nella sua vita.

Era un lavoro enorme. Serviva affrontarlo a piccole dosi.

Se suo padre Yōsuke sapeva. Come l'aveva saputo. Cosa sentiva

Lo sapeva.

Lo aveva saputo da subito, non appena Kaneko gli disse di essere incinta.

Aveva sentito una gioia grande, benché oscura e tortuosa, dal momento in cui quella gli era apparsa come la risposta alla sua piú grande domanda: *Kaneko mi ama?*

Sí, Kaneko lo amava, perché era rimasta. E quella bambina, la piccola adorata Mio, sarebbe stata sua figlia.

Terza parte

瓶覗色 *Color sguardo furtivo a una brocca*

«Quindi eri questo genere d'uomo. Adesso l'ho capito».
«Questo genere d'uomo? Cosa vuoi dire?»
«Quello che sto vedendo ora».
«Ma io non lo so, come mi stai vedendo».
«Non sei tu a vedermi, ma io che ti vedo, che ti vedo come sei».

KAWABATA YASUNARI, *Denti di leone*

Uno

«Sono daltonico», esordí il professore.

Non vedeva il rosso, che confondeva inesorabilmente con il verde. Lo era anche il fratello, benché in casa nessuno li avesse mai corretti. A scuola amava molto disegnare, aveva persino talento; una mattina però, mentre la classe si esercitava, il maestro gli si era fermato alle spalle, lo aveva lodato per la composizione e il tratto ma aveva aggiunto che i suoi colori erano *sporchi*. Si era sentito morire. Da quel giorno, si era sempre voltato verso la compagna di banco chiedendole di indicargli di che colore fosse ogni matita. Era stato quello il momento, disse il professore, in cui aveva capito che il daltonismo poteva essere un handicap, una sorta di malformazione. E ricordava anche di aver pensato – con un'intuizione precoce per la sua età – come il problema non dipendesse da dati oggettivi, ma dalla predisposizione delle persone.

«Perché non esiste mai niente di oggettivo, – sorrise l'uomo, in piedi davanti alla lavagna. – Basterebbe saperlo. Se lo accettassimo, tutto il resto sarebbe un gioco di esplorazione del diverso, la voglia di spiegarsi e di ascoltare le spiegazioni degli altri».

Mio sedeva in fondo alla piccola aula al quarto piano di uno dei tanti edifici dell'Università di Waseda. Quando via email il professore le aveva domandato se volesse partecipare al dibattito o essere uditrice, aveva risposto che preferiva ascoltare. Era vietato prendere appunti col computer o col cellulare, si potevano però annotare a mano i discorsi e fotografare le scritte alla lavagna. Mio non faceva né l'uno né l'altro. Pensava, e quella sola operazione la impegnava completamente. Era lí per Aoi, per capire.

Le pulsavano in testa le sue parole alla fine dell'ultima notte trascorsa insieme, quando si era alzata dalla veranda e si preparava ad andarsene via. «Non è condividere tutto che avvicina le persone, – le aveva detto lui, – fare lo stesso mestiere, parlare la stessa lingua o vedere lo stesso colore: ciò che davvero le salda è quel qualcosa di nuovo che nasce dalla loro unione».

Eppure, Mio non si consolava all'idea che la parte migliore di sé, quella che metteva in secondo piano i pessimi lati del suo carattere, le intemperanze, l'ossessione, la sua inettitudine a cucinare e a cantare, Aoi non l'avrebbe mai conosciuta. Come le avrebbe potuto perdonare gli scoppi di rabbia, il volto stanco e struccato la sera? In fondo, cosa aveva lei di speciale a parte la sua visione straordinaria? Senza il colore, Mio si sentiva nulla.

Adesso guardava quegli uomini e quelle donne nell'auletta, li ascoltava parlare: il giovane ricercatore che aveva tenuto a bada le proprie ambizioni per via del daltonismo, l'anziano che doveva aver sofferto profondamente per essere stato discriminato da ragazzo. Era capitato anche ad Aoi? Qualcuno gli aveva detto che i suoi disegni avevano dei colori orrendi? E Okada-san, prima di lui? Alle scuole elementari era stato messo da parte?

«Ma siamo sicuri che esista un colore giusto? – disse d'un tratto uno dei partecipanti. – In fondo ciò che dà il nome a un colore è solo una parola».

Mio lo osservò. Era un uomo anziano, di piccola statura. Pareva un bambino nato già vecchio.

Ciò che non viene descritto non esiste, pensò lei. E per la prima volta ebbe la sensazione di intuire come ci si potesse amare anche se non si vedeva la realtà allo stesso modo. Che anzi fosse quello il segreto di una relazione duratura: individui diversissimi che – per il solo fatto di non dare nulla per scontato – spendevano piú tempo, piú parole per capirsi.

Quando l'incontro giunse al termine, Mio ringraziò e uscí dall'aula. Attraversando il campus universitario, mentre le prime avvisaglie del tramonto si spargevano nel cielo costretto dai palazzi di Tōkyō, provò una grande dolcezza.

Passo dopo passo, si accorse che la distanza che aveva messo fra sé e Aoi stava scomparendo. Anzi, era come se in quel momento gli stesse camminando accanto. Come se questa volta, rispetto a quando cercava i segni della morte – i cimiteri, le scene dei funerali nei film –, lo stesse persino tenendo per mano.

Stava vivendo quella separazione come un ritorno. Una preparazione per tornare da lui.

Due

Quel che Mio ignorava di Aoi, e che in parte Aoi ignorava di sé, era che se davanti alla morte lui era calmissimo, la vita al contrario lo confondeva. E, piú di tutto, proprio quel concentrato emotivo di vita che era l'amore.

A chi gli confessava di temere la morte, Aoi rispondeva che non serviva averne paura, perché quando si muore le cose che si credevano importanti già non ci appartengono piú.

L'assenza di Mio, però, lo faceva vacillare. Se prima sentiva addosso una tale felicità da diventare cretini, adesso le sere non finivano mai, i giorni di riposo erano al contrario i piú faticosi, andare da Ikeda-san e sedersi al tavolo dove aveva mangiato con lei lo faceva soffrire. Qualunque esperienza gli pareva diminuita, come un palato educato a pietanze molto elaborate che si ritrovi in bocca d'un tratto soltanto le materie prime.

Non sapeva come uscirne. Aveva provato a scriverle su Line brevi messaggi a intervalli dapprima ravvicinati, e via via sempre piú radi. Una telefonata quando gli parve di perdere la ragione. Poi il silenzio.

Fu quando arrivò una salma, e il problema da risolvere sembrò maggiore del rovello interiore, che Aoi afferrò la cornetta del telefono nero di bachelite e si decise a comporre il numero di Pigment.

Senza esitare, chiese se Yoshida-san fosse in negozio, e se c'era che gliela passassero subito, per favore. Sí, era urgente.

«Ho bisogno del tuo aiuto, Mio. Accetto anche un no, se sarà un no. Ma ti prego, è davvero urgente».

«Che cosa? – Mio non voleva essere brusca, ma era sorpresa: – Che cosa è urgente?»

«Una donna ha chiesto di essere vestita con lo *shiromuku*. Il funerale è domani, e nessuno è disponibile ad assisterci».

Silenzio. E poi: «Intendi una salma?»

«Sí. Molti si sentono a disagio in una situazione del genere, c'è chi non è abituato... Lo capisco, ma è un abito talmente complesso che senza un esperto non sapremmo dove mettere le mani».

Mio continuava a tacere.

«Ci teneva tanto, – riprese Aoi. – Ha perso il marito in guerra, aveva quasi cent'anni... Novantotto, per la precisione. Non avevano fatto in tempo a celebrare le nozze, aveva ereditato il vestito dalla madre, lo aveva fatto riparare e poi... – Gli si ruppe la voce: – Scusami».

Era la prima volta che Mio lo sentiva piangere. Si emozionò.

La commozione di Aoi era dovuta al pensiero della donna, ma soprattutto alla gioia di sentire Mio dopo tante settimane, come un abbraccio che ti accoglie al termine di una lunga salita.

«No, va bene. Lavoro fino alle sette, passo a casa a prendere il necessario per la vestizione, poi vengo».

«Grazie, Mio».

«A piú tardi».

Mio sollevò il lenzuolo.

Da uno scatolone abbandonato in fondo all'armadio estrasse il kit di oggetti che sua madre teneva sempre legati in vita. Era una striscia di stoffa molle e piena di tasche, simile a quella dei carpentieri. Come vigilando sull'esattezza del mondo, censí ogni cosa, spiegandola sul tavolo in orizzontale. Da un'altra busta venne fuori il resto.

Ecco il mondo della sua infanzia che tornava a mostrarsi.

Fermagli piccoli, medi e grandi, spatole, l'occorrente per cucire, cartoncini per l'*obi-ita*, spille di sicurezza, forcine per capelli, un paio di guanti bianchi di cotone da indossare nella vestizione del *kimono* e la sistemazione dell'*obi*, un sacchetto di plastica in cui inserire le proprie scarpe all'ingresso e l'eventuale spazzatura, un ventaglio da prestare alla cliente nel caso avesse caldo, fazzoletti umidificati non fosse possibile lavarsi le mani, uno specchietto portatile, garze, asciugamani, batuffoli e cotone candeggiato per correggere e perfezionare la vestizione, stringhe a nastro di cotone, un fazzoletto bianco.

«Con questi, – diceva la madre, – si plasma la forma perfetta».

Il bianco era ingiallito, i fazzoletti rinsecchiti, i materiali in parte rovinati dal tempo, ma la maggior parte delle cose era in buono stato.

«E poi, Mio, ricorda che quando vesti una sposa, in casa sua o nella sala della cerimonia, devi avere sempre a portata di mano una piccola scorta di oggetti che lei potrebbe aver dimenticato, e una bella storia da raccontarle per tranquillizzarla».

Quali erano gli oggetti? Qual era la storia?

Mio non lo ricordava. Ricordava però che la madre, mentre vestiva le spose, pareva immensa.

Quando da bambina entrava nell'atelier di famiglia, si acquattava sempre in un angolo, zitta. Dal suo cantuccio ascoltava i discorsi delle donne, lanciava sguardi intermittenti alle spose. Le si ribadiva una lezione importante, ovvero che per vedere serviva rimanere invisibili agli altri.

Sua madre saliva e scendeva dallo sgabello, s'inginocchiava per sistemare la sopravveste, si chinava fino a toccare terra con le guance per accertarsi della lunghezza del *kimono*; ruotava incessantemente intorno alla figura della futura sposa che rimaneva ferma e altera, oppure minuscola e irrigidita.

Affaccendata attorno all'immobilità delle donne che andava vestendo, in qualche maniera Kaneko si ritrovava. Era lí, in quei momenti di vicinanza con un altro essere umano, che Mio le ricordava addosso il suo sorriso migliore.

«Non è stata una scelta, ma ho amato questo lavoro fin da quando ero bambina, – diceva alla figlia. L'aveva affascinata da subito l'idea che ogni corpo vestisse il *kimono* alla propria maniera: – Non è un abito come gli altri, non esiste una misura. È solo nella vestizione che la si scopre, la propria misura».

Con le dita chiuse a triangolo, Kaneko scrutava come cadeva il copricapo dello *shiromuku*, la proporzione che si creava tra il colletto, la porzione di volto scoperto e il bianco che avvolgeva la parrucca.

«Indossare bene un *kimono* è tutta una questione di equilibrio e di geometria, Mio».

Kaneko iniziava toccando la spina dorsale della sposa come fosse una lisca. Con i palmi lisciava ogni piega, annullava il gonfiore della stoffa. Serviva essere svelte e attente, perché dove una parte si sistemava, con lo stesso movimento un'altra si andava guastando.

Dalla punta della parrucca ai rigonfiamenti sulla schiena e sul petto, bisognava creare una montagna diritta, un triangolo equilatero nella proporzione di 3 e da lí, scendendo fino all'orlo del *kimono*, una di 7.

«È tutto qua: "3 : 7"».

Pareva la misura di un impronunciabile *haiku*.

Mio guardava la madre, incantata dalla sua sicurezza. In casa le pareva cosí nervosa, sempre arrabbiata, una lamentela continua. Ma nell'atelier stava in silenzio: era felice di essere lí, a vestire le donne che si dirigevano in qualche maniera verso la strada giusta, quella che a Kaneko pareva l'unica soluzione alla vita di una ragazza.

Col tempo Mio imparò tutto quanto. Le piaceva come ogni sposa fosse diversa: non soltanto per le misure e le proporzioni del *kimono*, ma per come il colore del volto – che prima della vestizione veniva dipinto di latte, le labbra pitturate in verticale di rosso sangue – si accordasse alla cascata di bianchi e alle rifiniture dei rossi dell'abito.

Anche lei, come Kaneko, aveva amato da subito quel mestiere. Ma a Mio era stata data la possibilità di scegliere, e quando era arrivato il momento aveva preferito continuare la scuola. Aveva avuto paura di ereditare, insieme all'azienda, anche il dovere di essere all'altezza della madre e della nonna, di tutte le donne Yoshida prima di lei.

Mio però, pur essendo rimasta improvvisamente da sola, non aveva venduto l'atelier: aveva ceduto l'attività. Il secolo era cambiato, e sempre piú ragazze sceglievano di sposarsi in abiti occidentali, o di non sposarsi affatto. Adesso l'atelier Yoshida non trattava piú *shiromuku* in esclusiva, vi si affittavano *kimono* per feste private, per incontri di *omiai*, per le celebrazioni della maggiore età. A volte i gestori organizzavano sessioni fotografiche per album di famiglia, altre invece a scopo commerciale: venivano modelle a vestirsi per fare scatti da pubblicare su riviste o su pagine internet e volantini.

E ora, mentre i finestrini del treno della linea Yokosuka diretto a Kamakura le restituivano solamente l'immagine di sé, a Mio venne una gran voglia di tornare all'atelier. Non l'aveva mai fatto: la paura di trovare stravolti i luoghi della sua infanzia era superiore al piacere di vedersi grande proprio lí, dove era sempre stata piccina.

Fissando oltre il vetro, il buio strappato alle luci della città, si chiese se nella notte lo sguardo di Aoi pareggiasse la mancanza del rosso. Se nell'oscurità, soprattutto nei giorni in cui la consapevolezza di vedere diversamente era piú amara, Aoi si sentisse al sicuro.

Sarebbe riuscita a guardarlo in volto, senza pensare costantemente a come doveva apparire il mondo visto da lui?

266

«Da certi toni del viso si capisce quanto dista la morte, – disse Sayaka. – Per te che capisci tanto il colore, non dovrebbe essere difficile individuarli».

Mezz'ora prima, Aoi aveva accolto Mio all'ingresso dell'agenzia. Lei non aveva voluto che le andasse incontro in stazione, lui l'aveva trovata talmente provata che non aveva nemmeno avuto il coraggio di chiederle come stava.

Appena entrata, Mio aveva notato come i lavori (che aveva sí ceduto a una collega, ma di cui era andata a spiare in segreto le fotografie), avessero valorizzato gli spazi dell'agenzia, e come la combinazione di grigio, viola e cremisi – oltre alle teste filamentose dei fiori del Nirvana all'ingresso – rendesse quello spazio piú bello e accogliente.

Aoi l'aveva ringraziata con un profondo inchino e le aveva fatto strada, poi le aveva mostrato il corpo della defunta: «Si chiamava Naoko Izumi».

Fu subito blu, un blu cosí profondo che sembrava l'oceano quando si scende a una profondità tale che la luce muore. Una mescolanza di blu *nōkon* 濃紺 e nero *shikkoku* 漆黒. Mio si era domandata se fosse il colore della donna o se quello fosse il colore che assumono le persone quando hanno appena iniziato a morire.

Mio si era limitata a evitare gli occhi di Aoi, ad ascoltare qualche sua considerazione sulla rarità del funerale shintoista rispetto a quello buddhista, sul diverso modo di allestire l'altare.

Dopodiché tra loro era caduto un silenzio compatto, da cui li tirò fuori Sayaka. Senza nemmeno presentarsi, la sorella di Aoi era entrata nella stanza e aveva iniziato a parlare.

Aoi era sbalordito, e insieme deciso a non mostrare il proprio stupore. Non aveva mai sentito sua sorella scambiare cosí tante parole con un estraneo, tantomeno con quel grado di confidenza.

«È stupefacente pensare a come col tempo la mente migliori, si diventi piú saggi e piú colti, e il corpo invece si deteriori, – disse Sayaka con vivacità. – Ho sempre pensato che il punto sia proprio questo: il corpo è la prima cosa, quella per cui veniamo al mondo».

Mio annuí senza capire. Era troppo intimorita da lei per parlare.

Dai discorsi che le aveva fatto Aoi, le pareva a tutti gli effetti la figlia piú legittima di quel secondo padre che lei non aveva mai conosciuto: Sayaka aveva frequentato Okada-san per anni, aveva un mucchio di suoi ricordi, con buona probabilità lo aveva persino ascoltato parlare di Mio, di quella figlia segreta che non lo voleva incontrare. Nel modo confuso in cui sorgono le emozioni quando sono molto intense, a Mio pareva di doversi in qualche modo giustificare. Desiderava farsi perdonare, senza bene sapere come o perché. In fondo – pensava – se fai soffrire qualcuno, chi ama quel qualcuno ti odierà.

Eppure Sayaka fu tutt'altro che ostile. Anzi, era talmente affettuosa che Mio fece fatica a trovare aderenza tra la ragazza che tempo prima le aveva chiuso la porta in faccia mentre preparava la salma e quella che adesso le sorrideva, spiegando quanto fosse complicato truccare i defunti.

«Pare semplice, ma ogni volta è un'operazione profondamente diversa. Non esiste un modo giusto di scegliere il disegno e il colore».

Sayaka raccontò a Mio di una volta in cui una figlia l'aveva aggredita al funerale della madre. «Il suo trucco è scadente, – le aveva detto. – Non avremmo dovuto affidarci a una persona con cosí scarsa esperienza». O il caso di una donna che, vedendo il padre sbarbato, con il viso liscio e riparato dai segni profondi della lunga degenza, aveva avuto un moto di stizza: «Mio padre non si curava, non si sarebbe mai sbarbato per il suo funerale, – aveva protestato. – Perché l'ha fatto?»

In questo modo, Sayaka aveva imparato a fare le giuste domande prima di mettersi al lavoro. Sapeva che se avesse sbagliato e l'immagine complessiva del defunto fosse risultata innaturale, al funerale i parenti avrebbero provato ira o, nei casi peggiori, una forma maggiore e diversa di dolore.

«Prima del trucco c'è il bagno, che se vuoi è un'operazione ancora piú delicata».

Sayaka era solita chiedere ai parenti se volessero aiutarla a lavare il corpo. Qualcuno si offriva sempre, e lei insegnava loro a non avere paura, a detergerlo alla stessa maniera di quando era in vita, massaggiando la testa, assorbendo l'acqua con un panno di cotone, asciugando i capelli.

«Ci si calma con la praticità dei gesti. Anche se poi, certo, spezza il cuore agire su un corpo. Molti si accorgono solo in quel momento che sono di fronte alla morte. Eppure c'è sempre tanta dolcezza».

Occorreva far partecipare quanto piú possibile la famiglia. L'esperienza sarebbe rimasta per sempre nella loro memoria.

«Con Izumi-san, invece, – disse indicando la salma davanti a loro, – non è possibile coinvolgere nessun parente. Questo *kimono* richiede un lavoro davvero troppo elaborato».

«Ah, mi dispiace…»

«Non ti dispiacere, stiamo facendo una cosa importante. Riesco già a immaginare la commozione della famiglia di questa signora quando la vedranno vestita con lo *shiromuku*… Anzi, grazie di cuore, Mio, per avere accettato. Temevamo di non riuscire a esaudirli. Vero, Aoi?»

Il fratello annuí.

Mio abbassò il capo. Ora riusciva a capire quanto vicino fosse un matrimonio a un funerale: tutto ciò che vi accadeva diventava un ricordo.

«Vado a prepararmi», esclamò Sayaka dirigendosi verso la porta. Avrebbe cercato un grembiule anche per Mio, e dei guanti di cotone.

«I guanti li ho già con me, – rispose lei. – Mi basterà solo il grembiule».

«Anch'io vado a prepararmi. Torno tra un attimo, – mormorò Aoi. Subito però aggiunse: – Sempre che tu non abbia paura di rimanere da sola».

Mio rivolse uno sguardo all'anziana sdraiata in una posa fissa, le mani incrociate e un fazzoletto bianco posato sul volto. «No, questa donna non mi fa alcuna paura». Pareva già sprigionasse un colore di poco piú chiaro di prima, un blu meno intenso.

Aoi fece scorrere la porta e sparí nel corridoio dietro la sorella.

Mio si diresse allora alla sacca che aveva preparato due ore prima, in fretta e furia. Con l'elastico si annodò i capelli in una crocchia tesa e molto alta. Accarezzò con nostalgia gli strumenti della madre: di certo non avrebbe mai immaginato che un giorno Mio li avrebbe usati per un cadavere. Eppure, ne era convinta, avrebbe approvato. Ricordò d'un tratto l'atelier di famiglia, le giovani donne che si affacciavano esitanti oltre la porta. Ciò che faceva sembrare definitivi quegli istanti agli occhi di Mio era la completa trasformazione del loro colore: da quando entravano a quando uscivano dall'atelier, ore piú tardi, le future spose acquistavano luce, punti di fuga, ombre.

Da ragazzina, Mio si dispiaceva del fatto che nessuna di quelle ragazze si ricordasse di loro, mentre lei e tutta la sua famiglia non le avrebbero mai dimenticate. Nell'atelier Yoshida erano custoditi infatti decine di album di fotografie in cui erano premute le figure timide oppure spavalde delle spose.

Da adolescente, aveva detto alla nonna: «Anche questa ragazza che hai appena vestito tra qualche giorno perderà il ricordo di noi. Non ti fa tristezza?»

«E perché mai dovrebbe farmi tristezza? Certo, col tempo in lei sbiadiranno tutti i dettagli di oggi, cosa ha mangiato, se pioveva o faceva bel tempo, i volti di coloro che l'hanno aiutata a scegliere il *kimono* e a vestirla. Manterrà però saldo il ricordo di come si è sentita in quegli istanti, l'emozione immensa di starsi preparando a cambiare cognome, di dare avvio a una vita diversa, o magari simile ma con tutt'altro nome. E il nome è tutto. Solo essere lí, Mio, essere presenti in un momento cosí importante nella vita di una persona... non ti pare una cosa stupenda?»

Quando iniziarono erano le nove di sera. Aoi preparò l'acqua, la bacinella, la pezza di stoffa.

Spiegava a Mio ogni passaggio, per farla partecipare alla cerimonia: «La famiglia ha chiesto di procedere secondo le modalità tradizionali. Non hanno voluto usassimo per lavarla nient'altro che acqua, alcol e stoffa». Le raccontò di come si usasse acqua tiepida, creata tuttavia al contrario. All'acqua fredda se ne aggiungeva di bollente e non viceversa. Si chiamava *sakasa-mizu*, «l'acqua all'inverso»: ogni cosa, nel rito di morte, era il suo rovescio. Le spiegò che la posizione del corpo, una volta conclusa la vestizione, voleva che il cuscino venisse direzionato a nord, l'altare allestito dietro il suo capo, il volto rivolto verso ovest, cosí come si tramandava fosse morto il Buddha.

Mio guardò Aoi tergere la defunta. Lo fece da sotto la stoffa, per non scoprire alcuna nudità. Pareva quel corpo stesso una casa delle vacanze, armadi, librerie, letti coperti da teli perché la polvere non li invadesse quando, durante l'anno, gli inquilini avrebbero fatto ritorno alle loro vite.

Andarono avanti cosí per ore.

Aoi e Sayaka massaggiavano le braccia dell'anziana, per ammorbidire le giunture e permettere a Mio di procedere senza danneggiare la salma. Lei spesso esitava, temeva irrazionalmente di poterle fare del male. Aoi e la sorella non dissero nulla, non le misero fretta, attesero invece a ogni mossa che si sentisse via via piú sicura.

Sorreggevano delicatamente il capo della donna e, mentre Mio distribuiva istruzioni precise su come aggiustare la stoffa, chiedevano a loro volta conferma.

Mio a tratti soffriva. A tenerla vigile erano quei momenti in cui – rivoltando uno degli infiniti strati dello *shiromuku* – un braccio sfuggiva, e la secchezza del busto e delle anche confermava il discorso che le aveva fatto Sayaka al suo arrivo, e che capiva solo ora: si nasceva per nascere, si viveva al solo scopo di essere vivi.

La mente s'interrompeva, il corpo continuava a suo modo il viaggio.

Anche durante il lungo e faticoso processo della vestizione, benché si scambiassero solo ordini e suggerimenti pratici, tra Mio e Aoi rimaneva a galleggiare quella tremenda tensione.

La sorella di Aoi si accorse dello smarrimento di Mio, della sua soggezione, dello sguardo sempre presente del fratello su di lei.

Sayaka si era sforzata di mettere Mio a proprio agio, di farla sentire accolta cosí come era certa avrebbe desiderato lo zio. Ci era riuscita, e ora, da quelle occhiate che suo fratello e la ragazza si lanciavano furtivamente come bambini, seppe che non c'era piú bisogno di lei.

Tornò a non dire nulla.

Lo *shiromuku* fu effettivamente difficile da far indossare alla salma.

E non solo per l'immobilità, ma perché il corpo dell'anziana era secco e incurvato: bisognava riempire il *kimono* con asciugamani, cotone liofilizzato. Tutto quanto sarebbe arso con lei.

A distanza di anni, Mio si scoprí ancora molto brava a lavorare la stoffa.

Le misero la parrucca *tsuno-kakushi* che la famiglia aveva portato insieme all'abito. Sayaka le pettinò i capelli con dolcezza, fermandoli con delle pinzette perché la parrucca aderisse con fermezza alla testa. Dovettero rinunciare solo al copricapo bianco, troppo ingombrante.

Posizionarono la bara nella capsula frigorifera, e aprendo le finestrelle superiori che ne mostravano il viso si commossero. Anche il trucco era quello che voleva la tradizione delle spose: il bianco farina dell'incarnato, le linee nette di separazione con il resto del viso, le labbra dipinte in verticale di rosso.

Quando finirono era passata la mezzanotte. Uscendo dall'agenzia erano talmente stanchi da parere ubriachi.

Sayaka salí in bicicletta e dopo un veloce cenno di saluto s'immerse nella notte di Kamakura.

Aoi invece spinse il manubrio della sua bici, camminando accanto a Mio. Sulla spalla teneva la sacca di lei. Decisero che Mio avrebbe dormito sul letto di Aoi, lui sul divano dello studio.

«Grazie ancora, è stato importante per me. Izumi-san meritava d'essere esaudita», mormorò lui.

«Aoi, ti posso chiedere una cosa?»

La luna era enorme sopra di loro.

«Certo».

«Secondo te... Non so, con la tua esperienza...»

«Sí?»

«A un certo punto... Magari dopo un po' di tempo... la morte, davvero la si accetta?» domandò Mio.

«Certo che la si accetta», rispose Aoi con un sorriso. La bicicletta gli scorreva accanto come una bambina per mano alla mamma.

«Vedi, amo la tua calma, riesci persino a riderci su. Io solo a dirla, quella parola, un po' tremo. È anche per questo che all'inizio sono stata attratta da te. Per questa vicinanza che hai con l'unica cosa che mi fa davvero paura, l'unica cui non riesco ad abbinare neppure un colore». Mio si pentí subito d'aver ammesso ciò che aveva provato per lui. La stanchezza la indeboliva.

Aoi rimase in silenzio.

Lei continuò: «Non sono mai andata a un funerale, neppure a quello dei miei».

«Perché?»

«Mi sembrava un addio non solo a loro, ma al ricordo che avevo di loro... Tu invece i morti li accarezzi persino».

Lui rallentò, cercò lo sguardo di Mio: «È che non vedo tutta questa differenza tra il prima e il dopo. Sul serio, lo so che può suonare assurdo. Le cose però le amiamo anche se smettiamo di usarle... Come un libro: quando lo hai finito ti è persino piú caro, no? E in fondo sai già che non lo rileggerai mai piú».

Aoi si fermò e aspettò che lei si voltasse finalmente a guardarlo.

«Se non tolleri che tutto finisca, – concluse lui, – come puoi accettare che inizi?»

Tre

Il giorno seguente fu pieno di fiori.

Quando i parenti della donna seppero che Mio aveva trascorso la notte intera a vestirla, le chiesero se volesse assistere al funerale.

Lei assentí, ormai non faceva altro da ore. E forse era proprio quella la soluzione: accogliere tutto, non tentare neppure di capire cosa stesse accadendo.

Si sedette in fondo alla sala, vide accomodarsi i familiari di Izumi-san, studiò l'altare colmo di oggetti di cui intuiva a fatica la simbologia, sprofondando nel nero degli abiti e nelle montagne di fiori. Ancora non lo sapeva, ma avrebbe pianto molto, a tratti persino singhiozzato. Avrebbe lasciato affiorare un sentimento custodito da anni, commuovendosi per ogni cerimonia funebre a cui non aveva partecipato.

Mentre il bonzo recitava i *sutra*, e a Mio pareva di vedere la voce materializzarsi in densi fili di un giallissimo miele, ricordò la seconda notte d'amore con Aoi.

«Sapevo di essere diversa, – gli aveva detto sdraiata sulle sue gambe, la pancia nuda, – ma se ne ho sofferto non lo ricordo. Per me c'è sempre stata bellezza nell'essere diversi, cosí come c'è pace nell'essere uguali».

Aoi non aveva risposto, forse stava pensando a se stesso, al proprio modo di vedere i colori, al lavoro del padre. Mio gli aveva raccontato come da ragazzina un giorno avesse letto una frase, che negli anni si era ripetuta cosí tante

275

volte da averla storpiata e fatta sua. Anzi, se glielo avessero domandato probabilmente avrebbe risposto che non l'aveva letta da nessuna parte, solo che la sapeva.

«Dimmela», aveva detto Aoi, smorzando uno sbadiglio. Dovevano essere passate le tre di notte: dal giardino s'intravedeva una luna sottile, come un'unghia tagliata.

«Sei pronto? Guarda che poi ti cambia la vita!»

Aoi aveva riso. Con il palmo le aveva fatto un cenno d'invito.

«Nell'equilibrio delle nostre facoltà ci è impossibile percepire altri mondi», aveva detto lei tutto d'un fiato.

Ecco, se avesse dovuto individuare il perno della propria vita, Mio avrebbe tirato fuori quella frase. Secondo lei ribadiva come, anche nel disequilibrio suo e di chiunque avesse mai incontrato, ci fosse qualcosa di buono. Che quell'ossessione che la portava a osservare la gente nell'ora di punta solo per estrarne un colore era il suo modo di percepire l'altrove.

«Se ci pensi, finché si sta bene non si esiste. Non ci si sente, in fondo neppure ci si capisce, – aveva concluso Mio. – Serve perdere un po' l'equilibrio per vedere le cose... Aoi, non lo credi anche tu?»

Intanto, i parenti di Izumi-san stavano infilando nella bara delle camelie.

Uno dopo l'altro le poggiavano accanto al volto, sul collo, negli spazi tra lo *tsuno-kakushi* e i bordi di legno della cassa. Gli addetti ai fiori le avevano private dei gambi, perché non si sciupasse la corolla, e ora le persone tuffavano a turno le mani nei cestini di paglia.

Dalla borsa, la figlia estrasse poi un libro. Aoi ebbe un piccolo sobbalzo nel leggere il titolo: era *Denti di leone*, di Kawabata. La donna lo posò nella bara insieme a un biscotto *hato-sabure* a forma di colomba di cui la madre era ghiotta e a tre *wagashi* che descrivevano il profilo frammentato di un'ortensia, di un'onda marina, di una zolla d'erba al cui interno un punto giallo significava una lucciola.

276

Anche le nipoti posero i fiori accanto al volto della bisnonna.

«Che ha sui capelli?» chiesero alla madre.

«Vi piace?»

«Sí, è bella».

«La bisnonna è vestita da sposa».

«E con chi si sposa?»

«Con il bisnonno, finalmente va a incontrarlo vestita come desiderava».

La donna arricciò il naso commossa, ma sorrideva. Si voltò e con lo sguardo cercò Mio. Fece un inchino nella sua direzione.

All'ingresso della sala uno schermo riproponeva in lenta successione una ventina di foto della defunta, impegnata nelle situazioni piú dolci e banali: con un fazzoletto stretto intorno alla testa mentre saliva su una bicicletta, davanti a una macchina da cucire verde germoglio intenta nel proprio lavoro di sarta, con in braccio una delle nipoti, piccolissima.

E tuttavia, alle immagini della donna e a tutti i gesti dei parenti che si susseguirono in quelle ore, Mio intervallò costantemente i ricordi della sua famiglia. Cose pratiche e tenere, come quando suo nonno usciva in giardino con le cesoie e tra le rose sceglieva la piú bella, la portava in casa e la infilava fiero in un bicchiere in mezzo al tavolo della cucina. O quando un pomeriggio, pelando carote e patate, Mio aveva chiesto alla nonna, con la leggerezza dei dodici anni, se amava il nonno, se lo aveva sempre amato. Lei le aveva risposto con voce tranquilla che nel periodo in cui si era sposata non era l'amore a unire le coppie ma l'equilibrio della vita e, ancora prima, la convenienza delle rispettive famiglie. Però suo marito lo rispettava, lo aveva sempre rispettato, e probabilmente quello che adesso veniva chiamato amore una volta era precisamente quello, il rispetto. I ricordi erano cosí vividi che a Mio tornò in bocca il sapore dello stufato che avevano mangiato quella sera, l'arancio brillante delle carote che si stingeva a contatto con la salsa di soia e con la carne.

Immaginò all'ingresso della sala non piú le foto di Izumi-san, ma quelle di sua madre che, al tavolo della cucina, nella semioscurità, leggeva libri avvolti da una sovraccoperta giallo Tagete e… All'improvviso, la rivide mentre scriveva: Kaneko era sulla veranda, il giardino occupato dalle stoffe che asciugavano al sole, china sulla carta con una penna nel pugno, la campanella del vento che tintinnava spinta dalla brezza estiva. Annotava gli ordini per l'atelier, magari fili di seta, aghi o gli *obi* da Kyōto? Oppure scriveva una lettera appassionata a Okada-san? Gli raccontava di Mio che aveva imparato ad andare in bicicletta, o di quando aveva preteso un abito corto, in linea con quello delle compagne di scuola? E poi ecco suo padre Yōsuke, lei che entrava frettolosa nell'*ofuro* convinta non ci fosse nessuno e invece lo trovava immobile, a mollo in un'acqua già vecchia, con gli occhi chiusi e l'asciugamano posato sulla testa. Era esistito quel momento, perché lo ricordava, ne ricordava lo stupore e la dolcezza. La nostalgia, che per anni lei non aveva permesso emergesse, ora tornava tutta insieme.

Fu allora che Mio pianse senza piú trattenersi, guardando Aoi ritto a lato della sala, intento a supervisionare ogni passo della cerimonia, e il bonzo che officiava un rito di cui Mio non comprendeva le parole, ma il suono modulato della sua voce la rilassava, e onde di fiori come una collina che promette di continuare fino all'orizzonte, e l'unica figlia che Izumi-san aveva fatto in tempo ad avere dal giovane marito ucciso dalla guerra, a sua volta divenuta già anziana, persino nonna, e i tre figli di lei, intorno ai quarant'anni, con due bambine al seguito e molti fazzoletti nel pugno, gli abiti neri, il trucco pressoché nullo nelle donne, le capigliature ordinate negli uomini.

Di fronte a quelle lacrime che scendevano lente lungo le guance, alla vista appannata e al singhiozzo che interruppe piú volte il ritmo del respiro, Mio decise che da quel momento in poi si sarebbe concessa quel tempo ogni giorno. Magari un'ora soltanto, avrebbe accolto il pensiero del lutto, il dolore della mancanza della propria famiglia.

Aoi, da lontano, le lanciava sguardi preoccupati. Doveva sembrargli curioso che il funerale di una persona cosí marginale nella vita di Mio la colpisse tanto. *Anche se poi, a pensarci, siamo tutti ai margini della vita degli altri*, le avrebbe detto settimane piú tardi. *Eppure basta pochissimo per ritrovarci al centro. Basta pochissimo perché nel nostro centro arrivi qualcuno che fino a un attimo prima era fuori dal nostro campo visivo.*

Come lui per lei, come lei per lui.

Quando la cerimonia fu conclusa salirono tutti sul piccolo autobus che li attendeva all'uscita.

Mio e Aoi presero posto davanti, vicino all'autista, dopo che i familiari della defunta si erano distribuiti in modo compatto sui sedili posteriori. La figlia teneva tra le braccia una fotografia incorniciata di Izumi-san, con le strisce di raso nere che cadevano ai lati come un sipario.

Il viaggio fu breve, l'autobus seguiva con calma il carro funebre. Tagliarono il centro abitato di Kamakura arrampicandosi lungo la strada che portava al tunnel di Tsukubu, in direzione di Zushi.

Scesero in una piazzola che pareva spuntare dal verde di una montagna. Quel verde la riempiva. Lo vedeva anche Aoi?

Mio tenne il passo quanto piú vicino a quello di lui, attenta a non disturbarlo mentre guidava la famiglia nel crematorio e dava indicazioni al personale. La cassa fu consegnata agli addetti e con nostalgia, un'ultima volta, la famiglia salutò la madre, la nonna, la bisnonna e tutto quanto era stata in vita Izumi-san.

Nella sala predisposta all'attesa, Mio mangiò insieme a loro un piccolo *bentō* che vollero a tutti i costi ricevesse anche lei. I discorsi si fecero lievi, i ricordi buffi affollarono il tavolo; le bambine raccontavano dei loro successi, gli adulti chiedevano a Mio dell'atelier di *kimono* da sposa, del suo lavoro da Pigment.

Consumata dalla stanchezza, osservava quegli sconosciuti mangiare, appuntandosi mentalmente il colore di ognuno; il taccuino rimase nella borsa, come un amuleto di buona fortuna. Poi, verso la fine del pasto, li vide ridere insieme di un episodio di molto tempo prima che Mio non capí, ma in quella posa uguale della bocca, in quel momento di completa coesione emotiva, ebbe come un'epifania: anche nelle nuore e nei generi, nella bambina che masticava rumorosamente, nel padre che si accarezzava la barba, nella figlia di Izumi-san che si aggiustava gli occhiali sul naso, scoprí quel qualcosa che avevano tutti in comune. Una sfumatura del blu profondissimo, lo stesso che aveva riconosciuto nella defunta.

Chissà perché, ma non l'aveva mai neppure sfiorata un pensiero tanto semplice: portiamo nel corpo il colore di chi ci ha dato la vita, ereditiamo una parte di quella sfumatura, la possiamo persino contrarre, come una malattia. Basta anche soltanto stare insieme, condividere una casa, del cibo, un progetto di vita.

In quel momento Aoi, restituendo le bacchette di legno alla tavola, le accarezzò fugacemente una mano. Mio non alzò gli occhi, ma non la scostò.

D'un tratto suonò una musichetta dall'altoparlante, e venne annunciato che il processo di cremazione era terminato. Da quel momento, si sarebbero selezionate le ossa per procedere alla conclusione del rito.

Si alzarono tutti da tavola come alleggeriti. Il grosso di quel dolore pareva alle spalle.

Ecco dunque cosa accadeva a un funerale.

Mio rimase in disparte, ammaliata. Nell'urna riposava quella che un tempo era stata carne, e adesso era diventata polvere o fumo, piccolissime ossa che si erano sgretolate come conchiglie. Sul vassoio erano invece adagiate le ossa piú grandi, candide, lattescenti.

Vide la figlia e i nipoti impugnare lunghe bacchette – simili a quelle usate in cucina, per sollevare il *tenpura* dalla pentola d'olio o girare le verdure in padella – con cui afferravano le ossa rimaste per deporle nell'urna. Nell'aria c'era un'atmosfera di autentico, rapito stupore. «Come sono bianche», diceva qualcuno. «Sembrano liscissime», «Ho paura di farle cadere», «Chissà se le ossa diventano tutte cosí».

Pareva vivessero un'esperienza surreale, che nulla aveva a che fare con il funerale.

Mio osservava gli addetti del crematorio, impeccabili in un completo privo di pieghe, muoversi nello spazio come maestri cerimonieri: i guanti immacolati, la schiena drittissima, i capelli immobilizzati dalla gelatina, il volto che si sottraeva a qualunque intrusione.

Ci fu un valzer finale di formule e inchini, e la commozione lasciò spazio a una tregua, una leggerezza che rese piú fluidi i passi nella piazzola.

Risalirono in fila sull'autobus: adesso una nipote teneva in mano la fotografia incorniciata di Izumi-san e la figlia portava sul grembo l'urna chiusa in una grande scatola di raso bianca.

Dopo pochi minuti erano di ritorno all'agenzia, e fu lí che la famiglia si congedò. Ringraziarono Aoi e Sayaka, accennando a come tutto fosse stato perfetto: avevano realizzato una cerimonia sobria e tradizionale, come desideravano.

La figlia di Izumi-san si rivolse poi a Mio, che restava defilata dietro ad Aoi. Non si limitò a ringraziarla, le strinse forte entrambe le mani, in un inchino profondo colmo di commozione. Come sincronizzati nel saluto, anche gli altri membri della famiglia si piegarono in direzione di Mio. Si sentí avvolta dal loro calore: «Grazie a voi, dal piú profondo del cuore, – disse. – Grazie di avermi fatto partecipare a un momento cosí intimo».

Di nuovo piangeva, e poi tutto andò stingendosi ancora, ogni colore perse di forza, i parenti se ne andarono e si trovò sola nell'ufficio dell'agenzia. L'arredamento pulito e accogliente, il telefono nero di bachelite sulla scrivania.

Sentí dal corridoio un brusio di voci, Aoi e Sayaka dirsi qualcosa.

Precipitò nel bianco, perdendo la forma come un vestito che scivola da una gruccia.

Si accasciò sulla poltrona, non vide piú nulla.

Quattro

Dallo svenimento, di cui di fatto nessuno si era accorto, Mio era scivolata nel sonno. Avrebbe dovuto prendere il treno per Tōkyō, ma sembrava cosí esausta che preferirono lasciarla dormire sulla poltrona dell'ufficio per un paio di ore.

Piú tardi, varcando la soglia della casa di Aoi, si sentí svuotata, come se in un solo giorno le si fosse consumata tutta la sua capacità d'essere viva.

«Non è nulla di grave, – mormorò Mio, quando vide Aoi cosí preoccupato, – ma devo riposare ancora un po'».

Si lasciò spogliare, rimanendo in leggings e maglietta. Poi si stese sul letto, non svegliandosi fino alla mattina seguente. Fu sorpresa di trovare Aoi addormentato accanto a sé, e ridestandosi del tutto si domandò cosa fosse accaduto. Lui indossava gli stessi vestiti del giorno prima: pareva essersi assopito per sbaglio, vegliando probabilmente il sonno di lei.

Oltre la veranda la luce era piena: Mio osservò dalla finestra due bambini che camminavano vicino al giardino segreto di Aoi, tendendosi la mano senza toccarsi. Parevano funamboli che procedevano su corde appaiate. Mio rimase a guardarli, finché non uscirono dal suo campo visivo e al loro posto comparve una coppia di adulti, forse i genitori. Poi piú nulla, per vari minuti.

Fu solo a quel punto che ricordò il funerale, lo *shiromuku*, l'amore di Sayaka per quell'uomo che – quando lo citava – chiamava sempre «nostro zio». Si sentí presa in grembo dagli eventi, come se tutte quelle cose, anche le piú elementari, fossero piú grandi di lei.

Tornò a guardare il dorso di Aoi, e la voglia di lui le salí feroce come una nausea. Il cuore batteva cosí forte che pareva tremasse la casa. Ricacciò indietro tutto, si rispose che il sesso non risolveva nulla: era soltanto una tregua, una pausa. E tuttavia, pur essendone consapevole, il desiderio continuava a bruciarla. Si sentiva al guinzaglio, era un cagnolino che voleva svoltare a destra mentre il padrone tirava a sinistra.

Ricordò di quando – anni prima – si era imposta di fare a meno della passione, o perlomeno di non mischiare le cose. Il sesso e l'amore le parevano elementi che per un caso fortuito si accordavano solo per un breve tratto di strada, e poi, una volta consumato l'intervallo di misericordia, restavano a lottare a suon di compromessi per il tempo restante.

Da adolescente Mio aveva studiato i suoi coetanei, le piacevano; il suo fascino le aveva a sua volta attirato addosso l'interesse dei maschi. Ma del desiderio aveva paura. Non si era mai domandata come fosse arrivata a quella concezione tanto netta e negativa della passione, né quanta responsabilità avesse avuto la sua famiglia, l'unione un po' storta dei genitori.

Mio si alzò delicatamente, perché il materasso non subisse scossoni. Aoi cambiò posizione e lei si fermò a mezz'aria, non voleva si svegliasse.

Il corpo di lui la distraeva, il desiderio di ricominciare tutto dall'ultima volta che si erano amati la disturbò. Si avviò verso il bagno e prese a vestirsi di fretta.

Tutte le persone che Mio aveva amato nella sua vita, curiosamente, avevano il sonno pesante. Anche Aoi, e lei aveva usato ogni accortezza perché continuasse a dormire: avere una via di fuga era qualcosa che da sempre la rassicurava.

Ora Mio sarebbe salita col cuore in subbuglio sul primo treno per Tōkyō, avrebbe allungato le gambe, abbracciato la sacca con gli strumenti di sua madre e chiuso gli occhi fino alla stazione di Kagurazaka. Poi avrebbe camminato rapida tra le banchine di Shinjuku stracolme di studenti e pendolari, infine avrebbe raggiunto casa, mentre il giorno era già in ogni fessura.

E sarebbero passati degli anni.

Se lo ripeté, a bassa voce: «Sarebbero passati degli anni».

Ecco cosa sarebbe successo, se Mio fosse andata via di soppiatto. Tutto stava nel decidere come far andare le cose. Poteva far prevalere la rabbia, lasciando che il daltonismo di Aoi e il fatto che le avesse a lungo taciuto la verità sulla loro famiglia rosicchiasse ciò che di bello c'era stato nella loro relazione. Oppure poteva accettare la volontà d'essere felice.

La felicità, glielo diceva sempre la mamma e prima di lei la nonna – e su su lungo gli anelli concentrici della famiglia lo aveva ribadito ogni donna appartenuta al clan Yoshida –, la felicità era questione di tenacia, non certo di sorte.

«Che va blaterando la gente? Ma la fortuna non esiste! – esclamava la nonna scandalizzata. – La felicità te la produci in casa, esattamente come una buona tintura».

C'è un bisogno di pericolo, nell'animo umano. Quasi come se considerare la pura possibilità che vada tutto in malora ci possa salvare dal caderci dentro.

E allora aspetta, si disse Mio, attendi che lui si svegli: non sgattaiolare via, questa volta.

Si sedette a terra, scostò di un poco il vetro della veranda. Accese lo zampirone e lasciò andare le gambe alla mollezza del giardino. Era come a bordo piscina, quando non hai nessuna voglia di immergerti, ma infilarti in acqua fino ai polpacci è una delizia.

Si sentiva stranamente tranquilla: era passata una tempesta e, nonostante una gran confusione di rami e di foglie sparsi per strada, di lí a poco ogni cosa sarebbe tornata al suo posto.

Mio pensò allora che, al contrario di quanto credeva da ragazzina, anche la passione tra lei e Aoi era servita. Era stato importante che loro due arrivassero a condividere un letto, a guardare a turno il soffitto e a non capacitarsi in fondo di come fosse successo, di non capirci niente, né della parentela né della visione deragliata di entrambi; si convinse che era stato importante persino sentirsi delusa da lui, credere alla malafede, all'inganno. Ora era certa che tutto fosse servito per capire come in certi viaggi, in fondo, la meta sia l'ultima cosa che conta. Che fine faccia il tesoro nelle fiabe, come ricchezze strabilianti cambino *davvero* le vite dei protagonisti, non lo sa mai nessuno. Non lo si racconta perché, in fondo, non è importante. Capita piuttosto che nelle fiabe si parta per ottenere una cosa che, misteriosamente, si trasforma in un'altra.

Mio pensò che avrebbe dovuto domandare ad Aoi di quell'altro padre: l'aveva lasciata tranquilla per anni e quindi, anche solo per questo, era certa che lui l'amasse.

Si alzò dalla veranda. Tornò a dormire accanto ad Aoi.

Si svegliarono stanchi, la notte precedente continuava a camminare loro addosso.

«Sono crollato, mi dispiace», si scusò Aoi.

«Io sono a pezzi, ma domani devo per forza tornare al lavoro».

Respirare l'aria di mare li avrebbe ritemprati, disse Aoi. Per colazione sarebbero passati in un caffè a Zaimoku-za.

Arrivarono che l'oceano era calmo, il profilo del monte Fuji si affacciava oltre l'isola di Enoshima, al di là della striscia di montagne che chiudeva la baia di Sagamihara.

«Spesso venivo qui con mia madre, facevamo esercizio di vista, – disse Aoi. – Io le chiedevo il colore delle cose, lei mi rivolgeva la stessa domanda. Era come avere una doppia versione del mondo. A volte sembrava che nessuno dei due avesse ragione, anzi: che la ragione proprio non esistesse».

Mio ripensò all'episodio raccontato da una donna all'Università di Waseda: aveva acquistato una borsa credendo fosse marrone, e invece era viola. «Sai, ho molto pensato al tuo daltonismo», mormorò lei.

Aoi parve interdetto. «E cosa hai pensato?»

«Che per certe persone il colore non è per forza importante, ma un intralcio. A volte è soltanto una parola».

«Perché dici questo? – disse Aoi. – Io non minimizzerei in questo modo».

«Perché suppongo ti abbia fatto soffrire».

«In realtà era mia madre a stare male, temeva che crescendo avrei subíto chissà quali discriminazioni».

«E non è stato cosí?»

«No, non posso dire che mi abbia influenzato piú di tanto».

Quando aveva saputo che il nipote aveva il suo stesso difetto alla vista, lo zio si era avvicinato ad Aoi come se a un tratto facessero parte di un gruppo speciale all'interno di una parentela già ristretta: «Non ascoltare tua madre, – gli aveva detto, – non capisce che non c'è nessun problema a vedere il mondo cosí. Anche nostro padre era daltonico, e lei purtroppo ne è rimasta traumatizzata. La verità è che lui voleva disperatamente entrare in polizia, e il fatto che quel lavoro gli fosse stato negato lo addolorava».

«Certo, – riprese Aoi, – non dico che a volte non sia fastidioso, come quando devi comprare dei vestiti o qualcuno ti chiede di passargli una cosa di un certo colore e tu non sai bene qual è. Forse però è stato pensando a te, a come avresti reagito, che per la prima volta ho considerato davvero la mia vista come un problema».

«Mi dispiace».

«Non ti deve dispiacere. È una cosa bella, mi ha subito fatto capire quanto tenevo a te –. Esitò un istante, fissando l'oceano davanti. – Mi chiedo piuttosto se potrai mai accettare che qualcuno come me, che del colore non sa niente di niente, ti ami cosí».

Mio si sentí frastornata. Rimise in fila le parole. Era una dichiarazione? Venne investita da una vampata di quel colore che da bambina tanto la divertiva: il *kamenozoki-iro* 瓶覗色. Com'era solita fare quando aveva paura di perdere il controllo, si concentrò sul colore e lo ripercorse con precisione, quasi stesse facendo lezione a una classe di Pigment. L'azzurro pallido – letteralmente «il colore di uno sguardo furtivo a una brocca» – era quello che, secondo l'ironia della gente del periodo Edo, nasceva da un'immersione rapida e superficiale nella tintura dell'indaco.

Era forse di quel colore l'amore? Possibile fosse cosí tenue?

Turbata, cercando di cambiare discorso, Mio gli domandò di quando lui era bambino.

«È qui che sono cresciuto, a Zaimoku-za. Abitavamo proprio dietro il tempio Hōmyō-ji. Mia sorella ci vive ancora, ma spero che presto decida di trasferirsi in un posto con meno memoria».

Con gli occhi dell'infanzia, Aoi si rivide tra i vicoli del quartiere in cui era nato, il mare che arrugginiva le cose, la sabbia che s'infilava nelle tasche. E l'aria, soprattutto, che appiccicava di sale i capelli.

Scorsero un minuscolo chiosco sulla spiaggia, Mio volle un gelato.

Mentre Aoi continuava a riflettere ad alta voce sul suo daltonismo, Mio leccava il gelato ma si accorgeva a malapena del gusto. Pensava invece alla necessità di accettare l'ambiguità di certe emozioni, alla gioia di avere Aoi accanto e al timore che quel sentimento ossessivo e senza controllo riprendesse da capo.

«Per dire, – fece d'un tratto lui, – tu stai mangiando del giallo, del verde e del marrone, secondo me».

«Come?»

«Il tuo gelato. Di che colore è?»

«La miscela di latte e fragola è *toki-iro* 鴇色, il rosa pallido delle piume dell'ibis giapponese, estinto nel 2003. È un colore immancabile nei *kimono* delle giovani donne».

«E quest'altro?»

«La crema è giallo napoletano. Dal 1728 al 1738 venne chiamato giallolino. Prese il nome dalla città di Napoli perché si credeva derivasse dai minerali provenienti dal Vesuvio, il vulcano che la sovrasta».

Aoi indicò l'ultima pallina di gelato.

«Il cioccolato è invece color tè nero, con teste d'avorio graffiato nelle nocciole».

«Che meraviglia, – disse ammirato lui. – Neppure se vedessi come chiunque altro, riuscirei a vedere come te. Cosí almeno ho una scusa: ti chiedo di che colore è il mondo e mi godo le tue risposte. Se ci pensi è un vantaggio».

Mio ripensò a quando quella stessa domanda gliela faceva la madre, che non le passava nulla – un libro, un abito o una stoviglia – se lei non diceva di che colore fosse. Ricordò la severità con cui la puniva quando descriveva le cose nel suo modo pieno di espressioni diverse.

«Com'era Okada-san?» chiese lei a bruciapelo.

Aoi si stupí della domanda, ma cercò di non darlo a vedere. «Da ragazzo faceva surf, lí, proprio in quella zona di mare, – indicò un punto della baia dove una decina di sagome in nero cercavano di cavalcare onde modeste. – Aveva una passione insana per i libri gialli, ne finiva uno e subito attaccava il successivo. Non gli piaceva viaggiare, non amava l'aereo. Credo che da ragazzo avesse desiderato vedere l'America e l'Europa, ma i nonni non guadagnavano abbastanza con il negozio di biciclette per mandare all'estero il figlio. Per dire, lui è andato all'università, mia madre no... Quando era sovrappensiero tracciava dei disegni strani sulla carta, tutti a spirale, sul retro degli scontrini. Mia sorella ne ha tenuti diversi, li ha infilati nei libri o messi nei cassetti. Periodicamente saltano fuori!»

Mio sorrise al pensiero di quegli scarabocchi.

«Lo zio è sempre stato molto ordinato, con mia madre litigavano spesso proprio per questo. Sayaka ha preso da lei, è disordinatissima».

Aoi continuò a impilare episodi curiosi, banalità che raccontavano l'uomo nel suo carattere quotidiano, memorie che facevano ridere Mio. Aveva capito che per lei quelle settimane di attesa erano state importanti, che serviva le venisse restituito il padre poco alla volta, con immagini svelte, senza andare troppo in profondità.

Camminavano lenti, i passi disordinati. Le loro teste pendevano leggermente l'una verso l'altra, per non farsi rubare dal vento nemmeno una parola. Voltarono le spalle all'oceano, procedendo verso l'incrocio di Geba, dove un tempo si scendeva da cavallo per approssimarsi al santuario di Tsurugaoka Hachimangū.

Ci sarebbero voluti mesi di quelle storie, poi anni, perché Mio iniziasse a pensare a Okada-san con naturalezza. A raccontarlo persino, quando avrebbe parlato di sé, includendolo con naturalezza nella sua famiglia.

Guardando Aoi di sfuggita, mentre continuava spigliato ad aggiungere dettagli e ricordi, Mio tornò a domandarsi con sgomento cosa l'avesse resa felice prima di conoscere lui.

Il giorno successivo, davanti alla casa adiacente al giardino segreto di Aoi, da un camioncino con la scritta KAWAI & CO. sarebbero scesi quattro uomini in tuta bianca ed elmetto. Terminato il sopralluogo, sarebbero ripartiti dopo mezz'ora.

Nell'arco di un mese sarebbe comparsa la scavatrice, poi le aste e i tendoni per circoscrivere la caduta dei detriti. La demolizione della casa venne fissata per cinque settimane piú tardi.

Cinque

Dal giorno del funerale di Izumi-san erano trascorse due settimane, durante le quali Mio e Aoi si erano scambiati brevi messaggi.

Lui le aveva scritto che il ristorante di Ikeda-san avrebbe festeggiato i quarant'anni di attività, e senza invitarla direttamente disse che intendeva andare a mangiare lí proprio durante le celebrazioni. Aggiunse che entro la fine del mese sarebbe dovuto passare da Pigment per concludere il pagamento della consulenza e che, in quell'occasione, le avrebbe chiesto consiglio su dove pranzare.

Mio rispose che quarant'anni di attività erano un traguardo eccezionale. Che dopotutto anche lei era in animo di festeggiare, dal momento che – e qui usò addirittura tre punti esclamativi, seguiti da una faccina che sprizzava stelline – avevano vinto l'asta, ottenendo il pigmento di scaglie di legno brasiliano pernambuco dal museo della Catalogna. Aggiunse, in un messaggio successivo, che aveva speso una piccola fortuna per acquistare un'antica scatola in legno, laccata e foderata di seta, per custodire le lettere della madre. Gli disse che aveva sentito sua cugina, in Italia, facendo accenno a Okada-san, spiegandole chi fosse. E che, nel parlargliene, si era sentita leggera.

Il sabato mattina, prima di andare al lavoro, Aoi le telefonò. Le volle raccontare del funerale di un uomo molto noto in città. Era stata una cerimonia speciale, piena di famiglia.

291

Il martedí fu Mio a telefonare ad Aoi. Gli confidò che era triste, perché la settimana successiva sarebbe stata l'ultima volta in cui avrebbe fatto lezione ad Alma e a Rui. Gli disse anche che lui era entrato nei loro discorsi quando avevano parlato del daltonismo, perché a scuola un compagno di Rui aveva detto alla classe che lui il blu non riusciva a vederlo. E cosí avevano scoperto che l'occhio di John Dalton, il chimico inglese da cui il fenomeno aveva preso il nome, era ancora conservato nella città di Manchester, dentro un'ampolla. Grazie a un libro illustrato, Mio aveva spiegato alle bambine il modo in cui il cavallo percepiva l'ambiente circostante con una dominante grigia e giallastra e che, come la mucca, in condizioni di stress o di paura i suoi occhi guardavano leggermente ai lati. E poi che il rosso era invisibile al cane, al gatto e alla mucca, mentre il colibrí lo adorava, che il lombrico aveva solo la luce. Aoi rideva ascoltando quella pioggia di descrizioni in mezzo a cui Mio non poggiava neppure una pausa.

Il loro rapporto sarebbe potuto andare avanti cosí per chissà quanto, finché Mio – uscendo da Pigment dopo l'ultima lezione con Alma e con Rui – anziché prendere il solito treno per tornare a casa, senza quasi rendersi conto di ciò che faceva salí sulla linea Yokosuka e scese a Kamakura.

Quando Aoi arrivò a casa, spingendo la bicicletta lungo il vialetto e con un chupa-chups stretto in bocca, trovò Mio seduta davanti alla porta, il viso posato sulle ginocchia.

Sorpreso, poggiò al muro la bicicletta e le sorrise. Poi tirò fuori le chiavi di casa e aprí la porta. La fece entrare e finalmente la baciò.

Ad Aoi mancava il linguaggio per quelle precise occasioni, però le strinse forte le mani e, non bastandogli, guadagnò un altro pezzo di corpo, come pasta tra le dita. Le disse che l'amava, nel modo asciutto in cui tutto il sentimento se lo carica sulle spalle una sola parola.

Guidandola lungo l'ingresso, poi verso la sua stanza, la casa li immerse dentro di sé.

Titolo del libro illustrato in cui Mio scoprí la visione degli animali e la spiegò ad Alma e a Rui

Guillaume Duprat, *Zoottica*, Éditions du Seuil, Paris 2013.

«Vorrei abitassimo insieme un colore, – mormorò Aoi allungando un braccio sotto il collo di Mio. – Un colore in cui rifugiarci quando le cose si mettono male».

Lei girò la testa, distese le gambe sotto le lenzuola. L'estate finiva e quando scendeva la sera le temperature tornavano miti.

«Dev'essere un colore che vediamo uguale io e te», proseguí lui.

Per l'ennesima volta, Mio pensò a lei e ad Aoi affacciati dalla stessa finestra, a guardare due paesaggi leggermente diversi. Come attraversata da qualcosa che aveva dimenticato e tentato invano di recuperare, qualcosa che le era invece tornato alla mente in un momento in cui non lo stava cercando, Mio ebbe la risposta alla domanda che l'aveva torturata fin dall'inizio.

Qual era il colore di Aoi?

Si accorse di aver scordato del tutto quella domanda, perché nel frattempo era sparita l'urgenza. Non le importava, non le importava piú nulla. Cosí come non sapeva il colore di se stessa, non avrebbe mai saputo neppure quello di Aoi. Ciò che contava era quanto di nuovo sarebbe nato dalla loro somma: il *loro* colore.

Si sentí patetica e allegra: il *loro* colore. Rise, e si disse che quella scoperta andava scritta sul taccuino: a volte il colore di partenza non serve nemmeno saperlo.

«Non ti convince?» s'interruppe Aoi. Era sceso dal letto, ora la guardava dall'alto.

«Di cosa parli?» chiese Mio.

«Del nostro colore! Non parlo d'altro da almeno dieci minuti, – riprese lui ridendo. – Ho capito: non devo fare discorsi astratti o ti annoio».

Gli sorrise, scostando le lenzuola: «Ero sovrappensiero, e mi è anche venuta una fame tremenda».

«*Oyakodon*?» propose lui.

«Lo sai preparare?»

«Dammi mezz'ora», mormorò allegro Aoi andando in cucina.

Hai-zakura 灰桜, il ciliegio incenerito del panno in cui Mio era stata accolta alla vita, ancora la accompagnava. Nel giardino segreto di Aoi, l'ombra di un passero illuminato da un lampione le parve proprio di quella tinta. Colava a picco la sera, e lei sprofondava dentro Aoi.

La luna, spingendo le ombre nella casa, trasformò la stanza in un giardino.

Mangiarono, ma con la fame esclusivamente negli occhi. La voglia spezzava le azioni, li interrompeva.

Dopo cena, Mio disse: «Mentre ti aspettavo ho visto il cartello attaccato alla casa qui accanto. Cosa succederà?»

Aoi la guardò in silenzio. «La demoliranno, come è giusto che sia». Poggiò il palmo sul ventre di lei. Si domandò da dove provenisse il piacere di Mio a rovesciare indietro la testa.

«Non è giusto, invece».

«Sei triste?» chiese Aoi.

«Il tuo giardino… Cosí bello, cosí curato…»

«Lo ricreerò altrove. Ho conservato negli anni i semi di ogni pianta, sapevo che prima o poi sarebbe successo».

Da quel momento, come per un tacito accordo, non ne fecero piú cenno.

Aoi avrebbe continuato a chinarsi sul corpo di Mio che allungava all'indietro le braccia, le avrebbe baciato la parte piú indifesa del collo, avrebbe calcolato con le labbra la velocità del suo battito cardiaco, il cuore in affanno.

Avrebbe spinto la lingua sulla vena, per assaggiare la fretta di Mio. Per sapere se di nuovo era pronta.

Da dove veniva il piacere di Mio a rovesciare indietro la testa e di come Aoi lo scoprí

Un giorno, sfogliando un album di fotografie di Mio bambina, Aoi avrebbe capito che aveva a che fare con l'abbandono, e che era sempre stato parte di lei fin dalla culla.

Da neonata amava stravolgere la posizione diritta del capo, guardare all'indietro, farsi venire il sangue alla testa. Gli adulti restavano sconcertati da quel suo gesto repentino, spaventati all'idea di farsela scivolare dalle mani. Dopo un primo istante di sbigottimento, la sgridavano: «Smettila, è pericoloso! Non ti prendo piú in braccio se fai cosí!» Ma per Mio quel gesto era istintivo, lo avrebbe replicato tutta la vita.

In altalena, da adolescente, guardava il parco alla rovescia, i tronchi in testa alle chiome, le terrazze ai piedi dei palazzi che spuntavano sempre piú alti intorno a lei. Ricordava i volti degli altri ragazzini che ridevano di lei e della sua fissazione, mentre aspettavano il loro turno per montare sull'altalena alla sua stessa maniera per capire cos'è che tanto la affascinasse. Con le sopracciglia in bocca e i nasi in fronte, Mio li scherniva. L'altalena non la mollava a nessuno, almeno finché non la chiamavano per cena.

Mio si preparava a passare il fine settimana da Aoi, e con l'occasione si era messa in testa di concludere anche il cambio di stagione nell'armadio. Fu allora che, in piedi sulla sedia, mentre tirava giú il grande scatolone che conteneva il riassunto della sua infanzia, sotto il suo peso inciampò.

Dentro erano riposte le stoffe in cui era nata, il primo abitino, le prime scarpette, un quaderno delle elementari, una medaglia ricevuta per una ricerca sulla produzione del latte, una bambola dai capelli stopposi, un abito lilla e altre decine di piccole cose di cui capiva il significato soltanto lei. Ma, soprattutto, c'era il biglietto che anni prima le aveva regalato il padre: *Solo perché hai l'antidoto, non diventare dipendente dal veleno.*

Scivolò dalla sedia, e fu un miracolo se non si spezzò la schiena.

Atterrò sulle pile ordinate di vestiti che aveva piegato e disposto per terra, allo scopo di riporle per l'estate successiva. Si trovò cosí, spalancata come un *kimono* in attesa, le braccia allargate, le gambe appena divaricate, l'espressione stupita e tutto il contenuto dello scatolone sparpagliato intorno a lei: un pacchetto di Polaroid, un carillon di legno, decine di ritagli in cui si parlava dell'atelier Yoshida, un minuscolo ventilatore portatile che per poco non la colpí.

Mentre si rialzava, fu sommersa da una fitta pioggia color avorio.

Una cartellina, che da anni riposava placidamente sul fondo dell'armadio, si era aperta chissà come e adesso rilasciava, una per una, moltissime buste da lettera. Volavano in lungo e in largo nella stanza, infilandosi tra gli abiti, gli accessori, il pavimento ricoperto di oggetti ridestati di colpo dopo anni di immobilità.

Quando il fiotto si esaurí, Mio afferrò una busta a caso fra le tante che erano planate su di lei. Già lo sapeva, eppure fu una deflagrazione scoprire la grafia di Okada-san, la precisione con cui aveva trascritto il nome e l'indirizzo di casa di Kaneko.

Non la aprí, non ne lesse nessuna.

Si alzò, invece, e iniziò a raccoglierle con cautela, accumulandole sotto la finestra. Quando fu certa di non averne pestata nessuna, rimise in piedi la sedia, recuperò la cartellina da cui erano cadute e le infilò nuovamente lí dentro.

Fu allora che lesse cosa c'era scritto sull'etichetta: *Per Mio, quando sarò morta.*

Su Line premette l'indice sull'icona che significava Aoi. *Le ho trovate*, scrisse semplicemente.

E fu chiaro che avrebbero condiviso anche quella cosa.

Le lettere di Okada-san le consegnò tutte ad Aoi il giorno seguente. Prese tempo: sapeva che, per quel bisogno di assoluto cui tendeva la propria natura, era necessario assumere la vita a piccole dosi. Serviva prescriversela della quantità giusta, perché l'antidoto al veleno funzionasse.

E allora certe sere, prima di cena, Aoi le avrebbe lasciato una lettera sul tavolo, vicino al suo posto, o sul letto, sul cuscino. E lei se la sarebbe trascinata in borsa oppure in tasca, finché non fosse stata pronta ad aprirla. Poi gliel'avrebbe restituita senza dire nulla, e dopo qualche altro giorno lui gliene avrebbe prescritta un'altra, come lo sciroppo per il mal di gola.

Solo alla passione per Aoi non riuscí a trovare rimedio, tanto che in certi momenti della giornata, quando faceva una fatica straordinaria a concentrarsi, vagava tra le stanze nella speranza che qualcosa – un frutto, un libro, un pigmento, una caramella – la aiutasse a tornare tranquilla.

Quando erano insieme, talvolta Aoi si voltava verso di lei e d'istinto le domandava: «Dove sei?» Voleva capire a che punto della storia Mio fosse arrivata: Mio, dove sei? Il tuo cuore quanto è avanzato? In che direzione?

Capitava lo sognasse persino, di chiederle di aspettarlo, che lui era rimasto indietro. La sensazione provata da Aoi era quella sperimentata da tutti gli uomini che aveva frequentato prima di lui: Mio che correva all'impazzata, e loro che arrancavano. Per quanto ammirati dalla stupefacente scia di luce che lasciava dietro di sé, prima o poi tutti smettevano di seguirla. Lei era troppo veloce.

Aoi però, a differenza degli altri, non rinunciava.

«Mio, dove sei?»

Con i suoi occhi grandi e tranquilli glielo domandava, si metteva sulle sue tracce. Talvolta la ritrovava lí, esattamente tra le sue braccia, e capiva che non si era mai allontanata. Altre fissava un colore e, sebbene non lo capisse, immaginava che fosse nascosta lí dentro. Come quella stranissima tonalità di blu di cui gli aveva parlato un giorno, quello che si chiama esattamente come l'oscurità in fondo a un armadio.

Spesso Aoi la trovava nello stesso punto della memoria: in mezzo al campo sterrato dove, quella sera della loro prima estate, era stato installato un palco di legno, le file di lampade rosse *chōchin* a oscillare come bouganvillee durante quel *matsuri* in cui avevano guardato la gente in cerchio che seguiva il ritmo dinoccolato di anziane in *yukata*, il *taiko* dell'amministratore di quartiere a far vibrare la terra, i ventagli spianati nella sera fitta di insetti. Quella stessa sera in cui Mio gli aveva sussurrato all'orecchio: «Ma tu ci pensi mai, alle vite degli altri? Al fatto che noi non sappiamo nulla di loro, e loro di noi? Guarda queste persone, ballano tutte all'unisono ma non conoscono niente degli altri».

Sul volto di Mio vibravano le luci della festa, lui aveva fermato il ventaglio e l'aveva guardata.

«Sono come le vite nascoste dei colori, sai?» gli aveva detto lei.

«Le vite?»

«Sí, – aveva sussurrato lei avvicinando esageratamente le labbra all'orecchio. – Anche Kandinskij sosteneva che "Ogni colore vive una sua propria vita misteriosa"». Mio l'aveva ripetuto piú volte alzando la voce, perché il rumore del tamburo la copriva.

Forse, pensava adesso Aoi, forse è stato in quel momento che mi sono innamorato di lei.

Epilogo

C'era un momento preciso che i giardinieri della compagnia Kawai & Co. avrebbero ricordato a lungo.

Appena scesi dal camioncino, osservarono sconcertati ciò che gli era stato chiesto di radere al suolo e d'istinto si guardarono in volto.

«Ma è qui? Siamo sicuri?»

Uno aveva voluto scattare delle fotografie; un altro suggerí di chiedere una conferma ulteriore, non si sa mai, magari c'era stato un errore. Un altro ancora, consapevole del lato meno generoso del proprio mestiere, non aveva detto nulla e si era messo pazientemente a scaricare l'attrezzatura: le seghe, i falcetti, i grossi sacchi in cui ammassare i fusti, i rami e le foglie. E i fiori, sí, anche quella piccola montagna di fiori.

Poco o nulla era cambiato dalla sera prima, quando Aoi era passato per l'ultima volta a potare e annaffiare. Aveva giusto rimosso i cartellini che indicavano le specie, per evitare finissero nella spazzatura. Conosceva le piante fin da quando erano ancora una fantasia della terra. Sapeva a memoria persino lo sviluppo dei rami, le preferenze di ognuna in fatto di luce e di acqua, le malattie scongiurate negli anni, gli innesti.

Nonostante ne prevedesse con certezza la fine, Aoi aveva usato verso il giardino la solita cura, incapace com'era di subirne l'agonia. In verità, dove aveva potuto, aveva travasato le piante in una trentina di vasi delle dimensioni piú disparate, che ora riposavano in casa sua. Erano

301

state ore febbrili, trascorse nella speranza di salvare tutto ciò che lo spazio gli concedeva: sperava che le piante resistessero fino a un nuovo trasloco. Non aveva potuto fare niente, però, per gli alberi, il roseto, i cespugli di azalea.

Cosí ora, davanti allo sguardo sbalordito dei giardinieri, si apriva una serra, un'oasi perfetta che costava fatica annientare.

Tre settimane piú tardi, oltre il vetro della veranda, nel giardino dove le seghe si affaccendavano a smorzare gli ultimi grovigli di rose, a tagliare i rami e poi i tronchi a rondelle, dopo che le scavatrici e altre macchine di cui conoscevano il nome solo i bambini avevano fatto franare le pareti della casa, c'era un uomo che fissava immobile quello spettacolo.

Si chiamava Tanaka Yukio e aveva una macchina fotografica appesa al collo. Da qualche mese si era appassionato alla fotografia. Si stava dirigendo verso casa della sorella per riprendere il figlio che ultimamente amava giocare con il cuginetto, quando la vista del disastro lo aveva fermato.

Lo sguardo in alto, perso nel nulla dei rami, le gemme pronte a cadere.

Alzò l'obiettivo e scattò.

Mio e Aoi non lo avrebbero saputo che dopo moltissimi anni, quando a una mostra avrebbero visto i loro volti, l'uno perso in quello dell'altra, davanti alla distruzione di quello spicchio di natura. Il loro profilo era incorniciato dai rami spezzati di un ciliegio che non sarebbe piú sbocciato, dalla grazia sparita di quel giardino che ormai segreto non era piú.

In quell'esatto momento, come avrebbero avuto modo di ricordare con nostalgia, stavano parlando di trasferirsi in una villetta nel verde, magari appollaiata sul fianco di una delle tante montagne di Kamakura. Con voce ferma, Mio stava dichiarando l'intenzione di chiedere a Pigment di passare a un part-time: superando l'incredulità impensierita di Aoi – il quale non voleva che lei rinunciasse a nulla – gli spiegava che le sarebbe tanto piaciuto avviare uno studio di consulenza sui colori, magari affittare uno spazio che fosse inondato di luce e da cui si vedesse l'oceano.

Nei dieci minuti a cavallo fra quelle parole e lo scatto della fotografia, Mio e Aoi avevano trovato il loro colore.

Glossario

akikusa   letteralmente «erba autunnale».

azuki   varietà di fagioli piccoli e di colore rosso bruno, ingrediente base della pasticceria giapponese, da cui si ricava la marmellata *an*.

bentō   pasto preparato a casa oppure acquistato già confezionato da consumarsi a scuola, al lavoro o in viaggio.

bunraku   teatro tradizionale giapponese dei burattini, accompagnato dal canto *joruri*.

butsudan   l'altare buddhista familiare posto in casa.

chōchin   lanterna giapponese, carta delle lampade.

dagashi   dolci a buon mercato.

daimyō   signore feudale.

dango-mushi   crostaceo terrestre dell'ordine degli Isopoda il cui nome scientifico è *Armadillidium volgare*. Prolifica in ambienti umidi e ha la caratteristica di appallottolarsi quando avverte una situazione di pericolo.

dashi   brodo.

dohyō   ring del *sumō*.

donburi   ciotola, scodella.

furikake   frammenti di cibo, confezionati perlopiú in bustine e barattoli, che vengono sparsi sul riso bianco per insaporirlo.

gomennasai   «mi dispiace», «scusa» o «mi scusi» in giapponese.

goshoguruma   il carro trainato dai buoi, usato come mezzo di trasporto dell'aristocrazia.

hato-sabure   biscotti al burro a forma di colomba tipici della città di Kamakura.

305

hiragana   sistema di scrittura sillabico che insieme al *katakana* e ai *kanji* costituisce il sistema di scrittura della lingua giapponese. È caratterizzato da tratti morbidi e arrotondati.

hozuki   pianta perenne (*Physalis alkekengi*).

jūnihitoe   i dodici strati dei *kimono* delle donne appartenenti all'alta corte imperiale.

kaminari   fulmine.

kan'i jūnikai   il sistema di ripartizione sociale in vigore dal 600 d.C. a seconda della tonalità dei copricapi lunghi e sottili che si indossavano a corte.

kanji   caratteri ideografici di origine cinese che insieme allo *hiragana* e al *katakana* costituiscono il sistema di scrittura della lingua giapponese.

kannushi   cerimoniere del funerale shintoista.

katsudon   costoletta di maiale servita su una ciotola di riso.

Kaze no denwa   il Telefono del Vento.

kiridōshi   antichi accessi alla città di Kamakura sparsi sulle montagne e le colline intorno.

kōban   piccolo centro di polizia di quartiere.

konbini   convenience store aperti 24h su 24, 365 giorni l'anno.

maccha   tè verde in polvere.

makura-kazari   letteralmente «decorazione del cuscino», è parte del rituale funebre buddhista e shintoista.

matsuri   festival tipici della tradizione giapponese.

mochi   pasta di riso che viene cotta al vapore e pestata fino a renderla elastica. Ingrediente base di molte pietanze della cucina giapponese e di buona parte dei dolci tradizionali.

mōshiwakearimasen deshita   formula del giapponese formale per chiedere perdono.

noren   tipologia di tenda.

obi   fascia per *kimono*, di tessuto rigido e spesso, che viene stretta alta in vita.

obi-ita parte del *kimono* che serve a tenere in ordine l'*obi*.

o-bon celebrazione estiva di impostazione buddhista per commemorare i defunti.

ofuro parte integrante della cultura giapponese, l'*ofuro* (termine onorifico) chiamato anche *furo* è un rituale quotidiano che consiste nell'immergersi nell'acqua bollente della vasca, dopo essersi lavati, allo scopo di rilassarsi. Per estensione, spesso si tende a indicare con *ofuro* la vasca stessa.

okura abelmosco, pianta commestibile parte dell'alimentazione giapponese.

omiai incontro organizzato per combinare un matrimonio.

onigiri riso bollito e pressato in bocconcini di forma sferica o triangolare, ripieni di prugne salate, pezzetti di salmone o altri ingredienti, spesso avvolti da alghe.

oshibori piccolo asciugamano umido, caldo o freddo a seconda delle stagioni, con cui pulirsi le dita al ristorante.

oshiire armadio a muro, guardaroba tipico delle case giapponesi.

oyakodon piatto a base di carne di pollo e uova.

rāmen tagliatelle di farina di frumento servite in brodo. Piatto di origine cinese, è ampiamente diffuso in Giappone.

sakasa-mizu rito funerario del lavaggio con l'acqua temperata in senso inverso rispetto al solito.

sakura-mochi tipi di dolci tradizionali composti da un *mochi* dal ripieno di pasta di fagioli avvolto in una foglia di ciliegio.

sekihan riso bollito con fagioli rossi, spesso consumato nei giorni di festa.

senbei cracker di riso di varie forme, dimensioni e sapori. I *senbei* sono solitamente salati ma se ne trovano anche versioni dolci.

shibori tecnica giapponese di decorazione del tessuto attraverso disegni screziati ottenuti con una specifica tintura.

shichi-go-san festa che si tiene nei santuari shintoisti il 15 novembre per celebrare la crescita dei bambini di tre e cinque e delle bambine di tre e sette anni.

shiromuku i *kimono* nuziali.

shōji   porta scorrevole costituita da una intelaiatura di legno leggero e carta traslucida dal colore biancastro, presente nelle case tradizionali giapponesi, serve a separare gli ambienti.

shōtengai   quartiere commerciale.

soba-cha   tè di soba, grano saraceno.

sora-mame   fava.

sumimasen   «mi dispiace», «permesso», «scusa» o «mi scusi».

taiko   tamburo.

taiyaki   dolci a forma di pesce farciti con marmellata di fagioli.

Tanabata   celebrazione che cade il 7 luglio o il 7 agosto di ogni anno.

tanzaku   striscia di carta su cui scrivere versi di *haiku* o *tanka* oppure i desideri da appendere a fuscelli di bambú durante la celebrazione di Tanabata a luglio-agosto.

tenpura   frittura di pesce e verdure.

tomo-biki   è ricavato da *tomo*, che significa «amici», e *hiki*, *hiku*, che significa «tirare», quindi tirare a sé. Secondo la superstizione, per le agenzie funebri lavorare nel giorno di *tomo-biki* vorrebbe dire portare nella tomba i propri amici e i propri conoscenti: da qui il giorno di riposo.

torii   portale isolato posto all'ingresso di un santuario shintoista.

tsuno-kakushi   copricapo bianco a forma di diadema che lascia scoperta la sommità del capo della sposa nei matrimoni shintoisti.

uchiwa   ventaglio.

umeshu   liquore di prugna.

wagashi   dolci della pasticceria tradizionale.

yōkai   creature soprannaturali della mitologia.

yoshi yoshi   onomatopea che in giapponese significa «bravo», «va bene», «su, via».

yukata   *kimono* di cotone estivo e informale.

yūyake-chaimu   la musichetta che suona al tramonto in alcune città del Giappone.

yuzu   particolare varietà del bergamotto giapponese.

Il taccuino dei colori di Mio

akabeni-iro 赤紅色　il rosso geranio delle dame altolocate di Kyōto.

ankokushoku 暗黒色　un nero completo che esclude e assorbe la vista senza lasciare una parvenza di luce. È il colore della cecità.

benifuji 紅藤　un color glicine pallido con riflessi cremisi, un viola nei toni leggerissimi del rosso, molto popolare nel periodo Edo, usato per la tintura degli abiti dei giovani.

enpaku 鉛白　un bianco antichissimo, di piombo, usato sui corpi finché non ne venne scoperto l'effetto velenoso.

gofun-iro 胡粉色　una varietà di bianco, polvere di valve d'ostrica.

hai-zakura 灰桜　grigio cenere e rosa ciliegio.

hatoba-nezumi 鳩羽鼠　un tipo di viola chiaro, color glicine, mescolato a un tono di grigio con dentro una punta di rosso.

kamenozoki-iro 瓶覗色　un azzurro pallido – letteralmente «il colore di uno sguardo furtivo a una brocca», che secondo l'ironia della gente del periodo Edo nasceva da un'immersione rapida e superficiale nella tintura dell'indaco.

kinari-iro 生成色　bianco grezzo.

kogecha 焦茶　il marrone delle foglie bruciate di tè.

kuri-iro 栗色　giallo castagna.

kyōshiki 凶色　tinta sfortunata, luttuosa, di cattivo augurio.

moegi 萌黄　il verde dei primi germogli primaverili, un colore tradizionale che risale al periodo Heian.

murasaki 紫　colore viola.

309

nando-iro 納戸色   è il blu preferito di Mio, il blu ripostiglio.

neri-iro 練色   il bianco impasto, un bianco con una punta di pallidissimo giallo.

nibi-iro 鈍色   un grigio intenso che originariamente veniva usato per gli abiti da lutto, una tintura ricavata dalla corteccia di vari tipi di querce giapponesi come *kashiwa* e *kunugi*. Si tratta di una tinta cupa che veniva intesa come sinonimo di tutti i colori scuri.

nise-murasaki 偽紫   un viola scuro su base bluastra, letteralmente «finto viola», nato dall'astuzia del popolo del periodo Edo cui era interdetto l'utilizzo del «vero viola», dedicato invece esclusivamente alle fasce piú alte dell'aristocrazia.

nōkon 濃紺   un tipo di blu molto scuro.

oitake-iro 老竹色   color bambú invecchiato, è un verde un po' cupo che suggerisce la sfumatura cinerea del bambú invecchiato.

ryūryoku 柳緑   verde salice.

sabi-shu 錆朱   un rosso bruno, ruggine, vicino al marrone.

sakura-nezumi 桜鼠   un color cenere dai pallidi riflessi di rosa ciliegio.

seitai 青袋   un blu sobrio e profondo (picchiettato di nero carbone e lampi di giallo castagna).

shikkoku 漆黒   il profondo e brillante nero lacca.

shinbashi-iro 新橋色   un verde acqua brillante che nacque nel periodo Meiji, quando iniziarono le importazioni dall'estero delle tinte chimiche.

shinryoku 新緑   il verde nuovo, quello piú acceso dell'anno.

sumi-iro 墨色   color inchiostro, nero inchiostro.

sunezumi 素鼠   sfumatura di grigio.

tanpopo-iro 蒲公英色   giallo soffione.

tobi-iro 鳶色   il colore delle sfumature rossastre del nibbio.

toki-iro 鴇色   rosa pallido, colore delle piume dell'ibis.

unohana-iro 卯の花色   bianco deutzia.

urayanagi 裏柳 «il colore del retro delle foglie del salice piangente».

usu-kōbai 薄紅梅 una tinta rosata piú chiara del color prugna.

yamabuki-iro 山吹色 altro tipo di giallo che proviene dal nome dell'omonimo fiore, la «rosa del Giappone» o *Kerria japonica*.

zōge-iro 象牙色 color avorio.

Nota e ringraziamenti.

Mio suocero è nato con un nome e un cognome, è cresciuto con un altro cognome, è invecchiato con un altro nome.

Alla nascita si chiamava Okada Takenori. Ora si chiama Imai Yōsuke.

È nato in un tempo in cui per riprendere possesso dei suoni della propria famiglia serviva divorziare: cosí fece sua madre. Desiderava donarlo ai propri figli, tramandarlo in modo da non spezzare la linea di quel cognome che significava tanto per lei: «Imai». Cosí, pur amando il marito e rimanendo al suo fianco fino all'ultimo giorno, andò al Comune e tornò nubile davanti allo Stato. «Era una donna fortissima, ricordo le sue sfuriate tremende», mi racconta talvolta ridendo mio suocero. Ora ne vedo la figura austera, ritratta in una fotografia in bianco e nero sul *butsudan*, l'altare domestico nella stanza del *tatami*, dove lui ogni sera prega per l'anima della madre, del padre e degli altri antenati.

Poi, visto che in Giappone ogni nome non è solo un suono ma un piccolo gomitolo di tratti, una doppietta o una tripletta di *kanji* che di volta in volta assumono diversi significati, e visto che «Takenori» era uno di quelli assai complicati che la gente pronunciava sempre sbagliando, e visto che era stanco di correggere sempre l'interlocutore, mio suocero si è ribattezzato.

Il cambio del nome è insomma un vizio di famiglia. Un diletto, forse. Tanto piú che adesso suo figlio, Ryōsuke, ha adottato il mio cognome – per fare un dono a mio padre – sommandolo al suo: Imai Messina 今井メッシーナ.

È stata questa vicenda, insieme alla consapevolezza profonda che l'amore non sia qualcosa che si basa sul meglio di noi – possiamo essere amati profondamente per qualcosa che non esprimiamo nella maniera che ci pare migliore –, ad aver originato parte di questa storia. L'amore non è mai qualcosa che ci si merita. L'ho capito da poco, ma con la sensazione definitiva delle cose che fondano una persona.

Ho sempre creduto che fosse nella scrittura che emergesse la Laura piú intensa, quella per cui valeva la pena sopportare anche la mia pigrizia, gli scoppi d'ira, i capricci da bambina viziata, la tristezza improvvisa che mi fa piangere anche una giornata intera. Ecco, Ryōsuke non ha mai letto un mio libro, eppure mi ama. E questo è stato un pensiero destabilizzante per anni, finché non ho capito che è proprio perché non mi ama per le mie capacità espressive, che mi amerà invece per sempre. Anche quando non saprò piú scrivere, quando non avrò piú nulla da dimostrare. Perché Ryōsuke mi ama precisamente per quella che sono, e che io non riesco a vedere. Proprio come Aoi ama Mio. Non è il colore, è lei che è importante.

Grazie a Cristina Banella e a Mario De Santis. Voi due siete le mie fondamenta. Mi avete tenuta stretta stretta per mano mentre pensavo questo romanzo, studiavo le fonti, piangevo mio padre, ne affrontavo la morte, infine scrivevo il libro, gli trovavo una casa, e lo concludevo in una delle estati piú corte della mia vita.

Devo moltissimo a Francesco Marocco, a quel primo racconto che mi leggesti a voce alta, alle cose che mi hai fatto pensare sulla passione, ai lunghissimi discorsi, al tuo piccolo Jack Russell di cui conosco le capriole, alle cose che ho scritto per te e che poi sono confluite naturalmente in questo libro importante. Erbaccio, in questo anno di pandemia – cosí collocati agli antipodi del mondo, con due fusi a disposizione – sei diventato una persona che voglio resti per sempre.

Grazie a Maria Cristina Guerra, amica, agente segreta, donna le cui fragilità sono piene d'oro e bellezza.

Grazie a Paola Gallo, a Marco Peano e a Ernesto Franco, per avermi accolta in famiglia. Marco, grazie della tua pazienza, e delle tue emoticon orrende. Siamo stati allineati sulla perdita e sulla bellezza. È una cosa rara.

Grazie a Tommaso, per essere entrato nella mia vita.

Grazie a Ryōsuke, che mi è stato vicino come sa fare solo l'amore, quello vero, quello anche imperfetto, quello che non ti salva la vita ma ti tiene forte per mano in qualunque momento, in qualunque luogo tu riesca a raggiungere anche da sola. In questa fase finale, guardare persino la passione tornare è stato il dono piú grande.

E sí, grazie a questo anno tremendo di pandemia, gli darei due sberle e pure un calcio, ma grazie anche a lui. Senza l'immobilità, il vuoto, la solitudine e la tristezza, questo libro non lo avrei mai scritto. Sarei stata troppo occupata a godermi la vita. E invece sono cresciuta.

Perché ero come Mio, che trovava intollerabile la passione, tutto quanto non era perfetto.

E dopo un anno e mezzo sono come Mio, che impara ad accettarla, che la rimette a fatica nel posto migliore e riprende a coltivarla. Sono come lei che sa persino, cosí sbagliata, di essere bella.

L.I.M.

Crediti.

Le vicende e i personaggi di questo romanzo sono frutto della fantasia dell'autrice, e ogni riferimento a fatti realmente accaduti o a persone realmente esistite – laddove non diversamente specificato – è da ritenersi casuale. Piccole modifiche alla topografia dei luoghi raccontati e alla cronologia degli eventi storici, di cronaca o di costume, sono state apportate di tanto in tanto per esigenze drammaturgiche.

La prima citazione in epigrafe a p. 5 è tratta dalla poesia *Crisòtemi* di Ghiannis Ritsos, in *Quarta dimensione*, trad. it. di Nicola Crocetti, © 2013 Crocetti Editore, Milano.

Le citazioni a p. 112 e a p. 159 sono tratte da Emil Cioran, *La caduta nel tempo*, trad. it. di Tea Turolla, © 1995 Adelphi Edizioni S.p.A., Milano.

La citazione a p. 137 è tratta da Jean Giono, *L'uomo che piantava gli alberi*, trad. it. di Luigi Spagnol, © 2008 Adriano Salani Editore, Milano.

Le citazioni in epigrafe a p. 157 sono tratte da Leo Lionni, *La botanica parallela*, © 2012 Carlo Gallucci editore, Roma; e da Georges Perec, Pierre Lusson, Jacques Roubaud, *Breve trattato sulla sottile arte del go*, a cura di Martina Cardelli, © 2014 Quodlibet, Macerata.

La citazione alle pp. 181-182 è tratta dalla poesia *Spiegazione necessaria* di Ghiannis Ritsos, in «Poesia», n. 239, anno XXII, trad. it. di Nicola Crocetti, giugno 2009 Crocetti Editore, Milano.

La citazione a p. 224 è tratta da Roland Barthes, *Dove lei non è*, trad. it. di Valerio Magrelli, © 2009 Éditions du Seuil/IMEC. © 2010 Giulio Einaudi editore s.p.a., Torino.

La citazione in epigrafe a p. 257 è tratta da Kawabata Yasunari, *Denti di leone*, trad. it. di Antonietta Pastore, per gentile concessione © 2019 Mondadori Libri S.p.A., Milano.

Indice

Stampato per conto della Casa editrice Einaudi
presso ELCOGRAF S.p.A. - Stabilimento di Cles (Tn)
nel mese di giugno 2021

C.L. 24847

Ristampa

0   1   2   3   4   5   6

Anno

2021   2022   2023   2024